Raymond Queneau

Zazie
dans le métro

Dossier et notes réalisés par
Laurent Fourcaut

Lecture d'image par
Ferrante Ferranti

Analyse filmique par
Laurent Canérot

folioplus
classiques

Spécialiste de Jean Giono (étude sur *Le Chant du monde* en Foliothèque), **Laurent Fourcaut** a accompagné la lecture de *La Vérité sur Bébé Donge* en Bibliothèque Gallimard. Il est directeur adjoint de l'IUFM de Paris.

Né en 1960 en Algérie d'une mère sarde et d'un père sicilien, **Ferrante Ferranti**, architecte de formation, est devenu photographe en même temps qu'il a développé le goût des voyages. Il a porté un regard attentif sur le baroque (*Le Banquet des anges. L'Europe baroque de Rome à Prague*, Plon; *La Perle et le croissant. L'Europe baroque de Naples à Saint-Pétersbourg*, Plon) et fait découvrir, par ses recueils de photographies, des villes superbes (Prague, Saint-Pétersbourg, Palerme, Rome). En 2003, il a publié chez Bréal *Lire la photographie*.

Ancien élève de l'École normale supérieure de la rue d'Ulm, **Laurent Canérot** est agrégé de lettres modernes et titulaire d'un DEA d'audiovisuel. Il enseigne la littérature et le cinéma au lycée d'Essouriau des Ulis.

Couverture : Izis, *Le Cirque Fanny, à la Foire du Trône, Paris, 1949.*

Sommaire

Zazie dans le métro

C'est celui qui l'avait fait qui l'a fait
disparaître.

ὁ πλάσας ἠφάνισεν

ARISTOTE

I

Doukipudonktan, se demanda Gabriel excédé. Pas possible, ils se nettoient jamais. Dans le journal, on dit qu'il y a pas onze pour cent des appartements à Paris qui ont des salles de bains, ça m'étonne pas, mais on peut se laver sans. Tous ceux-là qui m'entourent, ils doivent pas faire de grands efforts. D'un autre côté, c'est tout de même pas un choix parmi les plus crasseux de Paris. Y a pas de raison. C'est le hasard qui les a réunis. On peut pas supposer que les gens qu'attendent à la gare d'Austerlitz sentent plus mauvais que ceux qu'attendent à la gare de Lyon. Non vraiment, y a pas de raison. Tout de même quelle odeur.

Gabriel extirpa de sa manche une pochette de soie couleur mauve et s'en tamponna le tarin.

— Qu'est-ce qui pue comme ça ? dit une bonne femme à haute voix.

Elle pensait pas à elle en disant ça, elle était pas égoïste, elle voulait parler du parfum qui émanait de ce meussieu.

— Ça, ptite mère, répondit Gabriel qui avait de la vitesse dans la repartie, c'est Barbouze, un parfum de chez Fior[1].

---

1. Parodie des noms pompeux ou langoureux donnés à des parfums. Un « barbouze » est un agent secret. « Fior » renvoie au nom d'un célèbre parfumeur, Christian Dior, mais évoque aussi le *fion*, en argot le derrière…

— Ça devrait pas être permis d'empester le monde comme ça, continua la rombière sûre de son bon droit.

— Si je comprends bien, ptite mère, tu crois que ton parfum naturel fait la pige à[1] celui des rosiers. Eh bien, tu te trompes, ptite mère, tu te trompes.

— T'entends ça? dit la bonne femme à un ptit type à côté d'elle, probablement celui qu'avait le droit de la grimper légalement. T'entends comme il me manque de respect, ce gros cochon?

Le ptit type examina le gabarit de Gabriel et se dit c'est un malabar, mais les malabars c'est toujours bon, ça profite jamais de leur force, ça serait lâche de leur part. Tout faraud[2], il cria:

— Tu pues, eh gorille.

Gabriel soupira. Encore faire appel à la violence. Ça le dégoûtait cette contrainte. Depuis l'hominisation[3] première, ça n'avait jamais arrêté. Mais enfin fallait ce qu'il fallait. C'était pas de sa faute à lui, Gabriel, si c'était toujours les faibles qui emmerdaient le monde. Il allait tout de même laisser une chance au moucheron.

— Répète un peu voir, qu'il dit Gabriel.

Un peu étonné que le costaud répliquât, le ptit type prit le temps de fignoler la réponse que voici:

— Répéter un peu quoi?

Pas mécontent de sa formule, le ptit type. Seulement, l'armoire à glace insistait: elle se pencha pour proférer cette pentasyllabe monophasée[4]:

— Skeutadittaleur...

Le ptit type se mit à craindre. C'était le temps pour lui,

---

1. Surpasse.
2. Fanfaron.
3. Le passage du singe à l'homme.
4. Groupe de cinq syllabes prononcé d'une seule émission de voix.

c'était le moment de se forger quelque bouclier verbal. Le premier qu'il trouva fut un alexandrin:

— D'abord, je vous permets pas de me tutoyer.

— Foireux[1], répliqua Gabriel avec simplicité.

Et il leva le bras comme s'il voulait donner la beigne à son interlocuteur. Sans insister, celui-ci s'en alla de lui-même au sol, parmi les jambes des gens. Il avait une grosse envie de pleurer. Heureusement vlà Itrain qu'entre en gare, ce qui change le paysage. La foule parfumée dirige ses multiples regards vers les arrivants qui commencent à défiler, les hommes d'affaires en tête au pas accéléré avec leur porte-documents au bout du bras pour tout bagage et leur air de savoir voyager mieux que les autres.

Gabriel regarde dans le lointain; elles, elles doivent être à la traîne, les femmes, c'est toujours à la traîne; mais non, une mouflette[2] surgit qui l'interpelle

— Chsuis Zazie, jparie que tu es mon tonton Gabriel.

— C'est bien moi, répond Gabriel en anoblissant son ton. Oui, je suis ton tonton.

La gosse se marre. Gabriel, souriant poliment, la prend dans ses bras, il la transporte au niveau de ses lèvres, il l'embrasse, elle l'embrasse, il la redescend.

— Tu sens rien bon, dit l'enfant.

— Barbouze de chez Fior, explique le colosse.

— Tu m'en mettras un peu derrière les oreilles?

— C'est un parfum d'homme.

— Tu vois l'objet, dit Jeanne Lalochère s'amenant enfin. Tas bien voulu t'en charger, eh bien, le voilà.

— Ça ira, dit Gabriel.

— Je peux te faire confiance? Tu comprends, je ne veux pas qu'elle se fasse violer par toute la famille.

---

1. Lamentablement inefficace.
2. Fillette.

— Mais, manman, tu sais bien que tu étais arrivée juste au bon moment, la dernière fois.

— En tout cas, dit Jeanne Lalochère, je ne veux pas que ça recommence.

— Tu peux être tranquille, dit Gabriel.

— Bon. Alors je vous retrouve ici après-demain pour le train de six heures soixante.

— Côté départ, dit Gabriel.

— Natürlich[1], dit Jeanne Lalochère qui avait été occupée. À propos, ta femme, ça va ?

— Je te remercie. Tu viendras pas nous voir ?

— J'aurai pas le temps.

— C'est comme ça qu'elle est quand elle a un jules, dit Zazie, la famille ça compte plus pour elle.

— À rvoir, ma chérie. À rvoir, Gaby.

Elle se tire.

Zazie commente les événements :

— Elle est mordue.

Gabriel hausse les épaules. Il ne dit rien. Il saisit la valoche à Zazie.

Maintenant, il dit quelque chose.

— En route, qu'il dit.

Et il fonce, projetant à droite et à gauche tout et qui se trouve sur sa trajectoire. Zazie galope derrière.

— Tonton, qu'elle crie, on prend le métro ?

— Non.

— Comment ça, non ?

Elle s'est arrêtée. Gabriel stope également, se retourne, pose la valoche et se met à espliquer.

— Bin oui : non. Aujourd'hui, pas moyen. Y a grève.

— Y a grève.

---

1. Allusion à l'occupation allemande. *Natürlich*, en allemand, signifie « naturellement ».

— Bin oui : y a grève. Le métro, ce moyen de transport éminemment parisien, s'est endormi sous terre, car les employés aux pinces perforantes ont cessé tout travail.

— Ah les salauds, s'écrie Zazie, ah les vaches. Me faire ça à moi.

— Y a pas qu'à toi qu'ils font ça, dit Gabriel parfaitement objectif.

— Jm'en fous. N'empêche que c'est à moi que ça arrive, moi qu'étais si heureuse, si contente et tout de m'aller voiturer dans lmétro. Sacrebleu, merde alors.

— Faut te faire une raison, dit Gabriel dont les propos se nuançaient parfois d'un thomisme légèrement kantien [1]. Et, passant sur le plan de la cosubjectivité [2], il ajouta :

— Et puis faut se grouiller : Charles attend.

— Oh ! celle-là je la connais, s'esclama Zazie furieuse, je l'ai lue dans les Mémoires du général Vermot [3].

— Mais non, dit Gabriel, mais non, Charles, c'est un pote et il a un tac [4]. Je nous le sommes réservé à cause de la grève précisément, son tac. T'as compris ? En route.

Il resaisit la valoche d'une main et de l'autre il entraîna Zazie.

Charles effectivement attendait en lisant dans une feuille hebdomadaire la chronique des cœurs saignants [5]. Il cherchait, et ça faisait des années qu'il cherchait, une entre-

---

1. Le « thomisme », c'est la philosophie de saint Thomas d'Aquin. L'adjectif « kantien » réfère au système philosophique de Kant. Plaisanterie, car « Faut te faire une raison » est l'expression d'un très ordinaire bon sens.

2. Autre terme philosophique, qui semble désigner ici la prise en compte d'un autre sujet, d'un tiers.

3. Il s'agit en réalité du célèbre *Almanach Vermot*, créé par Joseph Vermot en 1886, et spécialisé dans les calembours bon enfant, comme celui-ci : « Charles attend »/charlatan.

4. Taxi. Voir aussi « bahut » (p. 12).

5. Le *courrier du cœur*, qu'on trouve dans les magazines populaires.

lardée[1] à laquelle il puisse faire don des quarante-cinq cerises de son printemps. Mais les celles qui, comme ça, dans cette gazette, se plaignaient, il les trouvait toujours soit trop dindes, soit trop tartes. Il flairait la paille dans les poutrelles des lamentations[2] et découvrait la vache en puissance dans la poupée la plus meurtrie.

— Bonjour, petite, dit-il à Zazie sans la regarder en rangeant soigneusement sa publication sous ses fesses.

— Il est rien moche son bahut, dit Zazie.

— Monte, dit Gabriel, et sois pas snob.

— Snob mon cul, dit Zazie.

— Elle est marante, ta petite nièce, dit Charles qui pousse la seringue[3] et fait tourner le moulin.

D'une main légère mais puissante, Gabriel envoie Zazie s'asseoir au fond du tac, puis il s'installe à côté d'elle.

Zazie proteste.

— Tu m'écrases, qu'elle hurle folle de rage.

— Ça promet, remarque succinctement Charles d'une voix paisible.

Il démarre.

On roule un peu, puis Gabriel montre le paysage d'un geste magnifique.

— Ah ! Paris, qu'il profère d'un ton encourageant, quelle belle ville. Regarde-moi ça si c'est beau.

---

1. *Entrelarder* une volaille, c'est en piquer la viande avec des lardons. Le mot désignerait ici, métaphoriquement, une femme… appétissante.

2. Jeu subtil du narrateur sur la locution proverbiale, tirée de l'Évangile : *voir la paille dans l'œil d'autrui et ne pas voir la poutre dans le sien*, qui signifie : critiquer les menus défauts d'autrui sans voir qu'on en a de plus graves. Le jeu consiste à intervertir les termes du proverbe, en s'appuyant sur un autre sens, particulier, du mot *paille* : défaut dans une pièce de métal, par exemple dans une « poutrelle », barre d'acier allongée.

3. Démarreur, sur des voitures d'ancien modèle.

— Je m'en fous, dit Zazie, moi ce que j'aurais voulu c'est aller dans le métro.

— Le métro ! beugle Gabriel, le métro !! mais le voilà !!!

Et, du doigt, il désigne quelque chose en l'air.

Zazie fronce le sourcil. Essméfie.

— Le métro ? qu'elle répète. Le métro, ajoute-t-elle avec mépris, le métro, c'est sous terre, le métro. Non mais.

— Çui-là, dit Gabriel, c'est l'aérien.

— Alors, c'est pas le métro.

— Je vais t'esspliquer, dit Gabriel. Quelquefois, il sort de terre et ensuite il y rerentre.

— Des histoires.

Gabriel se sent impuissant (geste), puis, désireux de changer de conversation, il désigne de nouveau quelque chose sur leur chemin.

— Et ça ! mugit-il, regarde !! le Panthéon !!!

— Qu'est-ce qu'il faut pas entendre, dit Charles sans se retourner.

Il conduisait lentement pour que la petite puisse voir les curiosités et s'instruise par-dessus le marché.

— C'est peut-être pas le Panthéon ? demande Gabriel.

Il y a quelque chose de narquois dans sa question.

— Non, dit Charles avec force. Non, non et non, c'est pas le Panthéon.

— Et qu'est-ce que ça serait alors d'après toi ?

La narquoiserie du ton devient presque offensante pour l'interlocuteur qui, d'ailleurs, s'empresse d'avouer sa défaite.

— J'en sais rien, dit Charles.

— Là. Tu vois.

— Mais c'est pas le Panthéon.

C'est que c'est un ostiné, Charles, malgré tout.

— On va demander à un passant, propose Gabriel.

— Les passants, réplique Charles, c'est tous des cons.

— C'est bien vrai, dit Zazie avec sérénité.

Gabriel n'insiste pas. Il découvre un nouveau sujet d'enthousiasme.

— Et ça, s'exclame-t-il, ça c'est...

Mais il a la parole coupée par une euréquation de son beau-frère.

— J'ai trouvé, hurle celui-ci. Le truc qu'on vient de voir, c'était pas le Panthéon bien sûr, c'était la gare de Lyon.

— Peut-être, dit Gabriel avec désinvolture, mais maintenant c'est du passé, n'en parlons plus, tandis que ça, petite, regarde-moi ça si c'est chouette comme architecture, c'est les Invalides...

— T'es tombé sur la tête, dit Charles, ça n'a rien à voir avec les Invalides.

— Eh bien, dit Gabriel, si c'est pas les Invalides, apprends-nous cexé.

— Je sais pas trop, dit Charles, mais c'est tout au plus la caserne de Reuilly.

— Vous, dit Zazie avec indulgence, vous êtes tous les deux des ptits marants.

— Zazie, déclare Gabriel en prenant un air majestueux trouvé sans peine dans son répertoire, si ça te plaît de voir vraiment les Invalides et le tombeau véritable du vrai Napoléon, je t'y conduirai.

— Napoléon mon cul, réplique Zazie. Il m'intéresse pas du tout, cet enflé, avec son chapeau à la con.

— Qu'est-ce qui t'intéresse alors?

Zazie répond pas.

— Oui, dit Charles avec une gentillesse inattendue, qu'est-ce qui t'intéresse?

— Le métro.

Gabriel dit : ah. Charles ne dit rien. Puis, Gabriel reprend son discours et dit de nouveau : ah.

— Et quand est-ce qu'elle va finir, cette grève? demande Zazie en gonflant ses mots de férocité.

— Je sais pas, moi, dit Gabriel, je fais pas de politique.

— C'est pas de la politique, dit Charles, c'est pour la croûte.

— Et vous, msieu, lui demande Zazie, vous faites quelquefois la grève ?

— Bin dame, faut bien, pour faire monter le tarif.

— On devrait plutôt vous le baisser, votre tarif, avec une charrette comme la vôtre, on fait pas plus dégueulasse. Vous l'avez pas trouvée sur les bords de la Marne[1], par hasard ?

— On est bientôt arrivé, dit Gabriel conciliant. Voilà le tabac du coin.

— De quel coin ? demande Charles ironiquement.

— Du coin de la rue de chez moi où j'habite, répond Gabriel avec candeur.

— Alors, dit Charles, c'est pas çui-là.

— Comment, dit Gabriel, tu prétendrais que ça ne serait pas celui-là ?

— Ah non, s'écrie Zazie, vous allez pas recommencer.

— Non, c'est pas celui-là, répond Charles à Gabriel.

— C'est pourtant vrai, dit Gabriel pendant qu'on passe devant le tabac, celui-là j'y suis jamais allé.

— Dis donc, tonton, demande Zazie, quand tu déconnes comme ça, tu le fais esprès ou c'est sans le vouloir ?

— C'est pour te faire rire, mon enfant[2], répond Gabriel.

— T'en fais pas, dit Charles à Zazie, il le fait pas exeuprès.

---

1. Allusion à un épisode célèbre de la Première Guerre mondiale. Dans la nuit du 7 au 8 septembre 1914, le général Gallieni, gouverneur de Paris, fit transporter, par les taxis parisiens qu'il avait réquisitionnés, une armée de secours vers le front, à 50 kilomètres de la capitale. Les taxis contribuèrent ainsi à la victoire de la Marne, qui dégagea Paris.

2. Calqué sur *Le Petit Chaperon rouge*, où le loup émet une série de répliques du type : «C'est pour mieux t'écouter, mon enfant.»

— C'est pas malin, dit Zazie.

— La vérité, dit Charles, c'est que tantôt il le fait exeuprès et tantôt pas.

— La vérité! s'écrie Gabriel (geste), comme si tu savais cexé. Comme si quelqu'un au monde savait cexé. Tout ça (geste), tout ça c'est du bidon : le Panthéon, les Invalides, la caserne de Reuilly, le tabac du coin, tout. Oui, du bidon.

Il ajoute, accablé :

— Ah là là, quelle misère !

— Tu veux qu'on s'arrête pour prendre l'apéro ? demande Charles.

— C'est une idée.

— À La Cave ?

— À Saint-Germain-des-Prés ? demande Zazie qui déjà frétille.

— Non mais, fillette, dit Gabriel, qu'est-ce que tu t'imagines ? C'est tout ce qu'il y a de plus démodé.

— Si tu veux insinuer que je suis pas à la page, dit Zazie, moi je peux te répondre que tu n'es qu'un vieux con.

— Tu entends ça ? dit Gabriel.

— Qu'est-ce que tu veux, dit Charles, c'est la nouvelle génération.

— La nouvelle génération, dit Zazie, elle t'...

— Ça va, ça va, dit Gabriel, on a compris. Si on allait au tabac du coin ?

— Du vrai coin, dit Charles.

— Oui, dit Gabriel. Et après tu restes dîner avec nous.

— C'était pas entendu ?

— Si.

— Alors ?

— Alors, je confirme.

— Y a pas à confirmer, puisque c'était entendu.

— Alors, disons que je te le rappelle des fois que t'aurais oublié.

— J'avais pas oublié.

— Tu restes donc dîner avec nous.

— Alors quoi, merde, dit Zazie, on va le boire, ce verre?

Gabriel s'extrait avec habileté et souplesse du tac. Tout le monde se retrouve autour d'une table, sur le trottoir. La serveuse s'amène négligemment. Aussitôt Zazie esprime son désir:

— Un cacocalo, qu'elle demande.

— Y en a pas, qu'on répond.

— Ça alors, s'esclame Zazie, c'est un monde.

Elle est indignée.

— Pour moi, dit Charles, ça sera un beaujolais.

— Et pour moi, dit Gabriel, un lait-grenadine. Et toi? demande-t-il à Zazie.

— Jl'ai déjà dit: un cacocalo.

— Elle a dit qu'y en avait pas.

— C'est hun cacocalo que jveux.

— T'as beau vouloir, dit Gabriel avec une patience estrême, tu vois bien qu'y en a pas.

— Pourquoi que vous en avez pas? demande Zazie à la serveuse.

— Ça (geste).

— Un demi panaché Zazie, propose Gabriel, ça ne te dirait rien?

— C'est hun cacocalo que jveux et pas autt chose.

Tout le monde devient pensif. La serveuse se gratte une cuisse.

— Y en a à côté, qu'elle finit par dire. Chez l'Italien.

— Alors, dit Charles, il vient ce beaujolais?

On va le chercher. Gabriel se lève, sans commentaires. Il s'éclipse avec célérité, bientôt revenu avec une bouteille du goulot de laquelle sortent deux pailles. Il pose ça devant Zazie.

— Tiens, petite, dit-il d'une voix généreuse.

Sans mot dire, Zazie prend la bouteille en main et commence à jouer du chalumeau.

— Là, tu vois, dit Gabriel à son copain, c'était pas difficile. Les enfants, suffit de les comprendre.

Gabriel

Zazie

Charles

- *Zazie veut aller en métro*
- *puis elle insiste un cacahouto*

↳ Gabriel la distrait ↙

2

— C'est là, dit Gabriel.

Zazie examine la maison. Elle ne communique pas ses impressions.

— Alors? demanda Gabriel. Ça ira?

Zazie fit un signe qui semblait indiquer qu'elle réservait son opinion.

— Moi, dit Charles, je passe voir Turandot, j'ai quelque chose à lui dire.

— Compris, dit Gabriel.

— Qu'est-ce qu'il y a à comprendre? demanda Zazie.

Charles descendit les cinq marches menant du trottoir au café-restaurant La Cave, poussa la porte et s'avança jusqu'au zinc en bois depuis l'occupation.

— Bonjour, meussieu Charles, dit Mado Ptits-pieds qui était en train de servir un client.

— Bonjour, Mado, répondit Charles sans la regarder.

— C'est elle? demanda Turandot.

— Gzactement, répondit Charles.

— Elle est plus grande que je croyais.

— Et alors?

— Ça me plaît pas. Je l'ai dit à Gaby, pas d'histoires dans ma maison.

— Tiens, donne-moi un beaujolais.

Point de vue narrateur

Turandot le servit en silence, d'un air méditatif. Charles éclusa son beaujolais, s'essuya les moustaches du revers de la main, puis regarda distraitement dehors. Pour ce faire, il fallait lever la tête et on ne voyait guère que des pieds, des chevilles, des bas de pantalon, parfois, avec de la chance, un chien complet, un basset. Accrochée près du vasistas, une cage hébergeait un perroquet triste. Turandot remplit le verre de Charles et s'en verse une lichée. Mado Ptits-pieds vint se mettre derrière le comptoir, à côté du patron et brise le silence.

— Meussieu Charles, qu'elle dit, vzêtes zun mélancolique.

— Mélancolique mon cul, réplique Charles.

— Eh bien vrai, s'écria Mado Ptits-pieds, vous êtes pas poli aujourd'hui.

— Ça me fait marer, dit Charles d'un air sinistre. C'est comme ça qu'elle cause, la mouflette.

— Je comprends pas, dit Turandot pas à l'aise du tout.

— C'est bien simple, dit Charles. Elle peut pas dire un mot, cette gosse, sans ajouter mon cul après.

— Et elle joint le geste à la parole ? demanda Turandot.

— Pas encore, répondit gravement Charles, mais ça viendra.

— Ah non, gémit Turandot, ah ça non.

Il se prit la tête à deux mains et fit le futile simulacre de se la vouloir arracher. Puis il continua son discours en ces termes :

— Merde de merde, je veux pas dans ma maison d'une petite salope qui dise des cochoncetés comme ça. Je vois ça d'ici, elle va pervertir tout le quartier. D'ici huit jours…

— Elle reste que deux trois jours, dit Charles.

— C'est de trop ! cria Turandot. En deux trois jours, elle aura eu le temps de mettre la main dans la braguette de tous les vieux gâteux qui m'honorent de leur clientèle. Je veux pas d'histoires, tu entends, je veux pas d'histoires.

Le perroquet qui se mordillait un ongle, abaissa son regard et, interrompant sa toilette, il intervint dans la conversation.

— Tu causes, dit Laverdure, tu causes, c'est tout ce que tu sais faire.

— Il a bien raison, dit Charles. Après tout, c'est pas à moi qu'il faut raconter tes histoires.

— Je l'emmerde, dit Gabriel affectueusement, mais je me demande pourquoi tu as été lui répéter les gros mots de la ptite.

— Moi je suis franc, dit Charles. Et puis, tu pourras pas cacher que ta nièce elle est drôlement mal élevée. Réponds-moi, est-ce que tu parlais comme ça quand t'étais gosse ?

— Non, répond Gabriel, mais j'étais pas une petite fille.

— À table, dit doucement Marceline en apportant la soupière. Zazie, crie-t-elle doucement, à table.

Elle se met à verser doucement des contenus de louche dans les assiettes.

— Ah ah, dit Gabriel avec satisfaction, du consommé.

— N'egzagérons rien, dit doucement Marceline.

Zazie vient enfin les rejoindre. Elle s'assied l'œil vide, constatant avec dépit qu'elle a faim.

Après le bouillon, il y avait du boudin noir avec des pommes savoyardes, et puis après du foie gras (que Gabriel ramenait du cabaret, il pouvait pas s'en empêcher, il avait le foie gras aussi bien à droite qu'à gauche), et puis un entre-mets des plus sucrés, et puis du café réparti par tasses, café bicose Charles et Gabriel tous deux bossaient de nuit. Charles s'en fut tout de suite après la surprise attendue d'une grenadine au kirsch, Gabriel lui son boulot commençait pas avant les onze heures. Il allongea les jambes sous la table et même au-delà et sourit à Zazie raide sur sa chaise.

— Alors, petite, qu'il dit comme ça, comme ça on va se coucher ?

— Qui ça « on » ? demanda-t-elle.

— Eh bien, toi bien sûr, répondit Gabriel tombant dans
le piège. À quelle heure tu te couchais là-bas ?

— Ici et là-bas ça fait deux, j'espère.

— Oui, dit Gabriel compréhensif.

— C'est pourquoi qu'on me laisse ici, c'est pour que ça
soit pas comme là-bas. Non ?

— Oui.

— Tu dis oui comme ça ou bien tu le penses vraiment ?

Gabriel se tourna vers Marceline qui souriait :

— Tu vois comment ça raisonne déjà bien une mouflette
de cet âge ? On se demande pourquoi c'est la peine de les
envoyer à l'école.

— Moi, déclara Zazie, je veux aller à l'école jusqu'à
soixante-cinq ans.

— Jusqu'à soixante-cinq ans ? répéta Gabriel un chouïa
surpris.

— Oui, dit Zazie, je veux être institutrice.

— Ce n'est pas un mauvais métier, dit doucement Marceline. Y a la retraite.

Elle ajouta ça automatiquement parce qu'elle connaissait
bien la langue française.

— Retraite mon cul, dit Zazie. Moi c'est pas pour la
retraite que je veux être institutrice.

— Non bien sûr, dit Gabriel, on s'en doute.

— Alors c'est pourquoi ? demanda Zazie.

— Tu vas nous espliquer ça.

— Tu trouverais pas tout seul, hein ?

— Elle est quand même fortiche la jeunesse d'aujour-
d'hui, dit Gabriel à Marceline.

Et à Zazie :

— Alors ? pourquoi que tu veux l'être, institutrice ?

— Pour faire chier les mômes, répondit Zazie. Ceux

qu'auront mon âge dans dix ans, dans vingt ans, dans cinquante ans, dans cent ans, dans mille ans, [toujours des gosses à emmerder.]

— Eh bien, dit Gabriel.

— Je serai vache comme tout avec elles. Je leur ferai lécher le parquet. Je leur ferai manger l'éponge du tableau noir. Je leur enfoncerai des compas dans le derrière. Je leur botterai les fesses. Parce que je porterai des bottes. En hiver. Hautes comme ça (geste). Avec des grands éperons pour leur larder la chair du derche[1].

— Tu sais, dit Gabriel avec calme, d'après ce que disent les journaux, c'est pas du tout dans ce sens-là que s'oriente l'éducation moderne. C'est même tout le contraire. On va vers la douceur, la compréhension, la gentillesse. N'est-ce pas, Marceline, qu'on dit ça dans le journal ?

— Oui, répondit doucement Marceline. Mais toi, Zazie, est-ce qu'on t'a brutalisée à l'école ?

— Il aurait pas fallu voir.

— D'ailleurs, dit Gabriel, dans vingt ans, y aura plus d'institutrices : elles seront remplacées par le cinéma, la tévé, l'électronique, des trucs comme ça. C'était aussi écrit dans le journal l'autre jour. N'est-ce pas, Marceline ?

— Oui, répondit doucement Marceline.

Zazie envisagea cet avenir un instant.

— Alors, déclara-t-elle, je serai astronaute.

— Voilà, dit Gabriel approbativement. Voilà, faut être de son temps.

— Oui, continua Zazie, je serai astronaute pour aller faire chier les Martiens.

Gabriel enthousiasmé se tapa sur les cuisses :

— Elle en a de l'idée, cette petite.

Il était ravi.

---

1. En argot, le derrière.

— Elle devrait tout de même aller se coucher, dit doucement Marceline. Tu n'es pas fatiguée ?

— Non, répondit Zazie en bâillant.

— Elle est fatiguée cette petite, reprit doucement Marceline s'adressant à Gabriel, elle devrait aller se coucher.

— Tu as raison, dit Gabriel qui se mit à concocter une phrase impérative et, si possible, sans réplique.

Avant qu'il eût eu le temps de la formuler, Zazie lui demandait s'ils avaient la tévé.

— Non, dit Gabriel. J'aime mieux le cinémascope, ajouta-t-il avec mauvaise foi.

— Alors, tu pourrais m'offrir le cinémascope.

— C'est trop tard, dit Gabriel. Et puis moi, j'ai pas le temps, je prends mon boulot à onze heures.

— On peut se passer de toi, dit Zazie. Ma tante et moi, on ira toutes les deux seules.

— Ça me plairait pas, dit Gabriel lentement d'un air féroce.

Il fixa Zazie droit dans les yeux et ajouta méchamment :

— Marceline, elle sort jamais sans moi.

Il poursuivit :

— Ça, je vais pas te l'espliquer, petite, ce serait trop long.

Zazie détourna son regard et bâilla.

— Je suis fatiguée, dit-elle, je vais aller me coucher.

Elle se leva. Gabriel lui tendit la joue. Elle l'embrassa.

— Tu as la peau douce, remarqua-t-elle.

Marceline l'accompagne dans sa chambre et Gabriel va chercher une jolie trousse en peau de porc marquée de ses initiales. Il s'installe, se verse un grand verre de grenadine qu'il tempère d'un peu d'eau et commence à se faire les mains ; il adorait ça, il s'y prenait très bien et se préférait à toute manucure. Il se mit à chantonner un refrain obscène, puis, les prouesses des trois orfèvres[1] achevées, il sifflota, pas trop fort pour ne pas réveiller la petite, quelques sonneries de l'ancien temps telles que l'extinction des feux, le salut au drapeau, caporal conconcon, etc.

Marceline revient.

— Elle a pas été longue à s'endormir, dit-elle doucement.

Elle s'assoit et se verse un verre de kirsch.

— Un petit ange, commente Gabriel d'un ton neutre.

Il admire l'ongle qu'il vient de terminer, celui de l'auriculaire, et passe à celui de l'annulaire.

— Qu'est-ce qu'on va bien pouvoir en faire de toute la journée ? demande doucement Marceline.

— C'est pas tellement un problème, dit Gabriel. D'abord, je l'emmènerai en haut de la tour Eiffel. Demain après-midi.

— Mais demain matin ? demande doucement Marceline.

Gabriel blêmit.

— Surtout, qu'il dit, surtout faudrait pas qu'elle me réveille.

— Tu vois, dit doucement Marceline. Un problème.

Gabriel prit des airs de plus en plus angoissés.

— Les gosses, ça se lève tôt le matin. Elle va m'empêcher de dormir... de récupérer... Tu me connais. Moi, il faut que je récupère. Mes dix heures de sommeil, c'est essentiel. Pour ma santé.

Il regarde Marceline.

— T'avais pas pensé à ça ?

Marceline baissa les yeux.

— J'ai pas voulu t'empêcher de faire ton devoir, dit-elle doucement.

— Je te remercie, dit Gabriel d'un ton grave. Mais qu'est-ce qu'on pourrait bien foutre pour que je l'entende pas le matin.

---

1. *Les Trois Orfèvres*, chanson paillarde. Voir p. 53.

Ils se mirent à réfléchir.

— On, dit Gabriel, pourrait lui donner un soporifique pour qu'elle dorme jusqu'à au moins midi ou même mieux jusqu'à son quatre heures. Paraît qu'y a des suppositoires au poil qui permettent d'obtenir ce résultat.

— Pan pan pan, fait discrètement Turandot derrière la porte sur le bois d'icelle[1].

— Entrez, dit Gabriel.

Turandot entre accompagné de Laverdure. Il s'assoit sans qu'on l'en prie et pose la cage sur la table. Laverdure regarde la bouteille de grenadine avec une convoitise mémorable. Marceline lui en verse un peu dans son buvoir. Turandot refuse l'offre (geste). Gabriel qui a terminé le médius attaque l'index. Avec tout ça, on n'a encore rien dit.

Laverdure a gobé sa grenadine. Il s'essuie le bec contre son perchoir, puis prend la parole en ces termes :

— Tu causes, tu causes, c'est tout ce que tu sais faire.

— Je cause mon cul, réplique Turandot vexé.

Gabriel interrompt ses travaux et regarde méchamment le visiteur.

— Répète un peu voir ce que t'as dit, qu'il dit.

— J'ai dit, dit Turandot, j'ai dit : je cause mon cul.

— Et qu'est-ce que tu insinues par là[2] ? Si j'ose dire.

— J'insinue que la gosse, qu'elle soit ici, ça me plaît pas.

— Que ça te plaise ou que ça neu teu plaiseu pas, tu entends ? je m'en fous.

— Pardon. Je t'ai loué ici sans enfants et maintenant t'en as un sans mon autorisation.

_____

1. Forme vieillie du pronom démonstratif : « celle-ci ». Le masculin est *icelui*.

2. Jeu trivial sur le verbe *insinuer*. Il a le sens abstrait de « faire entendre quelque chose sans l'affirmer nettement ». Mais il prend aussi celui, concret, de « faire pénétrer dans ». Et comme il est question du « cul »… D'où le « Si j'ose dire. », de Gabriel.

— Ton autorisation, tu sais où je me la mets ?

— Je sais, je sais, d'ici à ce que tu me déshonores à causer comme ta nièce, y a pas loin.

— C'est pas permis d'être aussi inintelligent que toi, tu sais ce que ça veut dire « inintelligent », espèce de con ?

— Ça y est, dit Turandot, ça vient.

— Tu causes, dit Laverdure, tu causes, c'est tout ce que tu sais faire.

— Ça vient quoi ? demande Gabriel nettement menaçant.

— Tu commences à t'esprimer d'une façon repoussante.

— C'est qu'il commence à m'agacer, dit Gabriel à Marceline.

— T'énerve pas, dit doucement Marceline.

— Je ne veux pas d'une petite salope dans ma maison, dit Turandot avec des intonations pathétiques.

— Je t'emmerde, hurle Gabriel. Tu entends, je t'emmerde.

Il donne un coup de poing sur la table qui se fend à l'endroit habituel. La cage va au tapis suivie dans sa chute par la bouteille de grenadine, le flacon de kirsch, les petits verres, l'attirail manucure, Laverdure se plaint avec brutalité, le sirop coule sur la maroquinerie, Gabriel pousse un cri de désespoir et plonge pour ramasser l'objet pollué. Ce faisant, il fout sa chaise par terre. Une porte s'ouvre.

— Alors quoi, merde, on peut plus dormir ?

Zazie est en pyjama. Elle bâille puis regarde Laverdure avec hostilité.

— C'est une vraie ménagerie ici, qu'elle déclare.

— Tu causes, tu causes, dit Laverdure, c'est tout ce que tu sais faire.

Un peu épatée, elle néglige l'animal pour Turandot, à propos duquel elle demande à son oncle :

— Et çui-là, qui c'est ?

Gabriel essuyait la trousse avec un coin de la nappe.

— Merde, qu'il murmure, elle est foutue.

— Je t'en offrirai une autre, dit doucement Marceline.

— C'est gentil ça, dit Gabriel, mais dans ce cas-là, j'aimerais mieux que ce soit pas de la peau de porc.

— Qu'est-ce que tu aimerais mieux ? Le box-calf ?

Gabriel fit la moue.

— Le galuchat ?

Moue.

— Le cuir de Russie ?

Moue.

— Et le croco ?

— Ce sera cher.

— Mais c'est solide et chic.

— C'est ça, j'irai me l'acheter moi-même.

Gabriel, souriant largement, se tourna vers Zazie :

— Tu vois, ta tante, c'est la gentillesse même.

— Tu m'as toujours pas dit qui c'était çui-là ?

— C'est le proprio, répondit Gabriel, un proprio exceptionnel, un pote, le patron du bistro d'en bas.

— De La Cave ?

— Gzactement, dit Turandot.

— On y danse dans votre cave ?

— Ça non, dit Turandot.

— Minable, dit Zazie.

— T'en fais pas pour lui, dit Gabriel, il gagne bien sa vie.

— Mais à Singermindépré, dit Zazie, qu'est-ce qu'il se sucrerait, c'est dans tous les journaux.

— Tu es bien gentille de t'occuper de mes affaires, dit Turandot d'un air supérieur.

— Gentille mon cul, rétorqua Zazie.

Turandot pousse un miaulement de triomphe.

— Ah ah, dit-il à Gabriel, tu pourras plus me soutenir le contraire, je l'ai entendu son mon cul.

— Dis donc pas de cochoncetés, dit Gabriel.

— Mais c'est pas moi, dit Turandot, c'est elle.

— Il rapporte, dit Zazie. C'est vilain.

— Et puis ça suffit, dit Gabriel. Il est temps que je me tire.

— Ça doit pas être marrant d'être gardien de nuit, dit Zazie.

— Aucun métier n'est bien marrant, dit Gabriel. Va donc te coucher.

Turandot ramasse la cage et dit :

— On reprendra la conversation.

Et il ajoute d'un air fin :

— La conversation mon cul.

— Est-il bête, dit doucement Marceline.

— On peut pas faire mieux, dit Gabriel.

— Eh bien, bonne nuit, dit Turandot toujours aimable, j'ai passé une agréable soirée, j'ai pas perdu mon temps.

— Tu causes, tu causes, dit Laverdure, c'est tout ce que tu sais faire.

— Il est mignon, dit Zazie en regardant l'animal.

— Va donc te coucher, dit Gabriel.

Zazie sort par une porte, les visiteurs du soir par une autre.

Gabriel attend que tout se soit calmé pour sortir à son tour. Il descend l'escalier sans bruit, en locataire convenable.

Mais Marceline a vu un objet qui traîne sur une commode, elle le prend, court ouvrir la porte, se penche pour crier doucement dans l'escalier

— Gabriel, Gabriel.

— Quoi ? Qu'est-ce qu'il y a ?

— Tu as oublié ton rouge à lèvres.

3

Dans un coin de la pièce, Marceline avait installé une sorte de cabinet de toilette, une table, une cuvette, un broc, tout comme si ç'avait été une cambrousse reculée. Comme ça Zazie serait pas dépaysée. Mais Zazie était dépaysée. Elle pratiquait le bidet fixe vissé dans le plancher et connaissait, pour en avoir usé, mainte autre merveille de l'art sanitaire. Écœurée par ce primitivisme, elle s'humecta, se tamponna un peu d'eau ici et là plus un coup de peigne un seul dans les cheveux.

Elle regarda dans la cour : il ne s'y passait rien. Dans l'appartement de même, il y avait l'air de ne rien se passer. L'oreille plantée dans la porte, Zazie ne distinguait aucun bruit. Elle sortit silencieusement de sa chambre. Le salonsalamanger était oscur et muet. En marchant un pied juste devant l'autre comme quand on tire à celui qui commencera, en palpant le mur et les objets, c'est encore plus amusant en fermant les yeux, elle parvint à l'autre porte qu'elle ouvrit avec des précautions considérables. Cette autre pièce était également oscure et muette, quelqu'un y dormait paisiblement. Zazie referma, se mit en marche arrière, ce qui est toujours amusant, et au bout d'un temps extrêmement long, elle atteignit une troisième et autre porte qu'elle ouvrit avec de non moins grandes précautions que précédemment. Elle se trouva dans l'entrée qu'éclairait péniblement une fenêtre ornée de vitraux rouges et bleus. Encore une porte à ouvrir et Zazie découvre le but de son escursion : les vécés. (la toilette)

Comme ils étaient à l'anglaise[1], Zazie reprend pied dans la civilisation pour y passer un bon quart d'heure. Elle trouve l'endroit non seulement utile mais gai. Il est tout propre, ripoliné. Le papier de soie se froisse joyeusement entre les doigts. À ce moment de la journée, il y a même un rayon de soleil : une buée lumineuse descend du vasistas. Zazie réfléchit longuement, elle se demande si elle va tirer la chasse d'eau ou non. Ça va sûrement jeter le désarroi. Elle hésite, se décide, tire, la cataracte coule, Zazie attend mais rien ne semble avoir bougé c'est la maison de la belle au bois dormant. Zazie se rassoit pour se raconter le conte en question en y intercalant des gros plans d'acteurs célèbres. Elle s'égare un peu dans la légende, mais, finalement, récupérant son esprit critique, elle finit par se déclarer que c'est drôlement con les contes de fées et décide de sortir

De nouveau dans l'entrée, elle repère une autre porte qui vraisemblablement doit donner sur le palier, Zazie tourne la clé laissée par illusoire précaution dans l'entrée de la serrure, c'est bien ça, voilà Zazie sur le palier. Elle referme la porte derrière elle tout doucement, puis tout doucement elle descend. Au premier, elle fait une pause : rien ne bouge. La voilà au rez-de-chaussée ; et voici le couloir, la porte de la rue est ouverte, un rectangle de lumière, voilà, Zazie y est, elle est dehors.

C'est une rue tranquille. Les autos y passent si rarement que l'on pourrait jouer à la marelle sur la chaussée. Il y a quelques magasins d'usage courant et de mine provinciale.

1. C'est-à-dire pourvus d'un siège, à la différence des W-C dits « à la turque ».

Des personnes vont et viennent d'un pas raisonnable.
Quand elles traversent, elles regardent d'abord à gauche
ensuite à droite joignant le civisme à l'excès de prudence.
Zazie n'est pas tout à fait déçue, elle sait qu'elle est bien à
Paris, que Paris est un grand village et que tout Paris ne res-
semble pas à cette rue. Seulement pour s'en rendre compte
et en être tout à fait sûre, il faut aller plus loin. Ce qu'elle
commence à faire, d'un air dégagé.

Mais Turandot sort brusquement de son bistro et, du bas
des marches, il lui crie :

— Eh petite, où vas-tu comme ça ?

Zazie ne lui répond pas, elle se contente d'allonger le
pas. Turandot gravit les marches de son escalier :

— Eh petite, qu'il insiste et qu'il continue à crier.

Zazie du coup adopte le pas de gymnastique. Elle prend
un virage à la corde. L'autre rue est nettement plus animée.
Zazie maintenant court bon train. Personne n'a le temps
ni le souci de la regarder. Mais Turandot galope lui aussi. Il
fonce même. Il la rattrape, la prend par le bras et, sans mot
dire, d'une poigne solide, lui fait faire demi-tour. Zazie n'hésite pas. Elle se met à hurler

— Au secours ! Au secours !

Ce cri ne manque pas d'attirer l'attention des ménagères
et des citoyens présents. Ils abandonnent leurs occupations
ou inoccupations personnelles pour s'intéresser à l'incident.

Après ce premier résultat assez satisfaisant, Zazie en
remet :

— Je veux pas aller avec le meussieu, je le connais pas le
meussieu, je veux pas aller avec le meussieu.

Exétéra.

Turandot, sûr de la noblesse de sa cause, fait fi de ces
proférations. Il s'aperçoit bien vite qu'il a eu tort en constatant qu'il se trouve au centre d'un cercle de moralistes
sévères.

Devant ce publie de choix, Zazie passe des considérations générales aux accusations particulières, précises et circonstanciées.

— Ce meussieu, qu'elle dit comme ça, il m'a dit des choses sales.

— Qu'est-ce qu'il t'a dit ? demande une dame alléchée.

— Madame ! s'écrie Turandot, cette petite fille s'est sauvée de chez elle. Je la ramenais à ses parents.

Le cercle ricane avec un scepticisme déjà solidement encré.

La dame insiste ; elle se penche vers Zazie.

— Allons, ma petite, n'aie pas peur, dis-le-moi ce qu'il t'a dit le vilain meussieu ?

— C'est trop sale, murmure Zazie.

— Il t'a demandé de lui faire des choses ?

— C'est ça, mdame.

Zazie glisse à voix basse quelques détails dans l'oreille de la bonne femme. Celle-ci se redresse et crache à la figure de Turandot.

— Dégueulasse, qu'elle lui jette en plus en prime.

Et elle lui recrache une seconde fois de nouveau dessus, en pleine poire.

Un type s'enquiert :

— Qu'est-ce qu'il lui a demandé de lui faire ?

La bonne femme glisse les détails zaziques dans l'oreille du type :

— Oh ! qu'il fait le type, jamais j'avais pensé à ça.

Il refait comme ça, plutôt pensivement :

— Non, jamais.

Il se tourne vers un autre citoyen :

— Non mais, écoutez-moi ça… (détails). C'est pas croyab.

— Ya vraiment des salauds complets, dit l'autre citoyen.

Cependant, les détails se propagent dans la foule. Une femme dit :

— Comprends pas.

Un homme lui esplique. Il sort un bout de papier de sa poche et lui fait un dessin avec un stylo à bille,

— Eh bien, dit la femme rêveusement.

Elle ajoute :

— Et c'est pratique ?

Elle parle du stylo à bille.

Deux amateurs discutent :

— Moi, déclare l'un, j'ai entendu raconter que... (détails).

— Ça m'étonne pas autrement, réplique l'autre, on m'a bien affirmé que... (détails).

Poussée hors de son souk par la curiosité, une commerçante se livre à quelques confidences :

— Moi qui vous parle, mon mari, un jour voilà-t-il pas qu'il lui prend l'idée de... (détails). Où qu'il avait été dégoter cette passion, ça je vous le demande.

— Il avait peut-être lu un mauvais livre, suggère quelqu'un.

— Peut-être bien. En tout cas, moi qui vous cause, je lui ai dit à mon mari, tu veux que ? (détails). Pollop[1], que je lui ai répondu. Va te faire voir par les crouilles si ça te chante et m'emmerde plus avec tes vicelardises. Voilà ce que je lui ai répondu à mon mari qui voulait que je... (détails).

On approuve à la ronde.

Turandot n'a pas écouté. Il se fait pas d'illusions. Profitant de l'intérêt technique suscité par les accusations de Zazie, il s'est tiré en douce. Il passe le coin de la rue en rasant le mur et rejoint en hâte sa taverne, se glisse derrière le zinc en bois depuis l'occupation, se verse un grand ballon de

---

1. « Rien à faire ! » Formule de refus, en argot.

beaujolais qu'il écluse d'un trait, réitère. Il se tamponne le front avec la chose qui lui sert de mouchoir.

Mado Ptits-pieds qui épluchait des patates lui demande :

— Ça va pas ?

— M'en parle pas. Jamais eu une telle trouille de ma vie. Ils me prenaient pour un satyre tous ces cons. Si j'étais resté, ils m'auraient émietté.

— Ça vous apprendra à faire le terre-neuve[1], dit Mado Ptits-pieds.

Turandot répond pas. Il fait fonctionner la petite tévé qu'il a sous le crâne pour revoir à ses actualités personnelles la scène qu'il vient de vivre et qui a failli le faire entrer sinon dans l'histoire, du moins dans la factidiversialité[2]. Il frémit en pensant au sort qu'il a évité. De nouveau la sueur lui coule le long du visage.

— Nondguieu, nondguieu, bégaie-t-il.

— Tu causes, dit Laverdure, tu causes, c'est tout ce que tu sais faire.

Turandot s'éponge, se verse un troisième beaujolais.

— Nondguieu, répète-t-il.

C'est l'expression qui lui paraît la mieux appropriée à l'émotion qui le trouble.

— Enfin quoi, dit Mado Ptits-Pieds, vous n'êtes pas mort.

— J'aurais voulu t'y voir.

— Ça veut rien dire ça : « j'aurais voulu t'y voir ». Vous et moi, ça fait deux.

— Oh ! discute pas, chsuis pas d'humeur.

— Et vous croyez pas qu'il faudrait avertir les autres ?

C'est vrai, ça, merde, il y avait pas pensé. Il abandonne son troisième verre encore plein et fonce.

---

1. Qui va au secours de, par référence au chien qui porte ce nom.
2. Les faits divers. Queneau crée ici le substantif correspondant, sur un mode humoristiquement savant.

— Tiens, dit doucement Marceline un tricot à la main.

— La ptite, dit Turandot assoufflé[1], la ptite, hein, eh bien, elle s'est barée.

Marceline répond pas, va droit à la chambre. Gzakt. Lagocamilébou.

— Je l'ai vue, dit Turandot, j'ai essayé de la rattraper. Ouatt! (geste).

Marceline entre dans la chambre de Gabriel, le secoue, il est lourd, difficile à remuer, encore plus à réveiller, il aime ça, dormir, il souffle et s'agite, quand il dort il dort, on l'en sort pas comme ça.

— Quoi quoi, qu'il finit par crier.

— Zazie a foutu le camp, dit doucement Marceline.

Il la regarde. Il fait pas de commentaires. Il comprend vite, Gabriel. Il est pas con. Il se lève. Il va faire un tour dans la chambre de Zazie. Il aime bien se rendre compte des choses par lui-même, Gabriel.

— Elle est peut-être enfermée dans les vécés, qu'il dit avec optimisme.

— Non, répond doucement Marceline, Turandot l'a vue qui se barait.

— Qu'est-ce que t'as vu au juste? qu'il demande à Turandot.

— Je l'ai vue qui se barait, alors je l'ai rattrapée et j'ai voulu te la ramener.

— C'est bien! ça, dit Gabriel, t'es un pote.

— Oui, mais la ptite a ameuté les gens, elle gueulait comme ça que je lui avais proposé de me faire des trucs.

— Et c'était pas vrai? demande Gabriel.

— Bien sûr que non.

---

1. Essoufflé. Déformation du mot sur le mode d'une prononciation populaire, comme, plus loin, dans «a boujplu» (p. 47), où pareillement *a* se substitue à [e].

— On sait jamais.

— Dacor, on sait jamais.

— Tu vois bien.

— Laisse-le donc continuer, dit doucement Marceline.

— Alors voilà autour de moi tous les gens qui se rassemblent tout prêts à me casser la gueule. Ils me prenaient pour un satyre les cons.

Gabriel et Marceline s'esclaffent.

— Mais quand j'ai vu à un moment donné qu'ils faisaient plus attention à moi, j'ai filé.

— T'as eu les jetons ?

— Tu parles. Jamais eu une telle trouille de ma vie. Même pendant les bombardements.

— Moi, dit Gabriel, j'ai jamais eu peur pendant les bombardements. Du moment que c'était des Anglais, moi je pensais que leurs bombes c'était pas pour moi mais pour les Fridolins[1] puisque moi je les attendais à bras ouverts les Anglais.

— C'était un raisonnement stupide, fait remarquer Turandot.

— N'empêche que j'ai jamais eu peur et j'ai même jamais rien reçu sur le coin de la gueule tu vois, même pendant les pires. Les Frisous[1], eux, ils avaient une pétoche monstre, ils fonçaient dans les abris, les coudocors, moi je me marais, je restais dehors à regarder le feu d'artifice, barri en plein dans le mille, un dépôt de munitions qui saute, la gare pulvérisée, l'usine en miettes, la ville qui flambe, un spectacle du tonnerre.

Gabriel conclut et soupire :

— Au fond on avait pas la mauvaise vie.

— Eh bien moi, dit Turandot, la guerre j'ai pas eu à m'en féliciter. Avec le marché noir, je me suis démerdé comme

---

1. Allemands (on disait aussi « Frisés »).

un manche. Je sais pas comment je m'y prenais, mais je dégustais tout le temps des amendes, on me barbotait mes trucs, l'État, le fisc, les contrôles, on me fermait ma boutique, en juin 44 c'est tout juste si j'avais un peu d'or à gauche, et heureusement parce qu'à ce moment-là une bombe arrive, et plus rien. La poisse. Heureusement que j'ai hérité de la baraque ici, sans ça.

— T'as pas à te plaindre en fin de compte, dit Gabriel, tu te la coules douce, c'est un métier de feignant que le tien.

— Je voudrais t'y voir. Éreintant qu'il est mon métier, éreintant, et malsain par-dessus le marché.

— Qu'est-ce que tu dirais alors si tu devais bosser la nuit comme moi. Et dormir le jour. Dormir le jour, c'est excessivement fatigant sans xa en ait l'air. Et je parle pas quand on est réveillé à une heure invraisemblable comme aujourd'hui… Je voudrais pas que ça soit comme ça tous les matins.

— Faudra l'enfermer à clé cette petite, dit Turandot.

— Je me demande pourquoi elle a foutu le camp, murmura pensivement Gabriel.

— Elle a pas voulu faire de bruit, dit doucement Marceline, alors pour pas te réveiller, elle est allée se promener.

— Mais je veux pas qu'elle se promène seule, dit Gabriel, la rue c'est l'école du vice, tout le monde sait ça.

— Elle a ptête fait ce que les journaux appellent une fugue, dit Turandot.

— Ça serait pas drôle, dit Gabriel, faudrait alerter les roussins, probab. Alors moi de quoi j'aurais l'air ?

— Tu ne crois pas, dit doucement Marceline, que tu devrais essayer de la retrouver ?

— Moi, dit Gabriel, moi, je retourne me coucher.

Il s'oriente direction plumard.

— Tu ferais que ton devoir en la récupérant, dit Turandot.

Gabriel ricane. Il minaude et imitant la voix de Zazie :

— Devoir mon cul, qu'il déclare.

Il ajoute :

— Elle se retrouvera bien toute seule.

— Suppose, dit doucement Marceline, suppose qu'elle tombe sur un satyre ?

— Comme Turandot ? demande Gabriel plaisamment.

— Je trouve pas ça drôle, dit Turandot.

— Gabriel, dit doucement Marceline, tu devrais faire un petit effort pour la rattraper.

— Vas-y, toi.

— J'ai ma lessive sur le feu.

— Vous devriez donner votre linge aux trucs automatiques américains, dit Turandot à Marceline, ça vous ferait du travail en moins, c'est comme ça que je fais moi.

— Et, dit Gabriel finement, si ça lui fait plaisir à elle de faire sa lessive elle-même ? Hein ? de quoi que tu te mêles ? tu causes, tu causes, c'est tout ce que tu sais faire. Tes trucs américains je les ai là.

Et il se frappe le derche.

— Tiens, dit Turandot ironiquement, moi qui te croyais américanophile.

— Américanophile ! s'esclame Gabriel, t'emploies des mots dont tu connais pas le sens. Américanophile ! comme si ça empêchait de laver son linge sale en famille. Marceline et moi, non seulement on est américanophiles, mais en plus de ça, petite tête, et en même temps, t'entends ça, petite tête, EN MÊME TEMPS, on est lessivophiles. Hein ? ça te la coupe, ça (pause) petite tête.

Turandot ne trouve rien à répondre. Il revient au problème concret et présent, à la liquette ninque[1], celle qu'il n'est pas si facile de laver.

_____

1. Transcription humoristique de la locution adverbiale latine *hic et nunc* (voir aussi p. 150), qui s'emploie couramment avec le sens de

— Tu devrais courir après la gamine, qu'il conseille à Gabriel.

— Pour qu'il m'arrive la même chose qu'à toi ? pour que je me fasse linnecher[1] par le vulgue homme Pécusse[2] ?

Turandot hausse les épaules.

— Toi aussi, qu'il dit d'un ton méprisant, tu causes, tu causes, c'est tout ce que tu sais faire.

— Vas-y donc, dit doucement Marceline à Gabriel.

— Vous m'emmerdez tous les deux, ronchonne Gabriel.

Il rentre dans sa chambre, s'habille méthodiquement, passe tristement sa main sur son menton qu'il n'a pas eu le temps d'épiler, soupire, réapparaît.

Turandot et Marceline ou plutôt Marceline et Turandot discutent des mérites ou démérites des machines à laver. Gabriel embrasse Marceline sur le front.

— Adieu, lui dit-il avec gravité, je m'en vais faire mon devoir.

Il serre vigoureusement la main de Turandot ; l'émotion qui l'étreint ne lui permet pas de prononcer d'autre mot historique que « je m'en vais faire mon devoir », mais son regard se voile de la mélancolie propre aux individus que guette un grand destin.

Les autres se recueillent.

« sur-le-champ », mais signifie littéralement « ici, maintenant » et peut donc désigner, selon les termes du narrateur, le « problème concret et présent ». La *liquette*, c'est, familièrement, la chemise. Queneau file donc la métaphore de la lessive : il n'est « pas si facile » de se débrouiller avec la réalité présente.

1. Graphie du verbe *lyncher* (de l'anglais *to lynch*), tel qu'il est censé être prononcé par un Français s'essayant pesamment à la prononciation anglaise (on verra plus loin, p. 94, que Gabriel, de par sa profession, connaît l'anglais) et qui signifie « exécuter sans jugement ».

2. Transcription fantaisiste de la locution pseudo-latine *vulgum pecus* qui signifie, péjorativement, « le commun des mortels ». Dans son ignorance de l'étymologie (*pecus* veut dire « troupeau »), Gabriel transpose plaisamment, mais non sans pertinence, les termes latins.

Il sort. Il est sorti.

Dehors il flaire le vent. Il ne sent que les odeurs habituelles et tout particulièrement celles qui de La Cave émanent. Il ne sait s'il doit aller au nord ou au midi car la rue est ainsi orientée. Mais un appel transvecte[1] ses hésitations. C'est Gridoux le cordonnier qui lui fait signe de son échoppe. Gabriel s'approche.

— Vous cherchez la petite fille, je parie.

— Oui, grogne Gabriel sans enthousiasme.

— Je sais où elle est allée.

— Vous savez toujours tout, dit Gabriel avec une certaine mauvaise humeur.

Çui-là, qu'il se dit à lui-même avec sa petite voix intérieure, à chaque fois que je cause avec lui, il m'egzagère mon infériorité de complexe[2].

— Ça vous intéresse pas? demande Gridoux.

— C'est bien obligé que ça m'intéresse.

— Alors jraconte?

— C'est marant les cordonniers, répond Gabriel, ils arrêtent jamais de travailler, on dirait qu'ils aiment ça, et pour montrer qu'ils arrêtent jamais ils se mettent dans une vitrine pour qu'on les admire. Comme les remmailleuses de bas.

— Et vous, réplique Gridoux, dans quoi est-ce que vous vous mettez pour qu'on vous admire?

Gabriel se gratte la tête.

— Dans rien, dit-il mollement, moi chsuis un artiste. Je fais rien de mal. Et puis c'est pas le moment de me causer comme ça, ça urge l'histoire de la gosse.

— J'en cause parce que ça me fait plaisir, répond Gridoux avec calme.

---

1. Latinisme : *balaie* ses hésitations.
2. Mon complexe d'infériorité.

Il lève le nez de sur son travail.

— Alors, qu'il demande, sacré bavard de mes deux, vous voulez savoir quèque chose ou rien?

— Puisque je vous dis que ça urge.

Gridoux sourit.

— Turandot vous a raconté le début?

— Il a raconté ce qu'il a voulu.

— En tout cas ce qui vous intéresse, c'est ce qui s'est passé ensuite.

— Oui, dit Gabriel, qu'est-ce qui s'est passé ensuite?

— Ensuite? Le début vous suffit pas? C'est une fugue qu'elle est en train de faire cette gosse. Une fugue!

— C'est gai, murmura Gabriel.

— Vous n'avez qu'à prévenir la police.

— Ça me dit rien, dit Gabriel d'une voix très affaiblie.

— Elle rentrera pas toute seule.

— On sait jamais.

Gridoux haussa les épaules.

— Après tout, ce que j'en dis, moi j'm'en fous.

— Et moi donc, dit Gabriel, au fond.

— Vous avez un fond, vous?

Gabriel à son tour haussa les épaules. Si çui-là se mettait encore en plus à être insolent. Sans mot dire, il retourna chez lui se recoucher.

4

Comme concitoyens et commères continuaient à discuter le coup, Zazie s'éclipsa. Elle prit la première rue à droite, puis la celle à gauche, et ainsi de suite jusqu'à ce qu'elle arrive à l'une des portes de la ville. De superbes gratte-ciel de quatre ou cinq étages bordaient une somptueuse avenue sur le trottoir de laquelle se bousculaient de pouilleux éventaires. Une foule épaisse et mauve dégoulinait d'un peu partout. Une marchande de ballons Lamoricière[1], une musique de manège ajoutaient leur note pudique à la virulence de la démonstration. Émerveillée, Zazie mit quelque temps à s'apercevoir que, non loin d'elle, une œuvre de ferronnerie baroque plantée sur le trottoir se complétait de l'inscription MÉTRO. Oubliant aussitôt le spectacle de la rue, Zazie s'approcha de la bouche, la sienne sèche d'émotion. Contournant à petits pas une balustrade protectrice, elle découvrit enfin l'entrée. Mais la grille était tirée. Une ardoise pendante portait à la craie une inscription que Zazie déchiffra sans peine. La grève continuait. Une odeur de poussière

---

1. Le nom du général Lamoricière, une des figures de la conquête de l'Algérie, cache en réalité (clin d'œil, donc, de l'auteur au lecteur) celui d'Albert Lamorisse, auteur en 1956 d'un court-métrage depuis célèbre, *Le Ballon rouge.*

ferrugineuse et déshydratée montait doucement de l'abîme interdit. Navrée, Zazie se mit à pleurer.

Elle y prit un si vif plaisir qu'elle alla s'asseoir sur un banc pour y larmoyer avec plus de confort. Au bout de peu de temps d'ailleurs, elle fut distraite de sa douleur par la perception d'une présence voisine. Elle attendit avec curiosité ce qui allait se produire. Il se produisit des mots, émis par une voix masculine prenant son fausset, ces mots formant la phrase interrogative que voici :

— Alors, mon enfant, on a un gros chagrin ?

Devant la stupide hypocrisie de cette question, Zazie doubla le volume de ses larmes. Tant de sanglots semblaient se presser dans sa poitrine qu'elle paraissait ne pas avoir le temps de les étrangler tous.

— C'est si grave que ça ? demanda-t-on.

— Oh voui, msieu.

Décidément, il était temps de voir la gueule qu'avait le satyre. Passant sur son visage une main qui transforma les torrents de pleurs en rus[1] bourbeux, Zazie se tourna vers le type. Elle n'en put croire ses yeux. Il était affublé de grosses bacchantes noires, d'un melon, d'un pébroque et de larges tatanes[2]. C'est pas possib, se disait Zazie avec sa petite voix intérieure, c'est pas possib, c'est un acteur en vadrouille, un de l'ancien temps. Elle en oubliait de rire.

Lui, fit une sorte de grimace aimable et tendit à l'enfant un mouchoir d'une étonnante propreté. Zazie, s'en étant emparée, y déposa un peu de la crasse humide qui stagnait sur ses joues et compléta cette offrande par une morve copieuse.

---

1. *Ru* : mot ancien, qui signifie « petit ruisseau ».
2. Suite de termes familiers. « bacchantes » : moustaches ; « pébroque » : parapluie ; « tatanes » : chaussures.

— Allons, voyons, disait le type d'un ton encourageant, qu'est-ce qu'il y a ? Tes parents te battent ? Tu as perdu quelque chose et tu as peur qu'ils te grondent ?

Il en faisait des hypothèses. Zazie lui rendit son mouchoir très humidifié. L'autre ne manifesta nul dégoût en remettant cette ordure dans sa fouillouse[1]. Il continuait :

— Il faut tout me dire. N'aie pas peur. Tu peux avoir confiance en moi.

— Pourquoi ? demanda Zazie bredouillante et sournoise.

— Pourquoi ? répéta le type déconcerté.

Il se mit à racler l'asphalte avec son pébroque.

— Oui, dit Zazie, pourquoi que j'aurais confiance en vous ?

— Mais, répondit le type en cessant de gratter le sol, parce que j'aime les enfants. Les petites filles. Et les petits garçons.

— Vous êtes un vieux salaud, oui.

— Absolument pas, déclara le type avec une véhémence qui étonna Zazie.

Profitant de cet avantage, le meussieu lui offrit un cacocalo, là, au premier bistro venu, en sous-entendant : en plein jour, devant tout le monde, une proposition bien honnête, quoi.

Ne voulant pas montrer son enthousiasme à l'idée de se taper un cacocalo, Zazie se mit à considérer gravement la foule qui, de l'autre côté de la chaussée, se canalisait entre deux rangées d'éventaires.

— Qu'est-ce qu'ils foutent tous ces gens ? demanda-t-elle.

— Ils vont à la foire aux puces, dit le type, ou plutôt

---

1. Terme d'argot ancien (l'équivalent moderne est *fouille*) désignant une poche.

c'est la foire aux puces qui va-t-à-z-eux[1], car elle commence là.

— Ah, la foire aux puces, dit Zazie de l'air de quelqu'un qui veut pas se laisser épater, c'est là où on trouve des ranbrans pour pas cher, ensuite on les revend à un Amerlo et on n'a pas perdu sa journée.

— Y a pas que des ranbrans[2], dit le type, y a aussi des semelles hygiéniques, de la lavande, des clous et même des vestes qui n'ont pas été portées.

— Y a aussi des surplus américains ?

— Bien sûr. Et aussi des marchands de frites. Des bonnes. Faites dans la matinée.

— C'est chouette, les surplus américains.

— Si on veut, y a même des moules. Des bonnes. Qu'empoisonnent pas.

— Izont des bloudjinnzes, leurs surplus américains ?

— Ça fait pas un pli qu'ils en ont. Et des boussoles qui fonctionnent dans l'oscurité.

— Je m'en fous des boussoles, dit Zazie. Mais les bloudjinnzes (silence).

— On peut aller voir, dit le type.

— Et puis après ? dit Zazie. J'ai pas un rond pour me les offrir. À moins d'en faucher une paire.

— Allons voir tout de même, dit le type.

Zazie avait fini son cacocalo. Elle regarda le type et lui dit :

— Je vous vois venir avec vos pataugas[3].

_____

1. Queneau en rajoute dans la liaison fautive (*qui va-z-à-eux*). Allusion à la réplique fameuse de Lagardère dans *Le Bossu* (1862) de Paul Féval : « Si tu ne viens pas à Lagardère, Lagardère ira à toi ! »
2. Des toiles du peintre Rembrandt. Zazie répète comme un perroquet un lieu commun sur les supposées trouvailles miraculeuses qu'on fait au Marché aux puces.
3. Chaussures de marche en forte toile. Zazie modernise la formule ordinaire : « Je vous (te) vois venir avec vos (tes) gros sabots. »

Elle ajouta :

— On y va ?

Le type paie et ils s'immergent dans la foule. Zazie se fau-
file, négligeant les graveurs de plaques de vélo, les souffleurs
de verre, les démonstrateurs de nœuds de cravate, les
Arabes qui proposent des montres, les manouches qui proposent n'importe quoi. Le type est sur ses talons, il est aussi
subtil que Zazie. Pour le moment, elle a pas envie de le
semer, mais elle se prévient que ce sera pas commode. Y a
pas de doute, c'est un spécialiste.

Elle s'arrêta pile devant un achalandage de surplus. Du
coup, a boujplu. A boujpludutou. Le type freine sec, juste
derrière elle. Le commerçant engage la conversation.

— C'est la boussole qui vous fait envie ? qu'il demande
avec un aplomb[1]. La torche électrique ? le canot pneuma-
tique ?

Zazie tremble de désir et d'anxiété, car elle n'est pas du
tout sûre que le type ait vraiment des intentions malhon-
nêtes. Elle ose pas énoncer le mot dissyllabique et anglo-
saxon[2] qui voudrait dire ce qu'elle veut dire. C'est le type
qui le prononce.

— Vous auriez pas des bloudjinnzes pour la petite ? qu'il
demande au revendeur. C'est bien ça ce qui te plairait ?

— Oh voui, vuvurre[3] Zazie.

— Si j'en ai, des bloudjinnzes, dit le pucier, je veux que
j'en ai. J'en ai même des qui sont positivement inusables.

— Ouais, dit le type, mais vous imaginez bien qu'elle
va continuer à grandir. L'année prochaine elle pourra plus

---

1. À son habitude, Queneau s'en prend aux expressions figées
qu'on emploie mécaniquement, modifiant ironiquement en l'occurrence la formule « avec aplomb ».
2. C'est-à-dire *blue-jean*, mot de deux syllabes (« dissyllabique »).
3. Mot forgé par Queneau, sur le modèle de *susurre*, par attraction
du *v* de « voui ».

les mettre ces trucs, alors qu'est-ce qu'on en fera à ce moment-là ?

— Ce sera pour le ptit frère ou la ptite sœur.

— Elle en a pas.

— D'ici un an, ça peut venir (rire).

— Plaisantez pas avec ça, dit le type d'un air lugubre, sa pauvre mère est morte.

— Oh ! escuses.

Zazie regarde un instant le satyre avec curiosité, avec intérêt même, mais c'est des à-côtés à approfondir plus tard. Intérieurement, elle trépigne, elle y tient plus, elle demande :

— Vous auriez ma taille ?

— Bien sûr, mademoiselle, répond le forain talon-rouge.

— Et ça coûte combien ?

C'est encore Zazie qui a posé cette question-là. Automatiquement. Parce qu'elle est économe mais pas avare. L'autre le dit combien ça coûte. Le type hoche la tète. Il a pas l'air de trouver ça tellement cher. C'est du moins ce que conclut Zazie de son comportement.

— Je pourrais essayer ? qu'elle demande.

Le bazardeur est soufflé : elle se croit chez Fior, cette petite connasse. Il fait un joli sourire à pleines dents pour dire :

— Pas la peine. Regardez-moi cui-la.

Il déploie le vêtement et le suspend devant elle. Zazie fait la moue. Elle aurait voulu essayer.

— Isra pas trop grand ? qu'elle demande encore.

— Regardez ! Il vous ira pas plus bas que le mollet et regardez-moi ça encore s'il est pas étroit, tout juste si vous pourrez entrer dedans, mademoiselle, quoique vous soyez bien mince, c'est pas pour dire.

Zazie en a la gorge sèche. Des bloudjinnzes. Comme ça. Pour sa première sortie parisienne. Ça serait rien chouette.

Le type tout d'un coup prend un air rêveur. On dirait que maintenant il pense plus à ce qui se passe autour de lui.

Le marchand remet ça.

— Vous le regretterez pas, allez, qu'il insiste, c'est inusable, positivement inusable.

— Je vous ai déjà dit que je m'en foutais que ce soit inusable, répond distraitement le type.

— C'est pourtant pas rien l'inusabilité, qu'il insiste le commerçant.

— Mais, dit soudain le type, au fait, à propos, il me semble, si je comprends bien, ça vient des surplus américains, ces bloudjinnzes ?

— Natürlich, qu'il répond le forain.

— Alors, vous pourrez peut-être m'espliquer ça : y avait des mouflettes dans leur armée, aux Amerlos ?

— Y avait de tout, répond le forain pas déconcerté.

Le type sembla pas convaincu.

— Bin quoi, dit le revendeur qui n'a pas envie de louper une vente à cause de l'histoire universelle, faut de tout pour faire une guerre.

— Et ça ? demande le type, ça vaut combien ?

Ce sont des lunettes antisolaires. Il se les chausse.

— C'est en prime pour tout acheteur de bloudjinnzes, dit le colporteur qui voit l'affaire dans le sac.

Zazie en est pas si sûre. Alors quoi, i va pas se décider ? Qu'est-ce qu'il attend ? Qu'est-ce qu'i croit ? Qu'est-ce qu'il veut ? C'est sûrement un sale type, pas un dégoûtant sans défense, mais un vrai sale type. Faut sméfier, faut sméfier, faut sméfier. Mais quoi, les bloudjinnzes…

Enfin, ça y est. Il les paie. La marchandise est emballée et le type met le paquet sous le bras, sous son bras à lui. Zazie, dans son dedans, commence à râler ferme. C'est donc pas encore fini ?

— Et maintenant, dit le type, on va casser une petite graine.

Il marche devant, sûr de lui. Zazie suit, louchant sur le paquet. Il l'entraîne comme ça jusqu'à un café-restaurant. Ils s'assoient. Le paquet se place sur une chaise, hors de la portée de Zazie.

— Qu'est-ce que tu veux ? demande le type. Des moules ou des frites ?

— Les deux, répond Zazie qui se sent devenir folle de rage.

— Apportez toujours des moules pour la petite, dit le type tranquillement à la serveuse. Pour moi, ce sera un muscadet avec deux morceaux de sucre.

En attendant la bouffe, on ne dit rien. Le type fume paisiblement. Les moules servies, Zazie se jette dessus, plonge dans la sauce, patauge dans le jus, s'en barbouille. Les lamellibranches[1] qui ont résisté à la cuisson sont forcés dans leur coquille avec une férocité mérovingienne. Tout juste si la gamine ne croquerait pas dedans. Quand elle a tout liquidé, eh bien, elle ne dit pas non pour ce qui est des frites. Bon, qu'il fait, le type. Lui, il déguste sa mixture à petites lampées, comme si c'était de la chartreuse chaude. On apporte les frites. Elles sont exceptionnellement bouillantes. Zazie, vorace, se brûle les doigts, mais non la gueule.

Quand tout est terminé, elle descend son demi-panaché d'un seul élan, expulse trois petits rots et se laisse aller sur sa chaise, épuisée. Son visage sur lequel passèrent des ombres quasiment anthropophagiques s'éclaircit. Elle songe avec satisfaction que c'est toujours ça de pris. Puis elle se demande s'il ne serait pas temps de dire quelque chose d'aimable au type, mais quoi ? Un gros effort lui fait trouver ça.

---

1. Désignation cocasse des moules par le truchement du nom désignant la classe de mollusques bivalves à laquelle elles appartiennent.

— Vous en mettez du temps pour écluser votre godet. Papa, lui, il en avalait dix comme ça en autant de temps.

— Il boit beaucoup ton papa ?

— I buvait, qu'il faut dire. Il est mort.

— Tu as été bien triste quand il est mort ?

— Pensez-vous (geste). J'ai pas eu le temps avec tout ce qui se passait (silence).

— Et qu'est-ce qui se passait ?

— Je boirais bien un autre demi, mais pas panaché, un vrai demi de vraie bière.

Le type commande pour elle et demande une petite cuiller. Il veut récupérer ce qui reste de sucre dans le fond du glasse. Pendant qu'il se livre à cette opération, Zazie liche la mousse de son demi, puis elle répond :

— Vous lisez les journaux ?

— Des fois.

— Vous vous souvenez de la couturière de Saint-Montron qu'a fendu le crâne de son mari d'un coup de hache ? Eh bien, c'était maman. Et le mari, naturellement, c'était papa.

— Ah ! dit le type.

— Vous vous en souvenez pas ?

Il n'en a pas l'air très sûr. Zazie est indignée.

— Merde, pourtant, ça a fait assez de foin. Maman avait un avocat venu de Paris exprès, un célèbre, un qui cause pas comme vous et moi, un con, quoi. N'empêche qu'il l'a fait acquitter, comme ça (geste), les doigts dans le nez. Même que les gens izz applaudissaient maman, tout juste s'ils l'ont pas portée en triomphe. On a fait une fameuse foire ce jour-là. Y avait qu'une chose qui chagrinait maman, c'est que le Parisien, l'avocat, il se faisait pas payer avec des rondelles de saucisson. Il a été gourmand, la vache. Heureusement que Georges était là pour un coup.

— Et qui était ce Georges ?

— Un charcutier. Tout rose. Le coquin[1] de maman. C'est lui qui avait refilé la hache (silence) pour couper son bois (léger rire).

Elle s'envoie une petite lampée de bière, avec distinction, tout juste si elle ne lève pas l'auriculaire.

— Et c'est pas tout, qu'elle ajoute, moi, que vous voyez là devant vous, eh bien, j'ai déposé au procès, et à huis clos encore.

Le type ne réagit pas.

— Vous me croyez pas ?

— Bien sûr que non. C'est pas légal un enfant qui dépose contre ses parents.

— D'abord, des parents y en avait plus qu'un, primo, et ensuite vous y connaissez rien. Vous auriez qu'à venir chez nous à Saint-Montron et je vous montrerais un cahier où j'ai collé tous les articles de journaux où il est question de moi. Même que Georges, pendant que maman était en tôle, pour mon petit Noël, il m'a abonnée à l'Argus de la Presse. Vous connaissez ça l'Argus de la Presse ?

— Non, dit le type.

— Minable. Et ça veut discuter avec moi.

— Pourquoi aurais-tu témoigné à huis clos ?

— Ça vous intéresse, hein ?

— Pas spécialement.

— Ce que vous pouvez être sournois.

Et elle s'envoie une petite lampée de bière, avec distinction, tout juste si elle ne lève pas l'auriculaire. Le type ne bronche pas (silence).

— Allons, finit par dire Zazie, faut pas bouder comme ça. Je vais vous la raconter, mon histoire.

— J'écoute.

— Voilà. Faut vous dire que maman pouvait pas blairer

_____
1. Amant (familier).

papa, alors papa, ça l'avait rendu triste et il s'était mis à picoler. Qu'est-ce qu'il descendait comme litrons. Alors, quand il était dans ces états-là, fallait se garer de lui, parce que le chat lui-même y aurait passé. Comme dans la chanson[1]. Vous connaissez?

— Je vois, dit le type.

— Tant mieux. Alors je continue: un jour, un dimanche, je rentrais de voir un match de foute, y avait le Stade Sanctimontronais contre l'Étoile-Rouge de Neuflize[2], en division d'honneur c'est pas rien. Vous vous intéressez au sport, vous?

— Oui. Au catch.

Considérant le gabarit médiocre du bonhomme, Zazie ricane.

— Dans la catégorie spectateurs, qu'elle dit.

— C'est une astuce qui traîne partout, réplique le type froidement.

De rage, Zazie assèche son demi, puis elle la boucle.

— Allons, dit le type, faut pas bouder comme ça. Continue donc ton histoire.

— Elle vous intéresse, mon histoire?

— Oui.

— Alors, vous mentiez tout à l'heure?

— Continue donc.

— Vous énervez pas. Vous seriez plus en état de l'apprécier, mon histoire.

---

1. La chanson des *Trois Orfèvres* (voir p. 25) : « Les Orfèvres, non contents de ça, / Montèrent sur le toit, pour baiser le chat. »
2. Ville sans doute imaginaire, quoiqu'une commune des Ardennes porte ce nom, ainsi qu'une place de Créteil. L'« Étoile-Rouge » est la traduction de « Red Star », nom d'un club de football connu de Saint-Ouen, municipalité communiste.

5

Ltipstu et Zazie reprit son discours en ces termes:

— Papa, il était donc tout seul à la maison, tout seul qu'il attendait, il attendait rien de spécial, il attendait tout de même, et il était tout seul, ou plutôt il se croyait tout seul, attendez, vous allez comprendre. Je rentre donc, faut dire qu'il était noir comme une vache, papa, il commence donc à m'embrasser ce qu'était normal puisque c'était mon papa, mais voilà qu'il se met à me faire des papouilles zozées, alors je dis ah non parce que je comprenais où c'est qu'il voulait en arriver le salaud, mais quand je lui ai dit ah non ça jamais, lui il saute sur la porte et il la ferme à clé et il met la clé dans sa poche et il roule les yeux en faisant ah ah ah tout à fait comme au cinéma, c'était du tonnerre. Tu y passeras à la casserole qu'il déclamait, tu y passeras à la casserole, il bavait même un peu quand il proférait ces immondes menaces et finalement immbondit dssus. J'ai pas de mal à l'éviter. Comme il était rétamé[1], il se fout la gueule par terre. Isrelève. Ircommence à me courser, enfin bref, une vraie corrida. Et voilà qu'il finit par m'attraper. Et les papouilles zozées de recommencer. Mais, à ce moment, la porte s'ouvre tout doucement, parce qu'il faut vous dire

1. Soûl.

que maman elle lui avait dit comme ça, je sors, je vais acter des spaghetti et des côtes de porc, mais c'était pas vrai, c'était pour le feinter, elle s'était planquée dans la buanderie où c'est que c'est qu'elle avait garé la hache et elle s'était ramenée en douce et naturellement elle avait avec elle son trousseau de clés. Pas bête la guêpe, hein ?

— Eh oui, dit le type.

— Alors donc elle ouvre la porte en douce et elle entre tout tranquillement, papa lui il pensait à autre chose le pauvre mec, il faisait pas attention quoi, et c'est comme ça qu'il a eu le crâne fendu. Faut reconnaître, maman elle avait mis la bonne mesure. C'était pas beau à voir. Dégueulasse même. De quoi mdonner des complexes. Et c'est comme ça qu'elle a été acquittée. J'ai eu beau dire que c'était Georges qui lui avait refilé la hache, ça n'a rien fait, ils ont dit que quand on a un mari qu'est un salaud de skalibre, y a qu'une chose à faire, qu'à lbousiller. Jvous ai dit, même qu'on l'a félicitée. Un comble, vous trouvez pas ?

— Les gens… dit le type… (geste).

— Après, elle a râlé contre moi, elle m'a dit, sacrée conarde, qu'est-ce que t'avais besoin de raconter cette histoire de hache ? Bin quoi jlui ai répondu, c'était pas la vérité ? Sacrée connarde, qu'elle a répété et elle voulait me dérouiller, dans la joie générale. Mais Georges l'a calmée et puis elle était si fière d'avoir été applaudie par des gens qu'elle connaissait pas qu'elle pouvait plus penser à autre chose. Pendant un bout de temps, en tout cas.

— Et après ? demanda le type.

— Bin après c'est Georges qui s'est mis à tourner autour de moi. Alors maman a dit comme ça qu'elle pouvait tout de même pas les tuer tous quand même, ça finirait par avoir l'air drôle, alors elle l'a foutu à la porte, elle s'est privée de son jules à cause de moi. C'est pas bien, ça ? C'est pas une bonne mère ?

: le type conciliant.

y a pas bien longtemps elle en a retrouvé

ce qui l'a amenée à Paris, elle lui court

après, mais moi, pour pas me laisser seule en proie à tous les satyres, et y en a, et y en a, elle m'a confiée à mon tonton Gabriel. Il paraît qu'avec lui, j'ai rien à craindre.

— Et pourquoi?

— Ça j'en sais rien. Je suis arrivée seulement hier et j'ai pas eu le temps de me rendre compte.

— Et qu'est-ce qu'il fait, le tonton Gabriel?

— Il est veilleur de nuit, il se lève jamais avant midi une heure.

— Et tu t'es tirée pendant qu'il roupillait encore.

— Voilà.

— Et où habites-tu?

— Par là (geste).

— Et pourquoi pleurais-tu tout à l'heure sur le banc?

Zazie répond pas. Il commence à l'emmerder, ce type.

— Tu es perdue, hein?

Zazie hausse les épaules. C'est vraiment un sale type.

— Tu saurais me dire l'adresse du tonton Gabriel?

Zazie se tient des grands discours avec sa petite voix intérieure: non mais, de quoi je me mêle, qu'est-ce qu'i s'imagine, il l'aura pas volé, ce qui va lui arriver.

Brusquement, elle se lève, s'empare du paquet et se carapate. Elle se jette dans la foule, se glisse entre les gens et les éventaires, file droit devant elle en zigzag, puis vire sec tantôt à droite, tantôt à gauche, elle court puis elle marche, se hâte puis ralentit, reprend le petit trot, fait des tours et des détours.

Elle allait commencer à rire du bonhomme et de la tête qu'il devait faire lorsqu'elle comprit qu'elle se félicitait trop tôt. Quelqu'un marchait à côté d'elle. Pas besoin de lever les yeux pour savoir que c'était le type, cependant elle les leva, on sait jamais, c'en était peut-être un autre, mais non c'était bien le même, il n'avait pas l'air de trouver qu'il se soit passé quoi que ce soit d'anormal, il marchait comme ça, tout tranquillement.

Zazie ne dit rien. Le regard en dessous, elle egzamina le voisinage. On était sorti de la cohue, on se trouvait maintenant dans une rue de moyenne largeur fréquentée par de braves gens avec des têtes de cons, des pères de famille, des retraités, des bonnes femmes qui baladaient leurs mômes, un public en or, quoi. C'est du tout cuit, se dit Zazie avec sa petite voix intérieure. Elle prit sa respiration et ouvrit la bouche pour pousser son cri de guerre : au satyre ! Mais le type était pas tombé de la dernière pluie. Lui arrachant le paquet méchamment, il se mit à la secouer en proférant avec énergie les paroles suivantes :

— Tu n'as pas honte, petite voleuse, pendant que j'avais le dos tourné.

Il fit ensuite appel à la foule s'amassant :

— Ah ! les jitrouas[1], rgardez-moi cqu'elle avait voulu mfaucher.

Et il agitait le pacson au-dessus de sa tête.

— Une paire de bloudjinnzes, qu'il gueulait. Une paire de bloudjinnzes qu'elle a voulumfaucher, la mouflette.

— Si c'est pas malheureux, commente une ménagère.

— De la mauvaise graine, dit une autre.

— Saloperie, dit une troisième, on lui a donc jamais appris à cette petite que la propriété, c'était sacré ?

Le type continuait à houspiller la môme.

— Hein, et si je t'emmenais au commissariat ? Hein ? Au commissariat de police ? Tu irais en prison. En prison. Et tu

---

1. Les « J3 » étaient les adolescents, pendant la guerre, par référence à un sigle figurant sur les cartes d'alimentation. *Les J3 ou la Nouvelle École*, pièce de Roger Ferdinand (1944).

passerais devant le tribunal pour mineurs. Avec la maison
de redressement comme conclusion. Car tu serais condamnée. Condamnée au massimum.

Une dame de la haute société qui passait d'aventure dans
le coin en direction des bibelots rares daigna s'arrêter. Elle
s'enquit auprès de la populace de la cause de l'algarade[1] et,
lorsque, non sans peine, elle eut compris, elle voulut faire
appel aux sentiments d'humanité qui pouvaient peut-être
exister chez ce singulier individu, dont le melon, les noires
bacchantes et les verres fumés ne semblaient pas étonner
les populations.

— Meussieu, lui dit-elle, ayez pitié de cette enfant. Elle
n'est pas responsable de la mauvaise éducation que, peut-
être, elle reçut. La faim sans doute l'a poussée à commettre
cette vilaine action, mais il ne faut pas trop, je dis bien
« trop », lui en vouloir. N'avez-vous jamais eu faim (silence),
meussieu?

— Moi, madame, répondit le type avec amertume (au
cinéma on fait pas mieux, se disait Zazie), moi? avoir eu
faim? Mais je suis un enfant de l'Assistance, madame...

La foule se fit frémir d'un murmure de compassion. Le
type, profitant de l'effet produit, la fend, cette foule, et
entraîne Zazie, en déclamant dans le genre tragique: on
verra bien ce qu'ils disent, tes parents.

Puis il se tut un peu plus loin. Ils marchèrent quelques
instants en silence et, tout à coup, le type dit:

— Tiens, j'ai oublié mon pébroque au bistro.

Il s'adressait à lui-même et à mi-voix encore, mais Zazie
ne fut pas longue à tirer des conclusions de cette remarque.
C'était pas un satyre qui se donnait l'apparence d'un faux flic,
mais un vrai flic qui se donnait l'apparence d'un faux satyre
qui se donne l'apparence d'un vrai flic. La preuve, c'est qu'il

---

1. Querelle.

avait oublié son pébroque. Ce raisonnement lui paraissant incontestable, Zazie se demanda si ce ne serait pas une astuce savoureuse de confronter le tonton avec un flic, un vrai. Aussi, quand le type eut déclaré que c'était pas tout ça, où c'est qu'elle habitait, elle lui donna sans hésitation son adresse. L'astuce était effectivement savoureuse: lorsque Gabriel, après avoir ouvert la porte et s'être écrié Zazie, s'entendit annoncer gaîment «tonton, vlà un flic qui veut tparler», s'appuyant contre le mur, il verdit. Il est vrai que ce pouvait être l'éclairage, il faisait si sombre dans cette entrée, cependant le type prit l'air de rien remarquer, Gabriel lui dit comme ça entrez donc d'une voix déséquilibrée.

Ils entrèrent donc dans la salle à manger et Marceline se jeta sur Zazie en manifestant la plus grande joie de retrouver cette enfant. Gabriel lui dit: offre donc quelque chose au meussieu, mais l'autre leur signifia qu'il ne voulait rien ingurgiter, c'était pas comme Gabriel qui demanda qu'on lui apportât le litre de grenadine.

De sa propre initiative, le type s'était assis, cependant que Gabriel se versait une bonne dose de sirop qu'il agrémentait d'un peu d'eau fraîche.

— Vous ne voulez vraiment pas boire quelque chose?

— (geste).

Gabriel s'envoya le réconfortant, posa le verre sur la table et attendit, l'œil fixe, mais le type n'avait pas l'air de vouloir causer. Zazie et Marceline, debout, les guettaient.

Ça aurait pu durer longtemps.

Finalement, Gabriel trouva quelque chose pour amorcer la conversation.

— Alors, qu'il dit comme ça Gabriel, alors comme ça vous êtes flic?

— Jamais de la vie, s'écria l'autre d'un ton cordial, je ne suis qu'un pauvre marchand forain.

— Le crois pas, dit Zazie, c'est un pauvre flic.

— Faudrait s'entendre, dit Gabriel mollement.

— La petite plaisante, dit le type avec une bonhomie constante. Je suis connu sous le nom de Pédro-surplus et vous pouvez me voir aux Puces les samedi, dimanche et lundi, distribuant aux populations les menus objets que l'armée amerloquaine laissa traîner derrière elle lors de la libération du territoire.

— Et vous les distribuez gratuitement ? demanda Gabriel légèrement intéressé.

— Vous voulez rire, dit le type. Je les échange contre de la menue monnaie (silence). Sauf dans le cas présent.

— Qu'est-ce que vous voulez dire ? demanda Gabriel.

— Je veux dire simplement que la petite (geste) m'a fauché une paire de bloudjinnzes.

— Si c'est que ça, dit Gabriel elle va vous les rendre.

— Le salaud, dit Zazie, il me les a repris.

— Alors, dit Gabriel au type, de quoi vous vous plaignez ?

— Je me plains, c'est tout.

— I sont à moi, les bloudjinnzes, dit Zazie. C'est lui qui mles a fauchés. Oui. Et, en plus de ça, c'est un flic. Méfie-toi, tonton Gabriel.

Gabriel, pas rassuré, se versa un nouveau verre de grenadine.

— C'est pas clair, tout ça, qu'il dit. Si vous êtes un flic, je vois pas pourquoi vous râlez et, si vous en êtes pas un, y a pas de raisons pour que vous me posiez des questions.

— Pardon, dit le type, c'est pas moi qui pose des questions, c'est vous.

— Ça c'est vrai, reconnut Gabriel avec objectivité.

— Ça y est, dit Zazie, i va se laisser faire.

— C'est peut-être à mon tour maintenant de poser des questions, dit le type.

— Réponds que devant ton avocat, dit Zazie.

— Fous-moi la paix, dit Gabriel. Je sais ce que j'ai à faire.

— I va te faire dire tout ce qu'il voudra.

— Elle me prend pour un idiot, dit Gabriel en s'adressant au type avec amabilité. C'est les gosses d'aujourd'hui.

— Y a plus de respect pour les anciens, dit le type.

— C'est écœurant d'entendre des conneries comme ça, déclare Zazie qui a son idée. Je préfère m'en aller.

— C'est ça, dit le type. Si les personnes du deuxième sexe pouvaient se retirer un instant.

— Comment donc, dit Zazie en ricanant.

En sortant de la pièce, elle récupéra discrètement le pacson oublié par le type sur une chaise.

— On vous laisse, dit doucement Marceline en se tirant à son tour.

Elle ferme doucement la porte derrière elle.

— Alors, dit le type (silence), c'est comme ça que vous vivez de la prostitution des petites filles ?

Gabriel fait semblant de se dresser pour un geste de théâtrale protestation, mais se ratatine aussitôt.

— Moi, msieu ? murmure-t-il.

— Oui ! réplique le type, oui, vous. Vous n'allez pas me soutenir le contraire ?

— Si, msieu.

— Vous en avez du culot. Flagrant délit. Cette petite faisait le tapin au marché aux puces. J'espère au moins que vous la vendez pas aux Arabes.

— Ça jamais, msieu.

— Ni aux Polonais ?

— Non pus, msieu.

— Seulement aux Français et aux touristes fortunés ?

— Seulement rien du tout.

La grenadine commence à faire son effet. Gabriel récupérait.

— Alors vous niez? demanda le type.

— Et comment.

Le type sourit diaboliquement, comme au cinéma.

— Et dites-moi, mon gaillard, qu'il susurre, quel est votre métier ou votre profession derrière lequel ou laquelle vous cachez vos activités délictueuses.

— Je vous répète que je n'ai pas d'activités délictueuses.

— Pas d'histoires. Profession?

— Artiste.

— Vous? un artiste? La petite m'a dit que vous étiez veilleur de nuit.

— Elle y connaît rien. Et puis on dit pas toujours la vérité aux enfants. Pas vrai?

— À moi, on la dit.

— Mais vous n'êtes pas un enfant (sourire aimable). Une grenadine?

— (geste).

Gabriel se sert un autre verre de grenadine.

— Alors, reprend le type, quelle espèce d'artiste?

Gabriel baisse modestement les yeux.

— Danseuse de charme, qu'il répond.

6

— Qu'est-ce qu'ils se racontent? demanda Zazie en finissant d'enfiler les bloudjinnzes.

— Ils parlent trop bas, dit doucement Marceline l'oreille appuyée contre la porte de la chambre. Je n'arrive pas à comprendre.

Elle mentait doucement la Marceline, car elle entendait fort bien le type qui disait comme ça: Alors c'est pour ça, parce que vous êtes une pédale, que la mère vous a confié cette enfant? et Gabriel répondait: Mais puisque je vous dis que j'en suis pas. D'accord, je fais mon numéro habillé en femme dans une boîte de tantes mais ça veut rien dire. C'est juste pour faire marer le monde. Vous comprenez, à cause de ma haute taille, ils se fendent la pipe. Mais moi, personnellement, j'en suis pas. La preuve c'est que je suis marié.

Zazie se regardait dans la glace en salivant d'admiration. Pour aller bien ça on pouvait dire que les bloudjinnzes lui allaient bien. Elle passa ses mains sur ses petites fesses moulées à souhait et perfection mêlés et soupira profondément, grandement satisfaite.

— T'entends vraiment rien? elle demande. Rien de rien?

— Non, répondit doucement Marceline toujours aussi menteuse car le type disait: Ça veut rien dire. En tout cas vous allez pas nier que c'est parce que la mère vous considère comme une tante qu'elle vous a confié l'enfant; et Gabriel devait bien le reconnaître. Iadssa, iadssa, qu'il concédait.

— Comment tu me trouves? dit Zazie. C'est pas chouette?

Marceline, cessant d'écouter, la considéra.

— Les filles s'habillent comme ça maintenant, dit-elle doucement.

— Ça te plaît pas?

— Si donc. Mais, dis-moi, tu es sûre que le bonhomme ne dira rien que tu lui aies pris son paquet?

— Puisque je te répète qu'ils sont à moi. Il va en faire un nez quand il va me voir avec.

— Parce que tu as l'intention de te montrer avant qu'il soit parti?

— Je veux, dit Zazie. Je vais pas rester à moisir ici.

Elle traversa la pièce pour aller coller une oreille contre la lourde. Elle entendit le type qui disait: Tiens où donc j'ai mis mon pacson.

— Dis donc, tata Marceline, dit Zazie, tu te fous de moi ou bien t'es vraiment sourdingue? On entend très bien ce qu'ils se racontent.

— Eh bien, qu'est-ce qu'ils se racontent?

Renonçant pour le moment à approfondir la question de la surdité éventuelle de sa tante, Zazie plongea de nouveau son étiquette[1] dans le bois de la porte. Le type disait comme ça: Ah ça, i faudrait voir, j'espère que la petite me l'a pas fauché mon pacson. Et Gabriel suggérait: vous l'aviez peut-être pas avec vous. Si, disait le type, si la môme me l'a fauché, ça va barder un brin.

— Qu'est-ce qu'il peut râler, dit Zazie.

_____
1. Oreille, en argot.

— Il ne s'en va pas ? demanda doucement Marceline.

— Non, dit Zazie. Vlà maintenant qu'il entreprend le tonton sur ton compte.

Après tout, disait le type, c'est peut-être vott dame qui me l'a fauché, mon pacson. Elle a peut-être envie de porter des bloudjinnzes elle aussi, vott dame, Ça sûrement non, disait Gabriel, sûrement pas. Qu'est-ce que vous en savez ? répliquait le type, l'idée peut lui en être venue avec un mari qui a des façons d'hormosessuel.

— Qu'est-ce que c'est un hormosessuel ? demanda Zazie.

— C'est un homme qui met des bloudjinnzes, dit doucement Marceline.

— Tu me racontes des blagues, dit Zazie.

— Gabriel devrait le mettre à la porte, dit doucement Marceline.

— Ça c'est une riche idée, Zazie dit.

Puis, méfiante :

— Il serait chiche de le faire ?

— Tu vas voir.

— Attends, je vais entrer la première.

Elle ouvrit la porte et, d'une voix forte et claire, prononça les mots suivants :

— Alors, tonton Gabriel, comment trouves-tu mes bloudjinnzes ?

— Veux-tu vite enlever ça, s'écria Gabriel épouvanté, et les rendre au meussieu tout de suite.

— Les rendre mon cul, déclara Zazie. Y a pas de raisons. Ils sont à moi.

— J'en suis pas bien sûr, dit Gabriel embêté.

— Oui, dit le type, enlève ça et au trot.

— Fous-le donc à la porte, dit Zazie à Gabriel.

— T'en as de bonnes, dit Gabriel. Tu me préviens que c'est un flic et ensuite tu voudrais que je tape dessus.

— C'est pas parce que c'est un flic qu'i faut en avoir

peur, dit Zazie avec grandiloquence. C'est hun dégueulasse qui m'a fait des propositions sales, alors on ira devant les juges tout flic qu'il est, et les juges, je les connais moi, ils aiment les petites filles, alors le flic dégueulasse, il sera condamné à mort et guillotiné et moi j'irai chercher sa tête dans le panier de son et je lui cracherai sur sa sale gueule, na.

Gabriel fermit les yeux en frémissant à l'évocation de ces atrocités. Il se tournit vers le type :

— Vous entendez, qu'il lui dit. Vous avez bien réfléchi ? C'est terrible, vous savez les gosses.

— Tonton Gabriel, s'écria Zazie, je te jure que c'est hà moi les bloudjinnzes. Faut mdéfendre, tonton Gabriel. Faut mdéfendre. Qu'est-ce qu'elle dira ma moman si elle apprenait que tu me laisses insulter par un galapiat, un gougnafier[1] et peut-être même un conducteur du dimanche.

— Merde, ajouta-t-elle pour son compte avec sa petite voix intérieure, chsuis aussi bonne que Michèle Morgan dans *La Dame aux camélias*[2].

Effectivement touché par le pathétique de cette invocation, Gabriel manifesta son embarras en ces termes mesurés qu'il prononça médza votché[3] et pour ainsi dire quasiment in petto :

— C'est tout de même embêtant de se mettre à dos un bourin[4].

Le type ricane.

— Ce que vous pouvez avoir l'esprit mal tourné, dit Gabriel en rougissant.

— Non mais, vous voyez pas tout ce qui vous pend au

---

1. Un bon à rien (argot).
2. C'est Micheline Presle qui interprétait le personnage-titre dans le film *La Dame aux camélias* (d'après Alexandre Dumas fils) de Raymond Bernard, en 1953.
3. *Mezza voce*, locution employée en musique : à mi-voix.
4. Policier (argot). On écrit aussi *bourrin*.

nez? dit le type avec un air de plus en plus vachement méphistophélique: prossénétisme, entôlage, hormosessualité, éonisme[1], hypospadie balanique[2], tout ça va bien chercher dans les dix ans de travaux forcés.

Puis il se tourne vers Marceline:

— Et madame? On aimerait avoir aussi quelques renseignements sur madame.

— Lesquels? demanda doucement Marceline.

— Faut parler que devant ton avocat, dit Zazie. Tonton a pas voulu m'écouter, tu vois comme il est emmerdé maintenant.

— Tu vas te taire? dit le type à Zazie. Oui, reprend-il, madame pourrait-elle me dire quelle profession elle exerce?

— Ménagère, répond Gabriel avec férocité.

— En quoi ça consiste? demande ironiquement le type

Gabriel se tourne vers Zazie et lui cligne de l'œil pour que la petite se prépare à savourer ce qui va suivre.

— En quoi ça consiste? dit-il anaphoriquement. Par exemple, à vider les ordures.

Il saisit le type par le col de son veston, le tire sur le palier et le projette vers les régions inférieures.

Ça fait du bruit: un bruit feutré.

Le bada[3] suit le même chemin. Il fait moins de bruit quoiqu'il soit melon.

— Formi[4], s'esclama Zazie enthousiasmée cependant

---

1. Ce mot réfère à un travesti célèbre, l'agent secret Charles de Beaumont, chevalier d'Éon.
2. L'*hypospadias* est une malformation de l'urètre, l'orifice étant placé sur la face inférieure de la verge (balanique signifie: qui se rapporte au «gland» de la verge). Ce dernier reproche, fantaisiste, est évidemment un intrus dans la série.
3. Chapeau (argot).
4. Formidable (abrégé ici par *apocope*, suppression d'une ou plusieurs syllabes en fin de mot).

qu'en bas le type se ramassait et remettait en place sa
moustache et ses lunettes noires.

— Ça sera quoi? lui demanda Turandot.

— Un remontant, répondit le type avec à-propos.

— C'est qu'il y a des tas de marques.

— M'est égal.

Il alla s'asseoir dans le fond.

— Qu'est-ce que je pourrais bien lui donner, rumine
Turandot. Un fernet-branca?

— C'est pas buvable, dit Charles.

— Tu n'y as peut-être jamais goûté. C'est pas si mauvais
que ça et c'est fameux pour l'estomac. Tu devrais essayer.

— Fais voir un petit fond de verre, dit Charles conciliant.

Turandot le sert largement.

Charles trempe ses lèvres, émet un petit bruit de clapo-
tis qu'il shunte[1], remet ça, déguste pensivement en agitant
les lèvres, avale la gorgée, passe à une autre.

— Alors? demande Turandot.

— C'est pas sale.

— Encore un peu?

Turandot emplit de nouveau le verre et remet la bouteille
sur l'étagère. Il fouine encore et découvre autre chose.

— Y a aussi l'eau d'arquebuse[2], qu'il dit.

— C'est démodé ça. De nos jours, ce qu'il faudrait, c'est
de l'eau atomique.

Cette évocation de l'histoire universelle fait se marer
tout le monde.

— Eh bien, s'écrie Gabriel, en entrant dans le bistro à

_____

1. Emploi métaphorique d'un terme emprunté à l'électricité, qui
signifie « court-circuiter ».
2. Une arquebuse est une ancienne arme à feu. L'eau d'arquebuse
était le nom donné à un alcool censé guérir des arquebusades. D'où la
plaisanterie qui suit : l'équivalent moderne serait l'« eau atomique ».

toute vapeur, eh bien vous vous embêtez pas dans l'établissement. C'est pas comme moi. Quelle histoire. Sers-moi une grenadine bien tassée, pas beaucoup de bouillon, j'ai besoin d'un remontant. Si vous saviez par où je viens de passer.

— Tu nous raconteras ça tout à l'heure, dit Turandot un peu gêné.

— Tiens bonjour toi, dit à Charles Gabriel. Tu restes déjeuner avec nous ?

— C'était pas entendu ?

— Jte lrappelle, simplement.

— Y a pas à me lrappeler. Jl'avais pas oublié.

— Alors disons que je te confirme mon invitation.

— Ya pas à mla confirmer puisque c'était d'accord.

— Tu restes donc déjeuner avec nous, conclut Gabriel qui voulait avoir le dernier mot.

— Tu causes tu causes, dit Laverdure, c'est tout ce que tu sais faire.

— Bois donc, dit Turandot à Gabriel.

Gabriel suit ce conseil.

— (soupir) Quelle histoire. Vous avez vu Zazie revenir accompagnée par un type ?

— Vvui, vuvurrèrent Turandot et Mado Ptits-pieds avec discrétion.

— Moi chsuis arrivé après, dit Charles.

— Au fait, dit Gabriel, vous l'avez pas vu rpasser, le gars ?

— Tu sais, dit Turandot, j'ai pas eu le temps de bien le dévisager, alors je ne suis pas tout à fait sûr de le reconnaître, mais c'est peut-être bien le type qu'est assis derrière toi dans le fond.

Gabriel se retourna. Le type était là sur une chaise, attendant patiemment son remontant.

— Nondguieu, dit Turandot, c'est vrai, escuses, je vous avais oublié.

— De rien, dit poliment le type.

— Qu'est-ce que vous diriez d'un fernet-branca ?

— Si c'est ça ce que vous me conseillez.

À ce moment, Gabriel, verdâtre, se laisse glisser mollement sur le plancher.

— Ça fera deux fernet-branca, dit Charles en ramassant le copain au passage.

— Deux fernet-branca, deux, répond mécaniquement Turandot.

Rendu nerveux par les événements, il n'arrive pas à remplir les verres, sa main tremble, il en fout à côté des flaques brunâtres qui émettent des pseudopodes[1] qui vont s'en allant souiller[2] le bar en bois depuis l'occupation.

— Donnez-moi donc ça, dit Mado Ptits-pieds en arrachant la bouteille des mains de l'ému patron.

Turandot s'éponge le front. Le type suppe paisiblement son remontant enfin servi. Pinçant le nez de Gabriel, Charles lui verse le liquide entre les dents. Ça dégouline un peu le long des commissures labiales. Gabriel s'ébroue.

— Sacrée cloche, lui dit Charles affectueusement.

— Petite nature, remarque le type requinqué.

— Faut pas dire ça, dit Turandot. Il a fait ses preuves. Pendant la guerre.

— Qu'est-ce qu'il a fait ? demande l'autre négligemment.

— L'esstéo[3], répond l'aubergiste en versant à la ronde de nouvelles doses de fernet.

---

1. Emploi métaphorique d'un terme désignant les prolongements en forme de pieds de certaines cellules. Désigne ici la ramification des flaques sur le bar.

2. Queneau combine humoristiquement deux constructions. L'une, précieuse et vieillotte, consiste à dire, par exemple : « Il *va répétant* à tout le monde que… » ; l'autre, plus courante, serait ici : « qui *s'en vont* souiller… ».

3. Le STO, Service du travail obligatoire, imposé aux jeunes Français par les Allemands à partir de 1943.

— Ah! fait le type avec indifférence.

— Vous vous souvenez ptêtt pas, dit Turandot. Scon oublie vite, tout dmême. Le travail obligatoire. En Allemagne. Vous vous souvenez pas?

— Ça prouve pas forcément une forte nature, remarque le type.

— Et les bombes, dit Turandot. Vous les avez oubliées, les bombes?

— Et qu'est-ce qu'il faisait des bombes, votre costaud? Il les recevait dans ses bras pour qu'elles éclatent pas?

— Elle est pas drôle votre astuce, dit Charles qui commence à s'énerver.

— Vous disputez pas, murmure Gabriel qui reprend contact avec le paysage.

D'un pas un peu trop hésitant pour être vrai, il va s'effondrer devant une table qui se trouve être celle du type. Gabriel sort un petit drap mauve de sa poche et s'en tapote le visage, embaumant le bistro d'ambre lunaire et de musc argenté.

— Pouah, fait le type. Elle empeste vott lingerie.

— Vous allez pas recommencer à m'emmerder? demande Gabriel en prenant un air douloureux. Il vient pourtant de chez Fior, ce parfum.

— Faut comprendre les gens, lui dit Charles. Y a des croquants[1] qui n'aiment pas squi est raffiné.

— Raffiné, vous me faites rire, dit le type, on a raffiné ça dans une raffinerie de caca, oui.

— Vous croyez pas si bien dire, s'esclama Gabriel joyeusement. Il paraît qu'il y en a une goutte dans les produits des meilleures firmes.

— Même dans l'eau de cologne? demande Turandot qui s'approche timidement de ce groupe choisi.

---

1. Paysans (péjoratif).

— Ce que tu peux être lourd, toi alors, dit Charles. Tu vois donc pas que Gabriel répète n'importe quelle connerie sans la comprendre, suffit qu'il l'ait entendue une fois.

— Faut bien les entendre pour les répéter, rétorqua Gabriel. As-tu jamais été foutu de sortir une connerie que t'aurais trouvée à toi tout seul ?

— Faut pas egzagérer, dit le type.

— Egzagérer quoi ? demande Charles.

Le type, lui, s'énerve pas.

— Vous ne dites jamais de conneries ? qu'il demande insidieusement.

— Il se les réserve pour lui tout seul, dit Charles aux deux autres. C'est un prétentiard.

— Tout ça, dit Turandot, c'est pas clair.

— D'où c'est qu'on est parti ? demande Gabriel.

— Jte disais que tu n'es pas capable de trouver tout seul toutes les conneries que tu peux sortir, dit Charles.

— Quelles conneries que j'ai sorties ?

— Je sais plus. T'en produis tellement.

— Alors dans ce cas-là, tu ne devrais pas avoir de mal à m'en citer une.

— Moi, dit Turandot qu'était plus dans le coup, je vous laisse à vos dissertations. Le monde se ramène.

Les midineurs [1] arrivaient, d'aucuns avec leur gamelle. On entendit Laverdure qui poussait son tu causes tu causes c'est tout ce que tu sais faire.

— Oui, dit Gabriel pensivement, de quoi qu'on causait ?

— De rien, répondit le type. De rien.

Gabriel le regarda d'un air dégoûté.

— Alors, qu'il dit. Alors qu'est-ce que je fous ici ?

---

1. Mot-valise forgé par Queneau à partir de *midi* et de *dîneurs*. Les « midineurs » sont les clients du restaurant qui viennent prendre leur repas de midi.

— T'es venu mchercher, dit Charles. Tu te souviens ? Je déjeune chez toi et après on emmène la petite à la tour Eiffel.

— Alors gy[1].

Gabriel se leva et, suivi de Charles, s'en fut, ne saluant point le type.

Le type appela (geste) Mado Ptits-pieds.

— Pendant que j'y suis, qu'il dit, je reste déjeuner.

Dans l'escalier Gabriel s'arrêta pour demander au pote Charles :

— Tu crois pas que ç'aurait été poli de l'inviter ?

_____

1. Allons-y ! (interjection d'argot).

7

Gridoux déjeunait sur place, ça lui évitait de rater un client, s'il s'en présentait un ; il est vrai qu'à cette heure-là il n'en survenait jamais. Déjeuner sur place présentait donc un double avantage puisque comme nul client n'apparaissait asteure, Gridoux pouvait casser la graine en toute tranquillité. Cette graine était en général une assiette de hachis parmentier fumant que Mado Ptits-pieds lui apportait après le coup de feu, à l'environ d'une heure.

— Je croyais que c'était des tripes aujourd'hui, dit Gridoux en plongeant pour attraper son litron de rouge planqué dans un coin.

Mado Ptits-pieds haussa les épaules. Tripes ? Mythe ! Et Gridoux le savait bien.

— Et le type ? demanda Gridoux, qu'est-ce qu'il branle ?

— I finit de croûter. I parle pas.

— Il pose pas de questions ?

— Rien.

— Et Turandot, il lui cause pas ?

— Il ose pas.

— Il est pas curieux.

— C'est pas qu'il est pas curieux, mais il ose pas.

— Ouais.

Gridoux se mit à attaquer sa pâtée dont la température avait baissé jusqu'à un degré raisonnable.

— Après? demanda Mado Ptits-pieds, ce sera quoi? Du brie? du camembert?

— Il est beau le brie?

— Il va pas très vite.

— Alors de l'autre.

Comme Mado Ptits-pieds s'éloignait, Gridoux lui demanda :

— Et lui? qu'est-ce qu'il a croûté?

— Comme vous. Gzactement.

Elle courut pour faire les dix mètres qui séparaient l'échoppe de La Cave. Elle répondrait plus amplement tout à l'heure. Gridoux jugeait en effet le renseignement fourni nettement insuffisant, cependant il semble en nourrir sa méditation jusqu'à la présentation d'un fromage morose par la servante revenue.

— Alors? demanda Gridoux. Le type?

— Il termine son café.

— Et qu'est-ce qu'il raconte?

— Toujours rien.

— Il a bien mangé? De bon appétit?

— Plutôt. Il peine pas sur la nourriture.

— Qu'est-ce qu'il a pris pour commencer? La belle sardine ou la salade de tomates?

— Comme vous que jvous dis, gzactement comme vous. Il a rien pris pour commencer.

— Et comme boisson?

— Du rouge.

— Un quart? une demie?

— Une demie. Il l'a vidée.

— Ah ah! fit Gridoux nettement intéressé.

Avant d'attaquer le frome, d'un habile mouvement de succion, il s'extirpa pensivement des filaments de bœuf coincés en plusieurs endroits parmi sa dentition.

— Et du côté vécés? demanda-t-il encore. Il n'est pas allé aux vécés?

— Non.

— Pas même pour pisser?

— Non.

— Pas même pour se laver les pognes?

— Non.

— Quelle gueule il fait maintenant?

— Aucune.

Gridoux entame une vaste tartine de frome qu'il a méthodiquement préparée, en refoulant la croûte vers l'extrémité la plus lointaine, réservant ainsi le meilleur pour la fin.

Mado Ptits-pieds le regarde faire, l'air distrait, plus pressée du tout, et pourtant le service est pas fini, y a des clients qui doivent réclamer leur addition, le type peut-être par exemple. Elle s'appuya contre l'échoppe et, profitant de ce que Gridoux bouffant ne pouvait discourir, elle aborda ses problèmes personnels.

— C'est un type sérieux, qu'elle dit. Un homme qu'a un métier. Un bon métier, car c'est bon, le taxi, pas vrai?

— (geste).

— Pas trop vieux. Pas trop jeune. Bonne santé. Costaud. Sûrement des éconocroques. Il a tout pour lui, Charles. Y a qu'une chose: il est trop romantique.

— Ça, reconnut Gridoux entre deux déglutitions.

— Ce qu'il peut m'agacer quand je le vois en train de décortiquer un courrier du cœur ou la ptite correspondance d'un canard pour dames. Comment que vous pouvez croire, que je lui dis, comment vous pouvez croire que vous allez trouver là-ddans l'oiseau rêvé? S'il était si bien xa l'oiseau, il saurait se faire dénicher tout seul, pas vrai?

— (geste).

Gridoux en est à sa dernière déglutition. Il a fini sa

tartine, il écluse posément un verre de vin, range sa bouteille.

— Et Charles ? qu'il demande, qu'est-ce qu'il répond
à ça ?

— Il répond des trucs pas sérieux comme : et ton oiseau
à toi, tu te l'es fait dénicher souvent ? Des blagues, quoi
(soupir). I veut pas mcomprendre.

— Faut te déclarer.

— J'y ai bien pensé, mais ça se présente jamais bien. Par
exemple je le rencontre quelquefois dans l'escalier. Alors
on tire un coup, sur les marches du palais[1]. Seulement à
ce moment-là je peux pas lui parler comme il faut, j'ai pas
l'esprit à ça (silence) — à lui parler comme i faut (silence).
Faudrait que je l'invite un soir à dîner. Vous croyez qu'il
accepterait ?

— En tout cas ça serait pas gentil de sa part de refuser.

— Bin voilà, c'est qu'il est pas toujours gentil, Charles.

Gridoux fit un geste de contestation. Sur le pas de sa
porte, le patron criait : Mado !

— On arrive ! répondit-elle avec la force voulue pour
que ses paroles fendissent l'air avec la vitesse et l'intensité
souhaitées. En tout cas, ajouta-t-elle pour Gridoux sur un
ton plus modéré, ce que je me demande, c'est dans son
idée ce qu'elle aurait de mieux que moi la gonzesse qu'il
trouverait par le journal : le baba[2] en or ou quoi ?

Un nouveau hululement de Turandot ne lui permit pas
d'émettre d'autres hypothèses. Elle emmène la vaisselle et
Gridoux se retrouve tout seul avec ses godasses et la rue.
Il recommence pas tout de suite à travailler. Il roule lente-

---

1. Allusion à la chanson populaire *Aux marches du palais* («Aux
marches du palais / Aux marches du palais / Y a une tant belle fille
lonla, / Y a une tant belle fille. »).
2. Derrière (argot).

ment l'une de ses cinq cigarettes de la journée et il se met à fumer posément. On pourrait presque dire qu'il semblerait qu'il a l'air de réfléchir à quelque chose. Quand la cigarette est à peu près terminée, il éteint le mégot et le range soigneusement dans une boîte de Valdas[1], une habitude de l'occupation[2]. Puis quelqu'un lui demande vous n'auriez pas un lacet de soulier par hasard je viens de péter le mien. Gridoux lève les yeux et il l'aurait parié, c'est le type et qui continue de la sorte :

— Y a rien de plus agaçant, pas vrai ?

— Je ne sais pas, répond Gridoux.

— Des jaunes qu'il m'en faut. Des marrons si vous préférez, pas des noirs.

— Je vais voir ce que j'ai, dit Gridoux. Je vous garantis pas que j'en ai de toutes les couleurs que vous me demandez.

Il bouge pas et se contente de regarder son interlocuteur. Celui-ci fait semblant de ne pas s'en apercevoir.

— C'est tout de même pas des irisés que je veux.

— Des quoi ?

— Des couleur d'arc-en-ciel.

— Ceux-là, ils me manquent pour le moment. Et des autres teintes j'en ai pus non plus.

— Et là-bas dans cette boîte c'est pas des lacets de soulier ?

Gridougrogne :

— Dites donc vous, j'aime pas qu'on fouine comme ça chez moi.

— Vous refuseriez tout de même pas de vendre un lacet de soulier à un homme qui en a besoin. Autant refuser du pain à un affamé.

---

1. Pastilles célèbres contre les maux de gorge.
2. Parce que le tabac était rare.

— Ça va, cherchez pas à m'attendrir.

— Et une paire de souliers ? Vous refuseriez de vendre une paire de souliers ?

— Ah là ! s'esclama Gridoux, là, vous êtes couyonné[1].

— Et pourquoi ça ?

— Je suis cordonnier et pas marchand de chaussures. Ne sutor ultra crepidam[2], comme disaient les Anciens. Vous comprenez le latin peut-être ? Usque non ascendam[3] anch'io son pittore[4] adios amigos amen et toc. Mais c'est vrai, vous pouvez pas apprécier, vous êtes pas curé, vous êtes flic.

— Où vous avez pris ça, s'il vous plaît ?

— Flic ou satyre.

Le type haussa tranquillement les épaules et dit sans conviction ni amertume :

— Des insultes, voilà tous les remerciements qu'on reçoit quand on ramène une enfant perdue à ses parents. Des insultes.

Et il ajoute après un gros soupir :

— Mais quels parents.

Gridoux décolla ses fesses de sus sa chaise pour demander d'un air menaçant :

— Et qu'est-ce qu'ils ont de mal, ses parents ? qu'est-ce que vous trouvez à leur redire ?

— Oh ! rien (sourire).

— Mais dites-le, dites-le donc.

---

1. Couillonné. Queneau s'amuse à former le participe à partir de la forme archaïque de *couillon* : *coyon*.
2. Expression latine proverbiale tirée de Pline : « que le cordonnier ne juge pas au-dessus de la chaussure », autrement dit : à chacun son métier.
3. Locution latine, devise de Fouquet : « Jusqu'où ne monterai-je pas ? »
4. « Moi aussi je suis peintre. » (attribué au Corrège).

— Le tonton est une tata.

— C'est pas vrai, gueula Gridoux, c'est pas vrai, je vous défends de dire ça.

— Vous n'avez rien à me défendre, mon cher, je n'ai pas d'ordre à recevoir de vous.

— Gabriel, proféra Gridoux solennellement, Gabriel est un honnête citoyen, un honnête et honorable citoyen. D'ailleurs tout le monde l'aime dans le quartier.

— Une séductrice.

— Vous m'emmerdez, vous, à la fin, avec vos airs supérieurs. Je vous répète que Gabriel n'est pas une tante, c'est clair, oui ou non ?

— Prouvez-le-moi, dit l'autre.

— Pas difficile, répondit Gridoux. Il est marié.

— Ça prouve rien, dit l'autre. Tenez Henri Trois[1], par exemple, il était marié.

— Et avec qui ? (sourire).

— Louise de Vaudémont.

Gridoux ricane.

— Ça se saurait si cette bonne femme avait été reine de France.

— Ça se sait.

— Vous avez entendu ça à la tévé (grimace). Vous croyez peut-être à tout ce qu'ils racontent ?

— N'empêche que ça se trouve dans tous les livres.

— Même dans l'Annuaire du téléphone ?

Le type ne sut que répondre.

— Vous voyez, conclut Gridoux avec bonhomie.

Il ajouta ces mots ailés :

— Croyez-moi, faut pas juger les gens trop vite. Gabriel

---

1. Henri III, roi de France (1574-1589). Il épousa Louise, fille de Nicolas de Lorraine, comte de Vaudémont. Il était effectivement homosexuel.

danse dans une boîte de pédales déguisé en Sévillane, dakor. Mais, qu'est-ce que ça prouve, hein ? Qu'est-ce que ça prouve. Tenez, donnez-moi votre godasse, je vais vous remettre un lacet.

Le type se déchaussa et, en attendant que l'opération de change fût terminée, se tint à cloche-pied.

— Ça ne prouve rien, continuait Gridoux, sinon que ça amuse les gogos. Un colosse habillé en torero ça fait sourire, mais un colosse habillé en Sévillane, c'est ça alors qui fait marer les gens. D'ailleurs c'est pas tout, il danse aussi *La Mort du cygne*[1] comme à l'Opéra. En tutu. Là alors, les gens ils sont pliés en deux. Vous allez me parler de la bêtise humaine, dakor, mais c'est un métier comme un autre après tout, pas vrai ?

— Quel métier, se contenta de dire le type.

— Quel métier, quel métier, répliqua Gridoux en le déganant[2]. Et vous, votre métier, vous en êtes fier ?

Le type ne répondit pas.

(silence double)

— Là, reprit Gridoux, la voilà votre godasse, avec son lacet tout neuf.

— Je vous dois combien ?

— Rien, dit Gridoux.

Il ajouta :

— Tout de même, vous êtes pas très causant.

— C'est injuste de me dire ça, c'est moi qui suis venu vous trouver.

— Oui, mais vous ne répondez pas aux questions qu'on vous pose.

— Lesquelles par exemple ?

— Aimez-vous les épinards ?

---

1. Morceau fameux du ballet de Tchaïkovski, *Le Lac des cygnes*.
2. Dialecte normand : en l'imitant, en le singeant.

— Avec des petits croûtons je les supporte, mais je ne ferais pas des folies pour.

Gridoux demeura pensif un instant, puis il lâcha une bordée de nomdehieus proférés à basse voix.

— Qu'est-ce qui ne va pas ? demanda le type.

— Je donnerais cher pour savoir ce que vous êtes venu faire dans le coinstot[1].

— Je suis venu reconduire une enfant perdue à ses parents.

— Vous allez finir par me le faire croire.

— Et ça m'a attiré bien des ennuis.

— Oh ! dit Gridoux, pas bien graves.

— Je ne parle pas de l'histoire avec le roi de la séguedille et de la princesse des djinns bleus (silence). Y a pire.

Le type avait fini de remettre sa chaussure.

— Ya pire, répéta-t-il.

— Quoi ? demanda Gridoux impressionné.

— J'ai ramené la petite à ses parents, mais moi je me suis perdu.

— Oh ! ça n'est rien, dit Gridoux rasséréné. Vous tournez dans la rue à gauche et vous trouvez le métro un peu plus bas, c'est pas difficile comme vous voyez.

— S'agit pas de ça. C'est moi, moi, que j'ai perdu.

— Comprends pas, dit Gridoux de nouveau un peu inquiet.

— Posez-moi des questions, posez-moi des questions, vous allez comprendre.

— Mais vous y répondez pas aux questions.

— Quelle injustice ! comme si je n'ai pas répondu pour les épinards.

Gridoux se gratta le crâne.

— Eh bien par exemple...

_____

1. Mot d'argot (on écrit aussi *coinsto*) : coin, endroit.

Mais il ne put continuer, fort embarrassé.

— Dites, insistait le type, mais dites donc.

(silence) Gridoux baisse les yeux.

Le type lui vient en aide.

— Vous voulez peut-être savoir mon nom par egzemple ?

— Oui, dit Gridoux, c'est ça, vott nom.

— Eh bien je ne le sais pas.

Gridoux leva les yeux.

— C'est malin, ça, dit-il.

— Eh non, je ne le sais pas.

— Comment ça ?

— Comment ça ? Comme ça. Je ne l'ai pas appris par cœur.

(silence)

— Vous vous foutez de moi, dit Gridoux.

— Et pourquoi ça ?

— Est-ce qu'on a besoin d'apprendre son nom par cœur ?

— Vous, dit le type, vous vous appelez comment ?

— Gridoux, répondit Gridoux sans se méfier.

— Vous voyez bien que vous le savez par cœur votre nom de Gridoux.

— C'est pourtant vrai, murmura Gridoux.

— Mais ce qu'il y a de plus fort dans mon cas, reprit le type, c'est que je ne sais pas si j'en avais un avant.

— Un nom ?

— Un nom.

— Ce n'est pas possible, murmura Gridoux avec accablement.

— Possible, possible, qu'est-ce que ça veut dire « possible », quand ça est ?

— Alors comme ça vous n'avez jamais eu de nom ?

— Il semble bien.

— Et ça ne vous a jamais causé d'ennuis ?

— Pas de trop.

(silence)

Le type répéta :

— Pas de trop.

(silence)

— Et votre âge, demanda brusquement Gridoux. Vous ne le savez peut-être pas non plus votre âge ?

— Non, répondit le type. Bien sûr que non.

Gridoux examina attentivement la tête de son interlocuteur.

— Vous devez avoir dans les...

Mais il s'interrompit.

— C'est difficile à dire, murmura-t-il.

— N'est-ce pas ? Alors, quand vous venez m'interroger sur mon métier, vous comprenez que c'est pas par mauvaise volonté que je ne vous réponds pas.

— Bien sûr, acquiesça Gridoux angoissé.

Un bruit de moteur vaseux fit se retourner le type. Un taxi vieux passa, ayant à bord Gabriel et Zazie.

— Ça va se promener, dit le type.

Gridoux ne fait aucun commentaire. Il voudrait bien que l'autre aille se promener, lui aussi.

— Il ne me reste plus qu'à vous remercier, reprit le type.

— De rien, dit Gridoux.

— Et le métro ? Alors, je le trouverai par là ? (geste)

— C'est ça. Par là.

— C'est un renseignement utile, dit le type. Surtout quand y a la grève.

— Vous pourrez toujours consulter le plan, dit Gridoux.

Il se mit à taper très fort sur une semelle et le type s'en va.

8

— Ah Paris ! s'écria Gabriel avec un enthousiasme gourmand. Tiens, Zazie, ajouta-t-il brusquement en désignant
quelque chose très au loin, regarde !! le métro !!!

— Le métro ? qu'elle fit.

Elle fronça les sourcils.

— L'aérien, bien sûr, dit Gabriel benoîtement.

Avant que Zazie ait eu le temps de râler, il s'esclama de
nouveau :

— Et ça ! là-bas !! regarde !!! le Panthéon !!!!

— C'est pas le Panthéon, dit Charles, c'est les Invalides.

— Vous allez pas recommencer, dit Zazie.

— Non mais, cria Gabriel, c'est peut-être pas le Panthéon ?

— Non, c'est les Invalides, répondit Charles.

Gabriel se tourna vers lui et le regarda dans la cornée
des œils :

— T'en es sûr, qu'il lui demande, t'en es tellement sûr
que ça ?

Charles ne répondit pas.

— De quoi que t'es absolument sûr ? qu'il insista Gabriel.

— J'ai trouvé, hurle alors Charles, ce truc-là, c'est pas
les Invalides, c'est le Sacré-Cœur.

— Et toi, dit Gabriel jovialement, tu ne serais pas par hasard le sacré con ?

— Les petits farceurs de votre âge, dit Zazie, ils me font de la peine.

Ils regardèrent alors en silence l'orama[1], puis Zazie examina ce qui se passait à quelque trois cents mètres plus bas en suivant le fil à plomb.

— C'est pas si haut que ça, remarqua Zazie.

— Tout de même, dit Charles, c'est à peine si on distingue les gens.

— Oui, dit Gabriel en reniflant, on les voit peu, mais on les sent tout de même.

— Moins que dans le métro, dit Charles.

— Tu le prends jamais, dit Gabriel. Moi non plus, d'ailleurs.

Désireuse d'éviter ce sujet pénible, Zazie dit à son oncle :

— Tu regardes pas. Penche-toi donc, c'est quand même marant.

Gabriel fit une tentative pour jeter un coup d'œil sur les profondeurs.

— Merde, qu'il dit en se reculant, ça me fout le vertige.

Il s'épongea le front et embauma.

— Moi, qu'il ajoute, je redescends. Si vous en avez pas assez, je vous attends au rez-de-chaussée.

Il est parti avant que Zazie et Charles aient pu le retenir.

— Ça faisait bien vingt ans que j'y étais pas monté, dit Charles. J'en y ai pourtant conduit des gens.

Zazie s'en fout.

— Vous riez pas souvent, qu'elle lui dit. Quel âge que vous avez ?

— Quel âge que tu me donnes ?

---

1. Réduction (humoristique) de *panorama*, par *aphérèse* (suppression du préfixe grec *pan-*).

— Bin, vzêtes pas jeune : trente ans.

— Et quinze de mieux.

— Bin alors vzavez pas l'air trop vieux. Et tonton Gabriel ?

— Trente-deux.

— Bin, lui, il paraît plus.

— Lui dis pas surtout, ça le ferait pleurer.

— Pourquoi ça ? Parce qu'il pratique l'hormosessualité ?

— Où t'as été chercher ça ?

— C'est le type qui lui disait ça à tonton Gabriel, le type qui m'a ramenée. Il disait comme ça, le type, qu'on pouvait aller en tôle pour ça, pour l'hormosessualité. Qu'est-ce que c'est ?

— C'est pas vrai.

— Si, c'est vrai qu'il a dit ça, répliqua Zazie indignée qu'on puisse mettre en doute une seule de ses paroles.

— C'est pas ça ce que je veux dire. Je veux dire que, pour Gabriel, c'est pas vrai ce que disait le type.

— Qu'il soit hormosessuel ? Mais qu'est-ce que ça veut dire ? Qu'il se mette du parfum ?

— Voilà. T'as compris.

— Y a pas de quoi aller en prison.

— Bien sûr que non.

Ils rêvèrent un instant en silence en regardant le Sacré-Cœur.

— Et vous ? demanda Zazie. Vous l'êtes, hormosessuel ?

— Est-ce que j'ai l'air d'une pédale ?

— Non, pisque vzêtes chauffeur[1].

— Alors tu vois.

— Je vois rien du tout.

---

1. Plaisanterie. Charles ne saurait être une « pédale » (un homosexuel), puisqu'il est « chauffeur » : il conduit un véhicule à moteur, pas à *pédales*.

— Je vais quand même pas te faire un dessin.

— Vous dessinez bien ?

Charles se tournant d'un autre côté s'absorba dans la contemplation des flèches de Sainte-Clotilde, œuvre de Gau et Ballu[1], puis proposa :

— Si on redescendait ?

— Dites-moi, demanda Zazie sans bouger, pourquoi que vous êtes pas marié ?

— C'est la vie.

— Pourquoi que vous vous mariez pas ?

— J'ai trouvé personne qui me plaise.

Zazie siffla d'admiration.

— Vzêtes rien snob, qu'elle dit.

— C'est comme ça. Mais dis-moi, toi quand tu seras grande, tu crois qu'il y aura tellement d'hommes que tu voudrais épouser ?

— Minute, dit Zazie, de quoi qu'on cause ? D'hommes ou de femmes ?

— S'agit de femmes pour moi, et d'hommes pour toi.

— C'est pas comparable, dit Zazie.

— T'as pas tort.

— Vzêtes marant vous, dit Zazie. Vous savez jamais trop ce que vous pensez. Ça doit être épuisant. C'est pour ça que vous prenez si souvent l'air sérieux ?

Charles daigne sourire.

— Et moi, dit Zazie, je vous plairais ?

— T'es qu'une môme.

— Ya des filles qui se marient à quinze ans, à quatorze même. Y a des hommes qu'aiment ça.

— Alors ? moi ? je te plairais ?

— Bien sûr que non, répondit Zazie avec simplicité.

---

1. Théodore Ballu, architecte français, continua l'édification de l'église néogothique Sainte-Clotilde à Paris d'après les plans de Gau.

Après avoir dégusté cette vérité première, Charles reprit la parole en ces termes :

— Tu as de drôles d'idées, tu sais, pour ton âge.

— Ça c'est vrai, je me demande même où je vais les chercher.

— C'est pas moi qui pourrais te le dire.

— Pourquoi qu'on dit des choses et pas d'autres ?

— Si on disait pas ce qu'on a à dire, on se ferait pas comprendre.

— Et vous, vous dites toujours ce que vous avez à dire pour vous faire comprendre ?

— (geste)

— On est tout de même pas forcé de dire tout ce qu'on dit, on pourrait dire autre chose.

— (geste).

— Mais répondez-moi donc !

— Tu me fatigues les méninges. C'est pas des questions tout ça.

— Si, c'est des questions. Seulement c'est des questions auxquelles vous savez pas répondre.

— Je crois que je ne suis pas encore prêt à me marier, dit Charles pensivement.

— Oh ! vous savez, dit Zazie, toutes les femmes posent pas des questions comme moi.

— Toutes les femmes, voyez-vous ça, toutes les femmes. Mais tu n'es qu'une mouflette.

— Oh ! pardon, je suis formée.

— Ça va. Pas d'indécences.

— Ça n'a rien d'indécent. C'est la vie.

— Elle est propre, la vie.

Il se tirait sur la moustache en biglant, morose, de nouveau le Sacré-Cœur.

— La vie, dit Zazie, vous devez la connaître. Paraît que dans votre métier on en voit de drôles.

— Où t'as été chercher ça?

— Je l'ai lu dans le *Sanctimontronais du dimanche*, un canard à la page même pour la province où ya des amours célèbres, l'astrologie et tout, eh bien on disait que les chauffeurs de taxi izan voyaient sous tous les aspects et dans tous les genres, de la sessualité. À commencer par les clientes qui veulent payer en nature. Ça vous est arrivé souvent?

— Oh! ça va ça va.

— C'est tout ce que vous savez dire: « Ça va ça va. » Vous devez être un refoulé.

— Ce qu'elle est emmerdante.

— Allez, râlez pas, racontez-moi plutôt vos complexes.

— Qu'est-ce qu'il faut pas entendre.

— Les femmes ça vous fait peur, hein?

— Moi je redescends. Parce que j'ai le vertige. Pas devant ça (geste). Mais devant une mouflette comme toi.

Il s'éloigne et quelque temps plus tard le revoilà à quelques mètres seulement au-dessus du niveau de la mer. Gabriel, l'œil peu vif, attendait, les mains posées sur ses genoux largement écartés. En apercevant Charles sans la nièce, il bondit et sa face prend la teinte vert-anxieux.

— T'as tout de même pas fait ça, qu'il s'écrie.

— Tu l'aurais entendue tomber, répond Charles qui s'assoit accablé.

— Ça, ça serait rien. Mais la laisser seule.

— Tu la cueilleras à la sortie. Elle s'envolera pas.

— Oui, mais d'ici qu'elle soit là, qu'est-ce qu'elle peut encore me causer comme emmerdements. (soupir) Si j'avais su.

Charles réagit pas.

Gabriel regarde alors la tour, attentivement, longuement, puis commente:

— Je me demande pourquoi on représente la ville de Paris comme une femme. Avec un truc comme ça. Avant que ça soit construit, peut-être. Mais maintenant. C'est comme les femmes qui deviennent des hommes à force de faire du sport. On lit ça dans les journaux.

— (silence).

— Eh bien, t'es devenu muet. Qu'est-ce que t'en penses ?

Charles pousse alors un long hennissement douloureux et se prend la tête à deux mains en gémissant :

— Lui aussi, qu'il dit en gémissant, lui aussi... toujours la même chose... toujours la sessualité... toujours question de ça... toujours... tout le temps... dégoûtation... putréfaction... Ils pensent qu'à ça...

Gabriel lui tape sur l'épaule avec bénévolence[1].

— Ça n'a pas l'air d'aller, qu'il dit comme ça. Qu'est-ce qu'est arrivé ?

— C'est ta nièce... ta putain de nièce...

— Ah ! attention, s'écrie Gabriel en retirant sa main pour la lever au ciel, ma nièce c'est ma nièce. Modère ton langage ou tu vas en apprendre long sur ta grand-mère.

Charles fait un geste de désespoir, puis se lève brusquement.

— Tiens, qu'il dit, je me tire. Je préfère pas revoir cette gamine. Adieu.

Et il s'élance vers son bahut.

Gabriel lui court après :

— Comment qu'on fera pour rentrer ?

— Tu prendras le métro.

— Il en a de bonnes, grogna Gabriel en arrêtant sa poursuite.

Le tac s'éloignait.

Debout, Gabriel médita, puis prononça ces mots :

— L'être ou le néant, voilà le problème. Monter, des-

---

1. Queneau transcrit le mot latin *benevolentia*, à la place de *bienveillance*.

cendre, aller, venir, tant fait l'homme qu'à la fin il disparaît.
Un taxi l'emmène, un métro l'emporte, la tour n'y prend
garde[1], ni le Panthéon. Paris n'est qu'un songe, Gabriel n'est
qu'un rêve (charmant), Zazie le songe d'un rêve (ou d'un
cauchemar) et toute cette histoire le songe d'un songe[2], le
rêve d'un rêve, à peine plus qu'un délire tapé à la machine
par un romancier idiot (oh! pardon). Là-bas, plus loin — un
peu plus loin — que la place de la République, les tombes
s'entassent[3] de Parisiens qui furent, qui montèrent et descendirent des escaliers[4], allèrent et vinrent dans les rues
et qui tant firent qu'à la fin ils disparurent. Un forceps
les amena, un corbillard les remporte et la tour se rouille
et le Panthéon se fendille plus vite que les os des morts
trop présents ne se dissolvent dans l'humus de la ville
tout imprégné de soucis. Mais moi je suis vivant et là
s'arrête mon savoir car du taximane enfui dans son bahut
locataire ou de ma nièce suspendue à trois cents mètres
dans l'atmosphère ou de mon épouse la douce Marceline
demeurée au foyer, je ne sais en ce moment précis et ici-
même je ne sais que ceci, alexandrinairement : les voilà
presque morts puisqu'ils sont des absents. Mais que vois-je
par-dessus les citrons empoilés[5] des bonnes gens qui m'entourent ?

Des voyageurs faisaient le cercle autour de lui l'ayant pris
pour un guide complémentaire. Ils tournèrent la tête dans
la direction de son regard.

---

1. Allusion à la chanson enfantine, « *La tour, prends garde* ».
2. Allusion à la pièce de Calderón, *La Vie est un songe.*
3. Celles du cimetière du Père-Lachaise.
4. Peut-être souvenir de Dante, « Le Paradis », chant XVII (*La Divine Comédie*) : « Tu sentiras quel goût de sel il a, / Le pain d'autrui, combien dur à descendre / Et à gravir est l'escalier d'autrui » (traduction H. Longnon).
5. Les têtes chevelues.

— Et que voyez-vous ? demanda l'un d'eux particulière-ment versé dans la langue française.

— Oui, approuva un autre, qu'y a-t-il à voir ?

— En effet, ajoute un troisième, que devons-nous voir ?

— Kouavouar ? demanda un quatrième, kouavouar ? koua-vouar ? kouavouar ?

— Kouavouar ? répondit Gabriel, mais (grand geste) Zazie, Zazie ma nièce, qui sort de la pile[1] et s'en vient vers nous.

Les caméras[2] crépitent, puis on laisse passer l'enfant. Qui ricane.

— Alors, tonton ? on fait recette ?

— Comme tu vois, répondit Gabriel avec satisfac-tion.

Zazie haussa les épaules et regarda le public. Elle n'y vit point Charles et le fit remarquer.

— Il s'est tiré, dit Gabriel.

— Pourquoi ?

— Pour rien.

— Pour rien, c'est pas une réponse.

— Oh bin, il est parti comme ça.

— Il avait une raison.

— Tu sais, Charles. (geste)

— Tu veux pas me le dire ?

— Tu le sais aussi bien que moi.

Un voyageur intervint :

— Male bonas horas collocamus si non dicis isti puellae the reason why this man Charles went away[3].

---

1. Les piles d'un pont sont les piliers de maçonnerie soutenant les arches. Ici, un des quatre pieds métalliques de la Tour Eiffel.

2. Anglicisme : l'anglais *camera* signifie « appareil photo ».

3. L'anglais succède au latin : nous nous préparons bien du plaisir si tu ne dis pas à cette satanée enfant pour quelle raison ce Charles est parti.

!on petit vieux, lui répondit Gabriel, mêle-toi de tes cipolles[1]. She knows why and she bothers me quite a lot[2].

— Oh! mais, s'écria Zazie, voilà maintenant que tu sais parler les langues forestières[3].

— Je ne l'ai pas fait esprès, répondit Gabriel en baissant modestement les yeux.

— Most interesting, dit un des voyageurs.

Zazie revint à son point de départ.

— Tout ça ne me dit pas pourquoi charlamilébou.

Gabriel s'énerva.

— Parce que tu lui disais des trucs qu'il comprenait pas. Des trucs pas de son âge.

— Et toi, tonton Gabriel, si je te disais des trucs que tu comprendrais pas, des trucs pas de ton âge, qu'est-ce que tu ferais ?

— Essaie, dit Gabriel d'un ton craintif.

— Par egzemple, continua Zazie impitoyable, si je te demandais, t'es un hormosessuel ou pas? est-ce que tu comprendrais ? Ça serait-i de ton âge ?

— Most interesting, dit un voyageur (le même que tout à l'heure).

— Pauvre Charles, soupira Gabriel.

— Tu réponds, oui ou merde, cria Zazie. Tu comprends ce mot-là : hormosessuel ?

— Bien sûr, hurla Gabriel, veux-tu que je te fasse un dessin ?

La foule intéressée approuva. Quelques-uns applaudirent.

— T'es pas chiche, répliqua Zazie.

C'est alors que Fédor Balanovitch fit son apparition.

---

1. De tes oignons (de l'italien *cipolla*).
2. En anglais : Elle sait pourquoi, et elle m'ennuie beaucoup.
3. Étrangères (langue du XVIe siècle).

— Allons grouillons! qu'il se mit à gueuler. Schnell!
Schnell[1]! remontons dans le car et que ça saute.

— Where are we going now?

— À la Sainte-Chapelle, répondit Fédor Balanovitch. Un
joyau de l'art gothique. Allons grouillons! Schnell! Schnell!

Mais les gens grouillaient pas, fortement intéressés par
Gabriel et sa nièce.

— Là, disait celle-ci à celui-là qui n'avait rien dessiné, tu
vois que t'es pas chiche.

— Ce qu'elle peut être tannante, disait celui-là.

Fédor Balanovitch, remonté de confiance à son bord,
s'aperçut qu'il n'avait été suivi que par trois ou quatre
minus.

— Alors quoi, beugla-t-il, y a pus de discipline? Qu'est-
ce qu'ils foutent, bon dieu I

Il donna quelques coups de claqueson. Ça ne fit bouger
personne. Seul, un flic, préposé aux voies du silence, le
regarda d'un œil noir. Comme Fédor Balanovitch ne souhaitait pas engager un conflit vocal avec un personnage de
cette espèce, il redescendit de sa guérite et se dirigea vers
le groupe de ses administrés afin de se rendre compte de
ce qui pouvait les entraîner à l'insubordination.

— Mais c'est Gabriella, s'esclama-t-il. Qu'est-ce que tu
fous là?

— Chtt chtt, fit Gabriel cependant que le cercle de ses
admirateurs s'enthousiasmait naïvement au spectacle de
cette rencontre.

— Non mais, continuait Fédor Balanovitch, tu ne vas
tout de même pas leur faire le coup de *La Mort du cygne* en
tutu?

— Chht chht, fit de nouveau Gabriel très à court de discours.

---

1. En allemand : Vite !

— Et qu'est-ce que c'est que cette môme que tu trimbales avec toi ? où que tu l'as ramassée ?

— C'est ma nièce et tâche à voir de respecter ma famille même mineure.

— Et lui, qui c'est ? demanda Zazie.

— Un copain, dit Gabriel. Fédor Balanovitch.

— Tu vois, dit Fédor Balanovitch à Gabriel, je ne fais plus le bâille-naïte, je me suis élevé dans la hiérarchie sociale et j'emmène tous ces cons à la Sainte-Chapelle.

— Tu pourrais peut-être nous rentrer à la maison. Avec cette grève des transtrucs en commachin, on peut plus rien faire de ce qu'on veut. Y a pas un tac à l'horizon.

— On va pas déjà rentrer, dit Zazie.

— De toute façon, dit Fédor Balanovitch, faut qu'on passe d'abord à la Sainte-Chapelle avant que ça ferme. Ensuite, ajouta-t-il à l'intention de Gabriel, c'est possible que je te rentre chez toi.

— Et c'est intéressant, la Sainte-Chapelle ? demanda Gabriel.

— Sainte-Chapelle ! Sainte-Chapelle ! telle fut la clameur touriste et ceux qui la poussèrent, cette clameur touriste, entraînèrent Gabriel vers le car dans un élan irrésistible.

— Il leur a tapé dans l'œil, dit Fédor Balanovitch à Zazie restée comme lui en arrière.

— Faut tout de même pas, dit Zazie, s'imaginer que je vais me laisser trimbaler avec tous ces veaux.

— Moi, dit Fédor Balanovitch, je m'en fous.

Et il remonta devant son volant et son micro, utilisant aussitôt ce dernier instrument :

— Allons grouillons ! qu'il haut-parlait jovialement. Schnell ! Schnell !

Les admirateurs de Gabriel l'avaient déjà confortablement installé et, munis d'appareils adéquats, mesuraient le poids de la lumière afin de lui tirer le portrait avec des effets de contre-jour. Bien que toutes ces attentions le flattassent, il s'enquit cependant du destin de sa nièce. Ayant appris de Fédor Balanovitch que la dite se refusait à suivre le mouvement, il s'arrache au cercle enchanté des xénophones[1], redescend et se jette sur Zazie qu'il saisit par un bras et entraîne vers le car.

Les caméras crépitent.

— Tu me fais mal, glapissait Zazie folle de rage. Mais elle fut elle aussi emportée vers la Sainte-Chapelle par le véhicule aux lourds pneumatiques.

---

1. « Qui parlent des langues étrangères ». Mot forgé par Queneau à partir du grec, sur le modèle de *xénophobe*.

9

— Ouvrez grand vos hublots, tas de caves[1], dit Fédor
Balanovitch. À droite vous allez voir la gare d'Orsay[2]. C'est
pas rien comme architecture et ça peut vous consoler de la
Sainte-Chapelle si on arrive trop tard ce qui vous pend au
nez avec tous ces foutus encombrements à cause de cette
grève de mes deux.

Communiant dans une incompréhension unanime et
totale, les voyageurs béèrent. Les plus fanatiques d'entre
eux n'avaient d'ailleurs fait aucune attention aux grogne-
ments du haut-parleur et, grimpés à contresens sur les
sièges, ils contemplaient avec émotion l'archiguide Gabriel[3].
Il leur sourit. Alors, ils espérèrent.

— Sainte-Chapelle, qu'ils essayaient de dire. Sainte-Chapelle...

— Oui, oui, dit-il aimablement. La Sainte-Chapelle
(silence) (geste) un joyau de l'art gothique (geste) (silence).

— Recommence pas à déconner, dit aigrement Zazie.

— Continuez, continuez, crièrent les voyageurs en cou-

---

1. Homme qui n'est pas du milieu, donc dupe en puissance.
2. Devenue depuis le musée d'Orsay.
3. Jeu de mots sur *l'archange* Gabriel (dans la Bible).

vrant la voix de la petite. On veut ouïr, on veut ouïr, ajou-
tèrent-ils en un grand effort berlitzscoulien [1].

— Tu vas tout de même pas te laisser faire, dit Zazie.

Elle lui prit un morceau de chair à travers l'étoffe du pantalon, entre les ongles, et tordit méchamment. La douleur
fut si forte que de grosses larmes commencèrent à couler
le long des joues de Gabriel. Les voyageurs qui, malgré leur
grande expérience du cosmopolitisme, n'avaient encore
jamais vu de guide pleurer, s'inquiétèrent; analysant ce
comportement étrange, les uns selon la méthode déduc-
tive, les autres selon l'inductive, ils conclurent à la nécessité
d'un pourliche. Une collecte fut faite, on la posa sur les
genoux du pauvre homme, dont le visage redevint souriant
plus d'ailleurs par cessation de souffrance que par gratitude,
car la somme n'était pas considérable.

— Tout ceci doit vous paraître bien singulier, dit-il timidement aux voyageurs.

Une francophone assez distinguée esprima l'opinion
commune :

— Et la Sainte-Chapelle ?

— Ah ah, dit Gabriel et il fit un grand geste.

— Il va parler, dit la dame polyglotte à ses congénères
en leur idiome [2] natif.

D'aucuns, encouragés, montèrent sur les banquettes pour
ne rien perdre et du discours et de la mimique. Gabriel toussota pour se donner de l'assurance. Mais Zazie recommença.

— Aouïe, dit Gabriel distinctement.

— Le pauvre homme, s'écria la dame.

— Ptite vache, murmura Gabriel en se frottant la cuisse.

— Moi, lui souffla Zazie dans le cornet de l'oreille, je me

---

1. Adjectif forgé sur *Berlitz School*, l'École Berlitz, spécialisée dans
l'enseignement des langues étrangères.
2. Parler propre, langue.

tire au prochain feu rouge. Alors, tonton, tu vois ce qui te reste à faire.

— Mais après, comment on fera pour rentrer? dit Gabriel en gémissant.

— Puisque je te dis que j'ai pas envie de rentrer.

— Mais ils vont nous suivre…

— Si on descend pas, dit Zazie avec férocité, je leur dis que t'es un hormosessuel.

— D'abord, dit paisiblement Gabriel, c'est pas vrai et, deuzio, i comprendront pas.

— Alors, si c'est pas vrai, pourquoi le satyre t'a dit ça?

— Ah pardon (geste). Il est pas du tout démontré que ça eille été un satyre.

— Bin qu'est-ce qu'i te faut.

— Ce qu'il me faut? Des faits!

Et il fit de nouveau un grand geste d'un air illuminé qui impressionna fortement les voyageurs fascinés par le mystère de cette conversation qui joignait à la difficulté du vocabulaire tant d'associations d'idées exotiques.

— D'ailleurs, ajouta Gabriel, quand tu l'as amené, tu nous as dit que c'était un flic.

— Oui, mais maintenant je dis que c'était un satyre. Et puis, tu n'y connais rien.

— Oh pardon (geste), je sais ce que c'est.

— Tu sais ce que c'est?

— Parfaitement, répondit Gabriel vexé, j'ai eu souvent à repousser les assauts de ces gens-là. Ça t'étonne?

Zazie s'esclaffa.

— Ça ne m'étonne pas du tout, dit la dame francophone qui comprenait vaguement qu'on était sur le chapitre des complexes. Oh! mais!! pas du tout!!!

Et elle biglait le colosse avec une certaine langueur.

Gabriel rougit et resserra le nœud de sa cravate après

avoir vérifié d'un doigt preste et discret que sa bra~~guette~~
était bien close.

— Tiens, dit Zazie qui en avait assez de rire, tu es un
vrai tonton des familles. Alors, on se tire ?

Elle le pinça de nouveau sévèrement. Gabriel fit un petit
saut en criant aouïe. Bien sûr qu'il aurait pu lui foutre une
tarte qui lui aurait fait sauter deux ou trois dents, à la mouflette, mais qu'auraient dit ses admirateurs ? Il préférait disparaître du champ de leur vision que de leur laisser l'image
pustuleuse et répréhensible d'un bourreau d'enfant. Un
encombrement appréciable s'étant offert, Gabriel, suivi de
Zazie, descendit tranquillement tout en faisant aux voyageurs déconcertés de petits signes de connivence, hypo-
crite manœuvre en vue de les duper. Effectivement, les dits
voyageurs repartirent avant d'avoir pu prendre de mesures
adéquates. Quant à Fédor Balanovitch, les allées et venues
de Gabriella le laissaient tout à fait indifférent et il ne se
souciait que de mener ses agneaux en lieu voulu avant
l'heure où les gardiens de musée vont boire, une telle faille
dans le programme n'étant pas réparable car le lendemain
les voyageurs partaient pour Gibraltar aux anciens parapets. Tel était leur itinéraire.

Après les avoir regardés s'éloigner, Zazie eut un petit rire,
puis, par une habitude rapidement prise, elle saisit à travers
l'étoffe du pantalon un bout de chair de cuisse de l'oncle
entre ses ongles et lui imprime un mouvement hélicoïdal.

— Merde à la fin, gueula Gabriel, c'est pas drôle quoi
merde ce petit jeu-là, t'as pas encore compris ?

— Tonton Gabriel, dit Zazie paisiblement, tu m'as pas
encore espliqué si tu étais un hormosessuel ou pas, primo,
et deuzio où t'avais été pêcher toutes les belles choses en
langue forestière que tu dégoisais[1] tout à l'heure ? Réponds.

---

1. Dégoiser : débiter (familier et péjoratif).

— T'en as dla suite dans les idées pour une mouflette, observa Gabriel languissamment.

— Réponds donc, et elle lui foutit un bon coup de pied sur la cheville.

Gabriel se mit à sauter à cloche-pied en faisant des simagrées.

— Houille, qu'il disait, houïe là là aouïe.

— Réponds, dit Zazie.

Une bourgeoise qui maraudait dans le coin s'approcha de l'enfant pour lui dire ces mots :

— Mais, voyons, ma petite chérie, tu lui fais du mal à ce pauvre meussieu. Il ne faut pas brutaliser comme ça les grandes personnes.

— Grandes personnes mon cul, répliqua Zazie. Il veut pas répondre à mes questions.

— Ce n'est pas une raison valable. La violence, ma petite chérie, doit toujours être évitée dans les rapports humains. Elle est éminemment condamnable.

— Condamnable mon cul, répliqua Zazie, je ne vous demande pas l'heure qu'il est.

— Seize heures quinze, dit la bourgeoise.

— Vous n'allez pas laisser cette petite tranquille, dit Gabriel qui s'était assis sur un banc.

— Vous m'avez encore l'air d'être un drôle d'éducateur, vous, dit la dame.

— Éducateur mon cul, tel fut le commentaire de Zazie.

— La preuve, vous n'avez qu'à l'écouter parler (geste), elle est d'une grossièreté, dit la dame en manifestant tous les signes d'un vif dégoût.

— Occupez-vous de vos fesses à la fin, dit Gabriel. Moi j'ai mes idées sur l'éducation.

— Lesquelles ? demanda la dame en posant les siennes sur le banc à côté de Gabriel.

— D'abord, primo, la compréhension.

Zazie s'assit de l'autre côté de Gabriel et le pinça rien qu'un petit peu.

— Et ma question à moi ? demanda-t-elle mignardement. On y répond pas ?

— Je peux tout de même pas la jeter dans la Seine, murmura Gabriel en se frottant la cuisse.

— Soyez compréhensif, dit la bourgeoise avec son plus charmant sourire.

Zazie se pencha pour lui dire :

— Vous avez fini de lui faire du plat à mon tonton ? Vous savez qu'il est marié.

— Mademoiselle, vos insinuations ne sont pas de celles que l'on subtruque[1] à une dame dans l'état de veuvage.

— Si je pouvais me tirer, murmura Gabriel.

— Tu répondras avant, dit Zazie.

Gabriel regardait le bleu du ciel en mimant le désintérêt le plus total.

— Il n'a pas l'air de vouloir, remarqua la dame veuve objectivement.

— Faudra bien.

Et Zazie fit semblant de vouloir le pincer. Le tonton bondit avant même d'être touché. Les deux personnes du sexe féminin s'en réjouirent grandement. La plus âgée, modérant les soubresauts de son rire, formula la question suivante :

— Et qu'est-ce que tu voudrais qu'il te dise ?

— S'il est hormosessuel ou pas.

— Lui ? demanda la bourgeoise (un temps). Y a pas de doute.

— Pas de doute : quoi ? demanda Gabriel d'un ton assez menaçant.

— Que vous en êtes une.

Elle trouvait ça tellement drôle qu'elle en gloussait.

_____

1. Néologisme. Glisse en douce.

— Non mais dites donc, dit Gabriel en lui donnant une petite tape dans le dos qui lui fit lâcher son sac à main.

— Il n'y a pas moyen de causer avec vous, dit la veuve en ramassant différents objets éparpillés sur l'asphalte.

— T'es pas gentil avec la dame, dit Zazie.

— Et ce n'est pas en évitant de répondre aux questions d'une enfant que l'on fait son éducation, ajouta la veuve en revenant s'asseoir à côté de lui.

— Faut être plus compréhensif, ajouta Zazie hypocritement.

Gabriel grinça des dents.

— Allez, dites-le, si vous en êtes ou si vous en êtes pas.

— Non non et non, répondit Gabriel avec fermeté.

— Elles disent toutes ça, remarqua la dame pas convaincue du tout.

— Au fond, dit Zazie, je voudrais bien savoir ce xé.

— Quoi?

— Ce xé qu'un hormosessuel.

— Parce que tu ne le sais pas?

— Je devine bien, mais je voudrais bien qu'il me le dise.

— Et qu'est-ce que tu devines?

— Tonton, sors un peu voir ta pochette.

Gabriel, soupirant, obéit. Toute la rue embauma.

— Vzavez compris? demanda Zazie finement à la veuve qui remarque à mi-voix

— Barbouze de chez Fior.

— Tout juste, dit Gabriel, en remettant son mouchoir dans sa poche. Un parfum d'homme.

— Ça c'est vrai, dit la veuve.

Et à Zazie:

— Tu n'as rien deviné du tout.

Zazie, horriblement vexée, se tourne vers Gabriel:

— Alors pourquoi que le type t'a accusé de ça?

— Quel type? demanda la dame.

— Il t'accusait bien de faire le tapin, répliqua Gabriel à l'intention de Zazie.

— Quel tapin ? demanda la dame.

— Aouïe, cria Gabriel.

— N'egzagère pas, ma petite, dit la dame avec une indulgence factice.

— Pas besoin de vos conseils.

Et Zazie pinça de nouveau Gabriel.

— C'est vraiment charmant les gosses, murmura distraitement Gabriel en assumant son martyre.

— Si vous aimez pas les enfants, dit la bourgeoise, on se demande pourquoi vous vous chargez de leur éducation.

— Ça, dit Gabriel, c'est toute une histoire.

— Racontez-la-moi, dit la dame.

— Merci, dit Zazie, je la connais.

— Mais moi, dit la veuve, je ne la connais pas.

— Ça, on s'en fout. Alors tonton, et cette réponse ?

— Puisque je t'ai dit non, non et non.

— Elle a de la suite dans les idées, fit observer la dame qui croyait le jugement original.

— Une vraie petite mule, dit Gabriel avec attendrissement.

La dame fit ensuite cette remarque non moins judicieuse que la précédente :

— Vous ne semblez pas très bien la connaître, cette enfant. On dirait que vous êtes en train de découvrir ses différentes qualités.

Elle roula le mot qualités entre des guillemets.

— Qualités mon cul, grommela Zazie.

— Vzêtes une fine mouche, dit Gabriel. En fait je nl'ai sur les bras que depuis hier.

— Je vois.

— Elle voit quoi ? demanda Zazie aigrement.

— Est-ce qu'elle sait ? dit Gabriel en haussant les épaules.

Négligeant cette parenthèse plutôt péjorative, la veuve ajouta :

— Et c'est votre nièce ?

— Gzactement, répondit Gabriel

— Et lui, c'est ma tante, ajouta Zazie qui croyait la plaisanterie assez neuve ce qu'on escusa étant donné son jeune âge.

— Hello ! s'écrièrent des gens qui descendaient d'un taxi.

Les plus mordus d'entre les voyageurs, la dame francophone en tête, revenus de leur surprise, pourchassaient leur archiguide à travers le dédale lutécien et le magma des encombrements et venaient avec un pot d'enfer de remettre la main dssus. Ils manifestaient une grande joie, car ils étaient sans rancune au point de ne pas même soupçonner qu'ils avaient des raisons d'en avoir. Se saisissant de Gabriel aux cris de Montjoie Sainte-Chapelle[1] ! ils le traînèrent jusqu'à leur véhicule, l'insérèrent dedans non sans habileté et s'entassèrent dessus pour qu'il ne s'envolât point avant qu'il leur eût montré leur monument favori dans tous ses détails. Ils ne se soucièrent point d'emmener Zazie avec eux. La dame francophone lui fit simplement un petit signe amical et d'une ironique pseudoconnivence tandis que le bahut démarrait, cependant que l'autre dame, non moins francophone d'ailleurs mais veuve, faisait des petits sauts sur place en poussant des clameurs. Les citoyens et citoyennes qui se trouvaient dans lcoin asteure se replièrent sur des positions moins esposées au tintouin.

— Si vous continuez à gueuler comme ça, bougonna Zazie, y a un flic qu'est capable de se ramener.

— Petit être stupide, dit la veuve, c'est bien pour ça que je crie : aux guidenappeurs, aux guidenappeurs.

---

1. Sur le modèle de «Montjoie Saint Denis !», cri de guerre des Capétiens.

Enfin se présente un flicard alerté par les bêlements de la rombière.

— Y a kèkchose qui se passe ? qu'il demande.

— On vous a pas sonné, dit Zazie.

— Vous faites pourtant un de ces ramdams, dit le flicard.

— Y a un homme qui vient de se faire enlever, dit la dame haletante. Un bel homme même.

— Crénom, murmura le flicard mis en appétit.

— C'est ma tante, dit Zazie.

— Et lui ? demanda le flicard.

— C'est lui qu'est ma tante, eh lourdingue.

— Et elle alors ?

Il désignait la veuve.

— Elle ? c'est rien.

Le policemane se tut pour assimiler le zest de la situation. La dame, stimulée par l'épithète zazique, sur-le-champ conçut un audacieux projet.

— Courons sus aux guidenappeurs, qu'elle dit, et à la Sainte-Chapelle nous le délivrerons.

— Ça fait une trotte, remarqua le sergent de ville bourgeoisement. Je suis pas champion de cross, moi.

— Vous ne voudriez tout de même pas qu'on prenne un taxi et que je le paye, moi.

— Elle a raison, dit Zazie qui était près de ses sous. Elle est moins conne que je ne croyais.

— Je vous remercie, dit la dame enchantée.

— Y a pas de quoi, répliqua Zazie.

— Tout de même c'est gentil, insista la dame

— Ça va ça va, dit Zazie modestement.

— Quand vous aurez fini tous vos salamalecs, dit le flicard.

— On ne vous demande rien, dit la dame.

— Ça c'est bien les femmes, s'esclama le sergent de ville. Comment ça, vous ne me demandez rien ? Vous me demandez tout simplement de me foutre un point de côté, oui. Si c'est pas rien, ça, alors je comprends plus rien à rien.

Il ajouta d'un air nostalgique :

— Les mots n'ont plus le même sens qu'autrefois.

Et il soupirait en regardant l'extrémité de ses tatanes.

— Tout ça ne me rend pas mon tonton, dit Zazie. On va encore dire que j'ai voulu faire une fugue et ce sera pas vrai.

— Ne vous inquiétez pas, mon enfant, dit la veuve. Je serai là pour témoigner de votre bonne volonté et de votre innocence.

— Quand on l'est vraiment, innocent, dit le sergent de ville, on a besoin de personne.

— Le salaud, dit Zazie, je le vois venir avec ses gros yéyés. I sont tous pareils.

— Vous les connaissez donc tant que ça, ma pauvre enfant ?

— M'en parlez pas, ma pauvre dame, répond Zazie en minaudant. Figurez-vous que maman elle a fendu le crâne à mon papa à la hache. Alors des flics après ça, vous parlez si j'en ai vu, ma chère.

— Ça alors, dit le sergent de ville.

— C'est encore rien les flics, dit Zazie. Mais c'est les juges. Alors ceux-là...

— Tous des vaches, dit le sergent de ville avec impartialité.

— Eh bien, les flics comme les juges, dit Zazie, je les eus. Comme ça (geste).

La veuve la regardait émerveillée.

— Et moi, dit le sergent de ville, comment vas-tu t'y prendre pour m'avoir ?

Zazie l'examina.

— Vous, qu'elle dit, j'ai déjà vu votre tête quelque part.

— Ça m'étonnerait, dit le flicmane.

— Et pourquoi ça ? Pourquoi que je vous aurais pas déjà vu quelque part ?

— En effet, dit la veuve. Elle a raison, cette petite.

— Je vous remercie, madame, dit Zazie.

— Il n'y a pas de quoi.

— Mais si mais si.

— Elles se foutent de moi, murmura le sergent de ville.

— Alors ? dit la veuve. C'est tout ce que vous savez faire ? Mais remuez-vous donc un peu.

— Moi, dit Zazie, je suis sûre de l'avoir vu quelque part.

Mais la veuve avait brusquement reporté son admiration sur le flic.

— Montrez-nous vos talents, qu'elle lui dit en accompagnant ces mots d'une œillade aphrodisiaque et vulcanisante[1]. Un bel agent de police comme vous, ça doit en connaître des trucs. Dans les limites de la légalité, bien sûr.

— C'est un veau, dit Zazie.

— Mais non, dit la dame. Faut l'encourager. Faut être compréhensive.

Et de nouveau elle le regarda d'un œil humide et thermogène[2].

— Attendez, dit le flicmane soudain mis en mouvement, vzallez voir ce que vzallez voir. Vzallez voir ce dont est capable Trouscaillon.

— Il s'appelle Trouscaillon ! s'écria Zazie enthousiasmée.

— Eh bien moi, dit la veuve en rougissant un tantinet, je m'appelle madame Mouaque. Comme tout le monde, qu'elle ajouta.

---

1. Allusion à l'union d'Aphrodite et de Vulcain, assimilé à Héphaïstos.
2. Qui produit de la chaleur. Ici au sens figuré : la veuve allume le flic.

10

À cause de la grève des funiculaires et des métrolleybus[1], il roulait dans les rues une quantité accrue de véhicules divers, cependant que, le long des trottoirs, des piétons ou des piétonnes fatigués ou impatients faisaient de l'auto-stop, fondant le principe de leur réussite sur la solidarité inusuelle que devaient provoquer chez les possédants les difficultés de la situation.

Trouscaillon se plaça lui aussi sur le bord de la chaussée et sortant un sifflet de sa poche, il en tira quelques sons déchirants.

Les voitures qui passaient poursuivirent leur chemin. Des cyclistes poussèrent des cris joyeux et s'en allèrent, insouciants, vers leur destin. Les deux roues motorisées accrurent la décibélité[2] de leur vacarme et ne s'arrêtèrent point. D'ailleurs ce n'était pas à eux que Trouscaillon s'adressait.

Il y eut un blanc. Un encombrement radical devait sans doute geler quelque part toute circulation. Puis une conduite intérieure, isolée mais bien banale, fit son apparition. Trouscaillon roucoula. Cette fois, le véhicule freina.

---

1. Mot-valise (*métro* et *trolleybus*, autobus à trolley, c'est-à-dire à perche).
2. Le niveau sonore (mot forgé sur décibel).

contredanses?

— Qu'est-ce qu'il y a? demanda le chauffeur agressive-
ment à Trouscaillon qui s'approchait. J'ai rien fait de mal.
Je connais le code de la route, moi. Jamais de contredanses.
Et j'ai mes papiers. Alors quoi? Vous feriez mieux d'aller
faire marcher le métro que de venir emmerder les bons
citoyens. Vous êtes pas content avec ça? Bin, qu'est-ce qu'il
vous faut!

Il s'en va.

— Bravo Trouscaillon, crie de loin Zazie en prenant un
air très sérieux.

— Faut pas l'humilier comme ça, dit la veuve Mouaque,
ça va lui enlever ses moyens.

— Je l'avais bien deviné que c'était un veau.

— Vous ne trouvez pas qu'il est beau garçon?

— Tout à l'heure, dit Zazie sévèrement, c'est mon oncle
que vous trouviez à vott goût. Il vous les faut tous?

Une roulade de sons aigus attira de nouveau leur attention sur les exploits de Trouscaillon. Ils étaient minimes.
L'encombrement avait dû se débouchonner quelque part,
une dégoulinade de véhicules s'écoulait lentement devant le
flicmane, mais son petit sifflet ne semblait impressionner qui
que ce soit. Puis de nouveau, le flot se raréfia, une coagulation ayant dû de nouveau se produire au lieu X.

Une conduite intérieure bien banale fit son apparition.
Trouscaillon roucoula. Le véhicule s'arrêta.

— Qu'est-ce qu'il y a? demanda le conducteur agressi-
vement à Trouscaillon qui s'approchait. J'ai rien fait de mal.
J'ai mon permis de conduire, moi. Jamais de contredanses.
Et j'ai mes papiers. Alors quoi? Vous feriez mieux d'aller
faire marcher le métro que de venir emmerder les bons
citoyens. Vous êtes pas content avec ça? Eh bien, allez vous
faire voir par les Marocains.

— Oh! fit Trouscaillon choqué.

Mais le type est parti.

— Bravo Trouscaillon, crie Zazie au comble de l'enthousiasme dedans lequel elle nage avec ravissement.

— Il me plaît de plus en plus, dit la veuve Mouaque à mi-
voix.

— Elle est complètement dingue, dit Zazie de même.

Trouscaillon, emmerdé, se mettait à douter de la vertu
de l'uniforme et de son sifflet. Il était en train de secouer
le dit objet pour l'assécher de toute la salive qu'il y avait
déversée, lorsqu'une conduite intérieure bien banale vint
d'elle-même se ranger devant lui. Une tête dépassa de la
carrosserie et prononça les mots d'espoir suivants :

— Pardon, meussieu l'agent, vous ne pourriez pas m'indiquer le chemin le plus court pour me rendre à la Sainte-
Chapelle, ce joyau de l'art gothique ?

— Eh bien, répondit automatiquement Trouscaillon, voilà.
Faut d'abord prendre à gauche, et puis ensuite à droite, et
puis lorsque vous serez arrivé sur une place aux dimensions
réduites, vous vous engagez dans la troisième rue à droite,
ensuite dans la deuxième à gauche, encore un peu à droite,
trois fois sur la gauche, et enfin droit devant vous pendant
cinquante-cinq mètres. Naturellement, dans tout ça, y aura
des sens interdits, ce qui vous simplifiera pas le boulot.

— Je vais jamais y arriver, dit le conducteur. Moi qui suis
venu de Saint-Montron exeuprès pour ça.

— Faut pas vous décourager, dit Trouscaillon. Une sup-
position que je vous y conduise ?

— Vous devez avoir autre chose à faire.

— Croyez pas ça. Je suis libre comme l'r. Seulement, si
c'était un effet de votre bonté de véhiculer aussi ces deux
personnes (geste).

— Moi je m'en fous. Pourvu que j'arrive avant l'heure où
c'est que ça se ferme.

— Ma parole, dit la veuve de loin, on dirait qu'il a fini par
réquisitionner un voiturin.

— Il va m'épater, dit Zazie objectivement.

Trouscaillon fit un petit temps de galop dans leur direction et leur dit sans élégance :

— Amenez-vous en vitesse ! Le type nous embarque.

— Allons, dit la veuve Mouaque, sus aux guidenappeurs !

— Tiens, je les avais oubliés ceux-là, dit Trouscaillon.

— Faut peut-être mieux pas en parler à votre bonhomme, dit la veuve diplomatiquement.

— Alors comme ça, demanda Zazie, il nous emmène à la chapelle en question ?

— Mais grouillez-vous donc !

Prenant Zazie chacun par un bras, Trouscaillon et la veuve Mouaque foncèrent vers la conduite intérieure bien banale dans laquelle ils la jetèrent.

— J'aime pas qu'on me traite comme ça, hurlait Zazie folle de rage.

— Vous avez l'air de quidnappeurs, dit le Sanctimontronais plaisamment.

— C'est une simple apparence, dit Trouscaillon en s'asseyant à côté de lui. Vous pouvez y aller si vous voulez arriver avant la fermeture.

On démarre. Pour aider le mouvement, Trouscaillon se penchait au-dehors et sifflait avec frénésie. Ça avait tout de même un certain effet. Le provincial était ravi.

— Maintenant, faut prendre à gauche, ordonna Trouscaillon.

Zazie boudait.

— Alors, lui dit la veuve Mouaque hypocritement, tu n'es pas contente de revoir ton tonton ?

— Tonton mon cul, dit Zazie.

— Tiens, dit le conducteur, mais c'est la fille de Jeanne Lalochère. Je l'avais pas reconnue, déguisée en garçon.

— Vous la connaissez ? demanda la veuve Mouaque avec indifférence.

— Je veux, dit le type.

Et il se retourna pour compléter l'identification, juste le temps de rentrer dans la voiture qui le précédait.

— Merde, dit Trouscaillon.

— C'est bien elle, dit le Sanctimontronais.

— Je vous connais pas, moi, dit Zazie.

— Alors quoi, on sait plus conduire, dit l'embouti descendu de son siège pour venir échanger quelques injures bourdonnantes avec son emboutisseur. Ah! ça m'étonne pas... un provincial... Au lieu de venir encombrer les rues de Paris, vous feriez mieux d'aller garder vozouazévovos.

— Mais meussieu, dit la veuve Mouaque, vous nous retardez avec vos propos morigénateurs! Nous sommes en mission commandée nous! Nous allons délivrer un guidenappé.

— Quoi, quoi? dit le Sanctimontronais, moi je marche plus. Je suis pas venu à Paris pour jouer au coboille.

— Et vous? dit l'autre conducteur en s'adressant à Trouscaillon, qu'est-ce que vous attendez pour dresser un constat?

— Vous en faites pas, lui répondit Trouscaillon, c'est constaté, c'est constaté. Pouvez me faire confiance.

Et il imitait le flic qui griffonne des trucs sur un vieil écorné carnet.

— Vzavez votre carte grise?

Trouscaillon fit semblant de l'examiner.

— Pas de passeport diplomatique?

— (négation écœurée).

— Ça ira comme ça, dit la trouscaille[1], vous pouvez vous tirer.

---

1. Mot forgé à partir de «Trouscaillon», sur le modèle de «flicaille» (voir p. 121).

L'embouti, songeur, remonta dans sa voiture et reprit sa course. Mais le Sanctimontronais, lui, ne bougeait pas.

— Eh bien! dit la veuve Mouaque, qu'est-ce que vous attendez?

Derrière, des claquesons râlaient.

— Mais puisque je vous dis que je ne veux pas jouer au coboille. Une mauvaise balle est vite attrapée.

— Dans mon bled, dit Zazie, on est moins trouillard.

— Oh toi, dit le type, je te connais. Tu ferais se battre des montagnes.

— C'est vache, ça, dit Zazie. Pourquoi que vous essayez de me faire cette réputation dégueulasse?

Les claquesons hurlaient de plus en plus fort, un vrai orage.

— Mais démarrez donc! cria Trouscaillon.

— Je tiens à ma peau, dit le Sanctimontronais platement.

— Vous en faites pas, dit la veuve Mouaque toujours diplomate, y a pas de danger. Juste une blague.

Le type se retourna pour voir d'une façon un peu plus détaillée l'allure de cette rombière. Cet examen l'inclina vers la confiance.

— Vous me le promettez? qu'il demanda.

— Puisque je vous le dis.

— C'est pas une histoire politique avec toutes sortes de conséquences emmerdatoires?

— Mais non, c'est juste une blague, je vous assure.

— Alors allons-y, dit le type quand même pas absolument rassuré.

— Puisque vous dites que vous me connaissez, dit Zazie, ma moman, vous l'auriez pas vue par hasard? Elle est à Paris elle aussi.

Ils avaient tout juste parcouru une distance de quelques toises que quatre heures sonnèrent au clocher d'une église voisine, église de style néoclassique d'ailleurs.

— C'est foutu, dit le Sanctimontronais.

Il freina de nouveau, ce qui provoqua derrière lui une nouvelle explosion d'avertisseurs sonores.

— Plus la peine, qu'il ajouta. Ça va être fermé maintenant.

— Raison de plus pour vous presser, dit la veuve Mouaque raisonnable et stratégique. Notre guidenappé, on va plus pouvoir le retrouver.

— Je m'en fous, dit le type.

Mais ça claquesonnait tellement fort derrière lui qu'il ne put s'empêcher de se remettre en route, poussé en quelque sorte devant lui par les vibrations de l'air agité par l'irritation unanime des stoppés.

— Allez, dit Trouscaillon, faites pas la mauvaise tête. Maintenant on est presque arrivés. Vous pourrez dire comme ça aux gens de votre pays que si vous avez pas pu la voir, la Sainte-Chapelle, du moins vous en avez pas été loin. Tandis qu'en restant ici…

— C'est qu'il cause pas mal quand il veut, remarqua Zazie impartialement à propos du discours du flicmane.

— De plus en plus il me plaît, murmura la veuve Mouaque à voix tellement basse que personne ne l'entendit.

— Et ma moman ? demanda de nouveau Zazie au type, puisque vous dites que vous me connaissez, vous l'auriez pas vue par hasard ?

— Ça alors, dit le Sanctimontronais, je manque vraiment de pot. Avec toutes ces bagnoles, faut que vous ayez choisi justement la mienne.

— On l'a pas fait exprès, dit Trouscaillon. Moi, par egzemple, quand je suis dans une ville que je connais pas, ça m'arrive aussi de demander mon chemin.

— Oui mais, dit le Sanctimontronais, et la Sainte-Chapelle ?

— Ça faut avouer, dit Trouscaillon qui, dans cette simple ellipse, utilisait hyperboliquement le cercle vicieux de la parabole.

— Bon, dit le Sanctimontronais, j'y vais.

— Sus aux guidenappeurs, cria la veuve Mouaque.

Et Trouscaillon, sortant sa tête hors carrosserie, sifflait pour écarter les importuns. On avançait médiocrement vite.

— Tout ça, dit Zazie, c'est misérable. Moi je n'aime que le métro.

— Je n'y ai jamais mis les pieds, dit la veuve.

— Vous êtes rien snob, dit Zazie.

— Du moment que j'en ai les moyens...

— N'empêche que tout à l'heure vous étiez pas prête à raquer un rond pour un taxi.

— Puisque c'était inutile. La preuve.

— Ça roule, dit Trouscaillon en se retournant vers les passagères pour quêter une approbation.

— Voui, dit la veuve Mouaque en extase.

— Faudrait pas charrier, dit Zazie. Quand on sera arrivés, le tonton se sera barré depuis belle lurette.

— Je fais de mon mieux, dit le Sanctimontronais qui, changeant de voie de garage, s'esclama : ah ! si on avait le métro à Saint-Montron ! n'est-ce pas petite ?

— Ça alors, dit Zazie, c'est le genre de déconnances qui m'écœurent particulièrement. Comme si pouvait y avoir le métro dans nott bled.

— Ça viendra un jour, dit le type. Avec le progrès. Y aura le métro partout. Ça sera même ultra-chouette. Le métro et l'hélicoptère, vlà l'avenir pour ce qui est des transports urbains. On prend le métro pour aller à Marseille et on revient par l'hélicoptère.

— Pourquoi pas le contraire ? demanda la veuve Mouaque

dont la passion naissante n'avait pas encore entièrement
obnubilé le cartésianisme natif[1].

— Pourquoi pas le contraire? dit le type anaphoriquement. À cause de la vitesse du vent.

Il se tourne un peu vers l'arrière pour apprécier les effets
de cette astuce majeure, ce qui l'entraîne à rentrer de
l'avant dans un car stationné en deuxième position[2]. On
était arrivé. En effet Fédor Balanovitch fit son apparition et
se mit à débiter le discours type:

— Alors quoi? On sait plus conduire! Ah! ça, m'étonne
pas... un provincial... Au lieu de venir encombrer les rues
de Paris, vous feriez mieux d'aller garder vozouazévovos.

— Tiens, s'écria Zazie, mais c'est Fédor Balanovitch.
Vzavez pas vu mon tonton?

— Sus au tonton, dit la veuve Mouaque en s'estrayant de
la carlingue.

— Ah mais c'est pas tout ça, dit Fédor Balanovitch. Faudrait voir à voir, regardez ça, vous m'avez abîmé mon instrument de travail.

— Vzétiez arrêté en deuxième position, dit le Sanctimontronais, ça se fait pas.

— Commencez pas à discuter, dit Trouscaillon en des-
cendant à son tour. Jvais arranger ça.

— C'est pas de jeu, dit Fédor Balanovitch, vzétiez dans
sa voiture. Vzallez être partial.

— Eh bien, démerdez-vous, dit Trouscaillon qui se tira
anxieux de retrouver la veuve Mouaque, laquelle avait disparu dans le sillage de la mouflette.

---

1. Cartésianisme : rationalisme hérité de la philosophie de Des-
cartes. Queneau joue de l'opposition classique entre le cœur et la
raison.
2. En deuxième file.

À la terrasse du Café des Deux Palais, Gabriel, vidant sa cinquième grenadine, pérorait devant une assemblée dont l'attention semblait d'autant plus grande que la francophonie y était plus dispersée.

— Pourquoi, qu'il disait, pourquoi qu'on supporterait pas la vie du moment qu'il suffit d'un rien pour vous en priver? Un rien l'amène, un rien l'anime, un rien la mine, un rien l'emmène. Sans ça, qui supporterait les coups du sort et les humiliations d'une belle carrière, les fraudes des épiciers, les tarifs des bouchers, l'eau des laitiers, l'énervement des parents, la fureur des professeurs, les gueulements des adjudants, la turpitude des nantis, les gémissements des anéantis, le silence des espaces infinis, l'odeur des choux-fleurs ou la passivité des chevaux de bois, si l'on ne savait que la mauvaise et proliférante conduite de quelques cellules infimes[1] (geste) ou la trajectoire d'une balle tracée par un anonyme involontaire irresponsable ne viendrait inopinément faire évaporer tous ces soucis dans le bleu du ciel. Moi qui vous cause, j'ai bien souvent gambergé à ces problèmes tandis que vêtu d'un tutu je montre à des caves de votre espèce mes cuisses naturellement assez poilues il faut

---

1. Le cancer.

le dire mais professionnellement épilées. Je dois ajouter que
si vous en esprimez le désir, vous pouvez assister à ce spectacle dès ce soir.

— Hourra ! s'écrièrent les voyageurs de confiance.

— Mais, dis-moi, tonton, tu fais de plus en plus recette.

— Ah te voilà, toi, dit Gabriel tranquillement. Eh bien, tu
vois, je suis toujours en vie et même en pleine prospérité.

— Tu leur as montré la Sainte-Chapelle ?

— Ils ont eu du pot. C'était en train de fermer, on a
juste eu le temps de faire un cent mètres devant les vitraux.
Comme ça (geste) d'ailleurs, les vitraux. Ils sont enchantés
(geste), eux. Pas vrai my gretchen lady ?

La touriste élue acquiesça, ravie.

— Hourra ! crièrent les autres.

— Sus aux guidenappeurs, ajouta la veuve Mouaque suivie de près par Trouscaillon.

Le flicmane s'approcha de Gabriel et, s'inclinant respectueusement devant lui, s'informa de l'état de sa santé.
Gabriel répondit succinctement qu'elle était bonne. L'autre
alors poursuivit son interrogatoire en abordant le problème de la liberté. Gabriel assura son interlocuteur de
l'étendue de la sienne, que de plus il jugeait à sa conve-
nance. Certes, il ne niait pas qu'il y ait eu tout d'abord une
atteinte non contestable à ses droits les plus imprescrip-
tibles à cet égard, mais, finalement, s'étant adapté à la situation, il l'avait transformée à tel point que ses ravisseurs
étaient devenus ses esclaves et qu'il disposerait bientôt de
leur libre arbitre à sa guise. Il ajouta pour conclure qu'il
détestait que la police fourrât son nez dans ses affaires et,
comme l'horreur que lui inspiraient de tels agissements
n'était pas loin de lui donner la nausée, il sortit de sa poche
un carré de soie de la couleur du lilas (celui qui n'est pas
blanc) mais imprégné de Barbouze, le parfum de Fior, et
s'en tamponna le tarin.

Trouscaillon, empesté, s'escusa, salua Gabriel en se mettant au garde-à-vous, egzécuta le demi-tour réglementaire, s'éloigna, disparut dans la foule accompagné par la veuve Mouaque qui le pourchasse au petit trot.

— Comment que tu l'as mouché, dit Zazie à Gabriel en se faisant une place à côté de lui. Pour moi, ce sera une glace fraise-chocolat.

— Il me semble que j'ai déjà vu sa tête quelque part, dit Gabriel.

— Maintenant que voilà la flicaille vidée, dit Zazie, tu vas peut-être me répondre. Es-tu un hormosessuel ou pas ?

— Je te jure que non.

Et Gabriel étendit le bras en crachant par terre, ce qui choqua quelque peu les voyageurs. Il allait leur espliquer ce trait du folclore gaulois, quand Zazie, le prévenant dans ses intentions didactiques, lui demanda pourquoi dans ce cas-là le type l'avait accusé d'en être un.

— Ça recommence, gémit Gabriel.

Les voyageurs, comprenant vaguement, commençaient à trouver que ça n'était plus drôle du tout et se consultèrent à voix basse et dans leurs idiomes natifs. Les uns étaient d'avis de jeter la fillette à la Seine, les autres de l'emballer dans un plède et de la mettre en consigne dans une gare quelconque après l'avoir gavée de ouate pour l'insonoriser. Si personne ne voulait sacrifier de couverture, une valise pourrait convenir, en tassant bien.

Inquiet de ces conciliabules, Gabriel se décide à faire quelques concessions.

— Eh bien, dit-il, je t'espliquerai tout ce soir. Mieux même tu verras de tes propres yeux.

— Je verrai quoi ?

— Tu verras. C'est promis.

Zazie haussa les épaules.

— Les promesses, moi...

— Tu veux que je crache encore un coup par terre?

— Ça suffit. Tu vas postillonner dans ma glace.

— Alors maintenant fous-moi la paix. Tu verras, c'est promis.

— Qu'est-ce qu'elle verra, cette petite? demanda Fédor Balanovitch qui avait fini par régler son tamponnement avec le Sanctimontronais lequel d'ailleurs avait manifesté une forte envie de disparaître du coin.

Il s'installe à son tour près de Gabriel et les voyageurs lui firent respectueusement place.

— Je l'emmène ce soir au Mont-de-piété, répondit Gabriel (geste), et les autres aussi.

— Minute, dit Fédor Balanovitch, ça fait pas partie du programme. Moi faut que je les couche de bonne heure, car ils doivent partir demain matin pour Gibraltar aux anciens parapets. Tel est leur itinéraire.

— En tout cas, dit Gabriel, ça leur plaît.

— Ils se rendent pas compte de ce qui les attend, dit Fédor Balanovitch.

— Ça sera un souvenir pour eux, dit Gabriel.

— Pour moi zossi, dit Zazie qui poursuivait méthodiquement des expériences sur les saveurs comparées de la fraise et du chocolat.

— Oui mais, dit Fédor Balanovitch, qu'est-ce qui paiera au Mont-de-piété? Ils marcheront pas pour un supplément.

— Je les ai bien en main, dit Gabriel.

— À propos, lui dit Zazie, je crois que c'est en train de me revenir la question que je voulais te poser.

— Eh bien tu repasseras, dit Fédor Balanovitch. Laisse causer les hommes.

Impressionnée, Zazie la boucla.

Comme un loufiat passait d'aventure, Fédor Balanovitch. lui dit:

— Pour moi, ce sera un jus de bière.

— Dans une tasse ou en boîte ? demanda le garçon.

— Dans un cercueil, répondit Fédor Balanovitch qui fit signe au loufiat qu'il pouvait disposer.

— Celle-là, elle est suprême, se risque à dire Zazie. Même le général Vermot aurait pas trouvé ça tout seul.

Fédor Balanovitch ne porte aucune attention aux propos de la mouflette.

— Alors, comme ça, qu'il demande à Gabriel, tu crois qu'on pourrait leur imposer une surcharge ?

— Puisque je te dis que je les ai en main. Faut en profiter. Tiens, par egzemple, où tu les emmènes dîner ?

— Ah ! c'est qu'on les soigne. Ils ont droit au Buisson d'Argent. Mais c'est payé directement par l'agence.

— Regarde. Moi, je connais une brasserie boulevard Turbigo[1] où ça coûtera infiniment moins cher. Toi, tu vas voir le patron de ton restau de luxe et tu te fais rembourser quelque chose sur ce qu'il touchera de l'agence, c'est tout profit pour tout le monde et, par-dessus le marché là où je te les emmènerai, qu'est-ce qu'ils se régaleront pas. Naturellement on paiera ça avec le supplément qu'on va leur demander pour le Mont-de-piété. Quant à la ristourne de l'autre restau, on se la partage.

— Vzêtes des ptits rusés tous les deux, dit Zazie.

— Ça alors, dit Gabriel, c'est de la pure méchanceté. Moi tout ce que je fais, c'est pour leur (geste) plaisir.

— On pense qu'à ça, dit Fédor Balanovitch. Qu'à ce qu'ils s'en aillent avec un souvenir inoubliable de st'urbe inclite qu'on vocite Parouart[2]. Afin qu'ils y reviennent.

— Eh bien tout est pour le mieux, dit Gabriel. En attendant le dîner, ils espérimenteront le sous-sol de la brasserie : quinze billards, vingt pimpons. Unique à Paris.

---

1. Il existe à Paris une *rue* de Turbigo, mais pas de boulevard.
2. Voir dossier p. 253.

— Ça sera un souvenir pour eux, dit Fédor Balanovitch.

— Pour moi zossi, dit Zazie. Car pendant ce temps-là j'irai me promener.

— Pas sur le Sébasto surtout, dit Gabriel affolé.

— T'en fais pas, dit Fédor Balanovitch, elle doit avoir de la défense.

— N'empêche que sa mère me l'a pas confiée pour qu'elle traîne entre les Halles et le Château d'Eau.

— Je ferai juste les cent pas devant ta brasserie, dit Zazie conciliante.

— Raison de plus pour qu'on croie que tu fais le tapin, s'esclama Gabriel épouvanté. Surtout avec tes bloudjinnzes. Y a des amateurs.

— Y a des amateurs de tout, dit Fédor Balanovitch en homme qui connaît la vie.

— C'est pas gentil pour moi, ça, dit Zazie en se tortillant.

— Si maintenant elle se met à te faire du charme, dit Gabriel, on aura tout vu.

— Pourquoi ? demanda Zazie. C'est un homo ?

— Tu veux dire un normal, rectifia Fédor Balanovitch. Suprême, celle-là, n'est-ce pas tonton ?

Et il tapa sur la cuisse de Gabriel qui se trémoussa. Les voyageurs les regardaient avec curiosité.

— Ils doivent commencer à s'emmerder, dit Fédor Balanovitch. Il serait temps que tu les emmènes à tes billards pour les distraire un chouïa. Pauvres innocents qui croient que c'est ça, Paris.

— Tu oublies que je leur ai montré la Sainte-Chapelle, dit Gabriel fièrement.

— Nigaud, dit Fédor Balanovitch qui connaissait à fond la langue française étant natif de Bois-Colombes. C'est le Tribunal de commerce que tu leur as fait visiter.

— Tu me fais marcher, dit Gabriel incrédule. T'en es sûr ?

— Heureusement que Charles est pas là, dit Zazie. Ça se compliquerait.

— Si c'était pas la Sainte-Chose, dit Gabriel, en tout cas, c'était bien beau.

— Sainte-Chose??? Sainte-Chose??? demandèrent, inquiets, les plus francophones d'entre les voyageurs.

— La Sainte-Chapelle, dit Fédor Balanovitch. Un joyau de l'art gothique.

— Comme ça (geste), ajouta Gabriel.

Rassurés, les voyageurs sourirent.

— Alors? dit Gabriel. Tu leur espliques?

Fédor Balanovitch cicérona[1] la chose en plusieurs idiomes.

— Eh bien, dit Zazie d'un air connaisseur, il est fortiche le Slave.

D'autant plus que les voyageurs manifestaient leur accord en sortant leur monnaie avec enthousiasme, témoignant ainsi et du prestige de Gabriel et de l'amplitude des connaissances linguistiques de Fédor Balanovitch.

— C'est justement ça, ma deuxième question, dit Zazie. Quand je t'ai retrouvé aux pieds de la tour Eiffel, tu parlais l'étranger aussi bien que lui. Qu'est-ce qui t'avait pris? Et pourquoi que tu recommences plus?

— Ça, dit Gabriel, je peux pas t'espliquer. C'est des choses qu'arrivent on sait pas comment. Le coup de génie, quoi.

Il finit son verre de grenadine.

— Qu'est-ce que tu veux, les artisses, c'est comme ça.

---

1. Néologisme. Un *cicérone*, c'est un guide pour touristes (voir le «cicéron Gabriel», p. 151). Le verbe signifie donc : s'adressa, remplissant sa fonction de guide, aux touristes.

12

Trouscaillon et la veuve Mouaque avaient déjà fait un bout de chemin lentement côte à côte mais droit devant eux et de plus en silence, lorsqu'ils s'aperçurent qu'ils marchaient côte à côte lentement mais droit devant eux et de plus en silence. Alors ils se regardèrent et sourirent : leurs deux cœurs avaient parlé. Ils restèrent face à face en se demandant qu'est-ce qu'ils pourraient bien se dire et en quel langage l'esprimer. Alors la veuve proposa de commémorer sur-le-champ cette rencontre en asséchant un glasse et de pénétrer à cette fin dans la salle de café du Vélocipède boulevard Sébastopol, où quelques halliers déjà s'humectaient le tube ingestif avant de charrier leurs légumes. Une table de marbre leur offrirait sa banquette de velours et ils tremperaient leurs lèvres dans leurs demi'toyens en attendant que la serveuse à la chair livide s'éloigne pour laisser enfin les mots d'amour éclore à travers le bulbulement de leurs bières. À l'heure où se boivent les jus de fruits aux couleurs fortes et les liqueurs fortes aux couleurs pâles, ils resteraient posés sur la susdite banquette de velours échangeant, dans le trouble de leurs mains enlacées, des vocables prolifiques en comportements sexués dans un avenir peu lointain. Mais halte-là, lui répondit Trouscaillon, je ne puis illico, bellicose[1] l'uniforme; laissez-moi le temps de changer de frusques. Et il lui fila un rancart[2] pour l'apéritif à la brasserie du Sphéroïde[3], plus haut à droite. Car il habitait rue Rambuteau.

La veuve Mouaque, revenue à la solitude, soupira. Je fais des folies, dit-elle à mi-voix pour elle-même. Mais ces quelques mots ne churent point platement et ignorés sur le trottoir; ils tombèrent dans les étiquettes d'une qu'était rien moins que gourde. Destinés à l'usage interne, ces quatre mots provoquèrent néanmoins la réponse que voici: qu'est-ce qui n'en fait pas. Avec un point d'interrogation, car la réponse était percontative.

— Tiens te voilà toi, dit la veuve Mouaque.

— Je vous regardais tout à l'heure, vous étiez marants tous les deux le flicmane et vous.

— À tes yeux, dit la veuve Mouaque.

— «À mes yeux?» Quoi, «à mes yeux»?

— Marants, dit la veuve Mouaque. À d'autres yeux, pas marants.

— Les pas marants, dit Zazie, je les emmerde.

— Tu es toute seule?

— Ouida, ma chère, je mpromène.

— Ce n'est pas une heure ni un quartier pour laisser une fillette se promener seule. Qu'est-ce qu'il est devenu ton oncle?

— Il trimbale les voyageurs. Il les a emmenés jouer au billard. En attendant, je prends l'air. Parce que moi, le

---

1. Mot-valise formé à partir de l'anglais *because* (parce que) et du mot *illico*, sur-le-champ, qui le précède immédiatement.
2. Queneau substitue malicieusement ce mot, qu'on a dans *mettre au rancart*, «se débarrasser de», à son homonyme *rancard*, qui signifie «rendez-vous», et qu'il faudrait donc ici.
3. Clin d'œil: la brasserie *du Globe*, boulevard de Strasbourg, où l'on se livrait en effet, à l'époque, au ping-pong et au billard.

billard, ça m'emmerde. Mais je dois les retrouver pour la bouffe. Après on ira le voir danser.

— Danser? Qui?

— Mon tonton.

— Il danse, cet éléphant?

— Et en tutu encore, répliqua Zazie fièrement.

La veuve Mouaque en reste coite.

Elles étaient arrivées à la hauteur d'une épicerie en gros et au détail; de l'autre côté du boulevard à sens unique, une pharmacie non moins grossiste et non moins détaillante, déversait ses feux verts sur une foule avide de camomille et de pâté de campagne, de berlingots et de semen-contra[1], de gruyère et de ventouses, une foule que le voisinage aspirant des gares commençait d'ailleurs à raréfier.

La veuve Mouaque soupira.

— Ça ne te fait rien si je marche un peu avec toi?

— Vous voulez surveiller ma conduite?

— Non, mais tu me tiendrais compagnie.

— Ça je m'en fous. Je préfère être seule.

De nouveau la veuve Mouaque soupira.

— Et moi qui me sens si seule... si seule... si seule...

— Seule mon cul, dit la fillette avec la correction du langage qui lui était habituelle.

— Sois donc compréhensive avec les grandes personnes, dit la dame la voix pleine d'eau. Ah! si tu savais...

— C'est le flicard qui vous met dans cet état?

— Ah l'amour... quand tu connaîtras...

— Je me disais bien qu'au bout du compte vous alliez me débiter des cochonneries. Si vous continuez, j'appelle un flic... un autre...

— C'est cruel, dit la veuve Mouaque amèrement.

Zazie haussa les épaules.

---

1. Vermifuge.

— Pauv'vieille… Allez, chsuis pas un mauvais cheval. Je vais vous tenir compagnie le temps que vous vous remettiez. J'ai bon cœur, hein ?

Avant que la Mouaque utu[1] le temps de répondre, Zazie avait ajouté :

— Tout de même… un flicard. Moi, ça me débecterait.

— Je te comprends. Mais qu'est-ce que tu veux, ça s'est trouvé comme ça. Peut-être que si ton oncle n'avait pas été guidenappé…

— Je vous ai déjà dit qu'il était marié. Et ma tante est drôlement mieux que vott' pomme.

— Ne fais pas de réclame pour ta famille. Mon Trouscaillon me suffit. Me suffira, plutôt.

Zazie haussa les épaules.

— Tout ça, c'est du cinéma, qu'elle dit. Vous auriez pas un autre sujet de conversation ?

— Non, dit énergiquement la veuve Mouaque.

— Eh bien alors, dit non moins énergiquement Zazie, je vous annonce que la semaine de bonté est terminée. À rvoir.

— Merci tout de même, mon enfant, dit la veuve Mouaque pleine d'indulgence.

Elles traversèrent ensemble séparément la chaussée et se retrouvèrent devant la brasserie du Sphéroïde.

— Tiens, dit Zazie, vous vlà encore vous. Vous me suivez ?

— J'aimerais mieux te voir ailleurs, dit la veuve.

— Elle est suprême, celle-là. Y a pas cinq minutes, on pouvait pas se débarrasser de vous. Maintenant faut prendre le large. C'est l'amour qui rend comme ça ?

— Que veux-tu ? Pour tout dire, j'ai rendez-vous ici même avec mon Trouscaillon.

---

1. Eût eu (subjonctif plus-que-parfait, que cette graphie sommaire tourne en dérision).

Du sous-sol émanait un grand brou. Ah ah.

— Et moi avec mon tonton, dit Zazie. Ils sont tous là. En bas. Vous les entendez qui s'agitent en pleine préhistoire? Parce que, comme je vous l'ai dit, moi, le billard...

La veuve Mouaque détaillait le contenu du rez-de-chaussée.

— Il est pas là, votre coquin, dit Zazie.

— Pointancor, dit la dame. Pointancor.

— Bin sûr. Y a jamais de flics dans les bistros. C'est défendu.

— Là, dit la veuve finement, tu vas être coyonnée. Il est allé se vêtir civilement.

— Et vous serez foutue de le reconnaître dans cet état?

— Je l'aime, dit la veuve Mouaque.

— En attendant, dit Zazie rondement, descendez donc boire un glasse avec nous. Il est peut-être au sous-sol après tout. Peut-être qu'il l'a fait esprès.

— Faut pas egzagérer. Il est flic, pas espion.

— Qu'est-ce que vous en savez? Il vous a fait des confidences? Déjà?

— J'ai confiance, dit la rombière non moins extatique-ment qu'énigmatiquement.

Zazie haussa les épaules encore une fois.

— Allez... un glasse, ça vous renouvellera les idées.

— Pourquoi pas, dit la veuve qui, ayant regardé l'heure, venait de constater qu'elle avait encore dix minutes à attendre son fligolo[1].

Du haut de l'escalier, on apercevait des petites boules glisser alertement sur des tapis verts et, d'autres plus légères, zébrer le brouillard qui s'élevait des demis de bière et des bretelles humides. Zazie et la veuve Mouaque aper-çurent le groupe compact des voyageurs agrégé autour de

---

1. Mot-valise (*flic* et *gigolo*).

Gabriel qui était en train de méditer un carambolage d'une haute difficulté. L'ayant réussi, il fut acclamé en des idiomes divers.

— Ils sont contents, hein, dit Zazie toute fière de son tonton.

La dame, du chef, eut l'air d'approuver.

— Ce qu'ils peuvent être cons, ajouta Zazie avec attendrissement. Et encore ils n'ont rien vu. Quand Gabriel va se montrer en tutu, la gueule qu'ils vont faire.

La dame daigna sourire.

— Qu'est-ce que c'est au juste qu'une tante ? lui demanda familièrement Zazie en vieille copine. Une pédale ? une lope ? un pédé ? un hormosessuel ? Y a des nuances ?

— Ma pauvre enfant, dit en soupirant la veuve qui de temps à autre retrouvait des débris de moralité pour les autres dans les ruines de la sienne pulvérisée par les attraits du flicmane.

Gabriel qui venait de louper un queuté-six-bandes les aperçut alors et leur fit un petit salut de la main. Puis il reprit froidement le cours de sa série, négligeant l'échec de son dernier carambolage.

— Je remonte, dit la veuve avec décision.

— Bonnes fleurs bleues [1], dit Zazie qui alla voir le billard de plus près.

La boule motrice était située en f2, l'autre boule blanche en g3 et la rouge en h4 [2]. Gabriel s'apprêtait à masser [3] et, dans ce but, bleuissait son procédé. Il dit :

---

1. Avoir un côté *fleur bleue*, c'est faire preuve de sentimentalisme. Zazie souhaite donc ironiquement à la veuve un flirt bien sentimental avec le flic.
2. Lettres et chiffres désignent la place des pièces sur un échiquier, à quoi le billard est donc assimilé de façon cocasse.
3. Terme de billard : frapper la bille de façon à lui imprimer un mouvement tournant.

— Elle est drôlement collante, la rombière.

— Elle a un fleurte terrible avec le flicmane qu'est venu te causer quand on s'est ramenés au bistro.

— On s'en fout. Pour le moment, laisse-moi jouer. Pas de blagues. Du calme. Du sang-froid.

Au milieu de l'admiration générale, il leva sa queue en l'air pour percuter ensuite la boule motrice afin de lui faire décrire un arc de parabole. Le coup porté, déviant de sa juste application, s'en fut sabrer le tapis d'une zébrure qui représentait une valeur marchande tarifée par les patrons de l'établissement. Les voyageurs qui, sur des engins voisins, s'étaient efforcés de produire un résultat semblable sans y être parvenus, manifestèrent leur admiration. Il était temps d'aller dîner.

Après avoir fait la quête pour payer les frais et réglé la note équitablement, Gabriel, ayant récupéré son monde, y compris les joueurs de pimpon, le mena casser la graine à la surface du sol. La brasserie au rez-de-chaussée lui parut convenir à cette entreprise et il s'affala sur une banquette avant d'avoir vu la veuve Mouaque et Trouscaillon à une table vise-à-vise. Ils lui firent des signes guillerets et Gabriel eut du mal à reconnaître le flicmane dans l'endimanché qui prenait des mines à côté de la rombière. N'écoutant que les intermittences de son cœur bon, Gabriel les convia du geste à se joindre à sa smalah, ce dont ne se firent faute. Les étrangers s'étranglaient d'enthousiasme devant tant de couleur locale, cependant que des garçons vêtus d'un pagne commençaient à servir, accompagnée de demis de bière enrhumés, une choucroute pouacre[1] parsemée de saucisses paneuses, de lard chanci[2], de jambon tanné[3] et de patates

1. L'adjectif signifie « avare », donc, ici, choucroute parcimonieusement servie.
2. Moisi.
3. Dur comme du cuir.

germées, apportant ainsi à l'appréciation inconsidérée de palais bien disposés la ffine efflorescence de la cuisine ffransouèze.

Zazie, goûtant au mets, déclara tout net que c'était de la merde. Le flicard élevé par sa mère concierge dans une solide tradition de bœuf mironton, la rombière quant à elle experte en frites authentiques, Gabriel lui-même bien qu'habitué aux nourritures étranges qu'on sert dans les cabarets, s'empressèrent de suggérer à l'enfant ce silence lâche qui permet aux gargotiers de corrompre le goût public sur le plan de la politique intérieure et, sur le plan de la politique extérieure, de dénaturer à l'usage des étrangers l'héritage magnifique que les cuisines de France ont reçu des Gaulois, à qui l'on doit, en outre, comme chacun sait, les braies[1], la tonnellerie et l'art non figuratif.

— Vous m'empêcherez tout de même pas de dire, dit Zazie, que c' (geste) est dégueulasse.

— Bien sûr, bien sûr, dit Gabriel, je veux pas te forcer. Je suis compréhensif moi, pas vrai, madame ?

— Des fois, dit la veuve Mouaque. Des fois.

— C'est pas tellement ça, dit Trouscaillon, c'est à cause de la politesse.

— Politesse mon cul, dit Zazie.

— Vous, dit Gabriel au flicmane, je vous prie de me laisser élever cette môme comme je l'entends. C'est moi qui en ai la responsibilitas. Pas vrai, Zazie ?

— Paraît, dit Zazie. En tout cas, moi, rien à faire pour que je bouffe cette saloperie.

— Mademoiselle désire ? s'enquit hypocritement un loufiat[2] vicieux qui flairait la bagarre.

---

1. Ample pantalon.
2. Garçon de café (populaire).

— Jveux ottchose, dit Zazie.

— Notre choucroute alsacienne ne plaît pas à la petite demoiselle ? demanda le vicieux loufiat.

Il voulait faire de l'ironie, le con.

— Non, dit Gabriel avec force et autorité, ça lui plaît pas.

Le loufiat considéra pendant quelques instants le format de Gabriel, puis en la personne de Trouscaillon subodora le flic. Tant d'atouts réunis dans la seule main d'une fillette l'incitèrent à boucler sa grande gueule. Il allait donc faire une démonstration de plat ventre, lorsqu'un gérant, plus con encore, s'avisa d'intervindre. Il fit aussitôt son numéro de charme.

— De couaille, de couaille, qu'il pépia, des étrangers qui se permettent de causer cuisine ? Bin merde alors, i sont culottés les touristes st'année. I vont peut-être se mettre à prétendre qu'i s'y connaissent en bectance, les enfouarés.

Il interpella quelques-uns d'entre eux (gestes).

— Non mais dites donc, vous croyez comme ça qu'on a fait plusieurs guerres victorieuses pour que vous veniez cracher sur nos bombes glacées ? Vous croyez qu'on cultive à la sueur de nos fronts le gros rouge et l'alcool à brûler pour que vous veniez les déblatérer au profit de vos saloperies de cocacola ou de chianti ? Tas de feignants, tandis que vous pratiquiez encore le cannibalisme en suçant la moelle des os de vos ennemis charcutés, nos ancêtres les Croisés préparaient déjà le biftèque pommes frites avant même que Parmentier ait découvert la pomme de terre, sans parler du boudin zaricos verts que vzavez jamais zétés foutus de fabriquer. Ça vous plaît pas ? Non ? Comme si vous y connaissiez quelque chose !

Il reprit sa respiration pour continuer en ces termes polis :

— C'est p-têtt le prix qui vous fait faire cette gueule-là ? I sont pourtant bin nonnêtes, nos prix. Vous vous rendez pas compte, tas de radins. Avec quoi qu'il ne paierait pas ses impôts, le patron, s'il ne tenait pas compte de tous vos dollars que vous savez pas quoi en faire.

— T'as fini de déconner ? demanda Gabriel.

Le gérant pousse un cri de rage.

— Et ça prétend causer le français, qu'il se met à hurler.

Il se tourna vers le vicieux loufiat et lui communiqua ses impressions :

— Non mais t'entends cette grossière merde qui se permet de m'adresser la parole en notre dialecte. Si c'est pas écœurant...

— I cause pas mal pourtant, dit le vicieux loufiat qu'avait peur de recevoir des coups.

— Traître, dit le gérant exacerbé, hagard et trémulant[1].

— Qu'est-ce que t'attends pour lui casser la gueule ? demanda Zazie à Gabriel.

— Chtt, fit Gabriel.

— Tordez-y donc les parties viriles, dit la veuve Mouaque, ça lui apprendra à vivre.

— Je veux pas voir ça, dit Trouscaillon qui verdit. Pendant que vous opérerez, je m'absenterai le temps qu'il faut. J'ai justement un coup de bigophone à passer à la Préfectance.

Le vicieux loufiat d'un coup de coude dans le bide du gérant souligna le propos du client. Le vent tourna.

— Ceci dit, commença le gérant, ceci dit, que désire mademoiselle ?

— Le truc que vous me servez là, dit Zazie, c'est tout simplement de la merde.

---

1. Tremblant (vieilli).

— Y a eu erreur, dit le gérant, avec un bon sourire, y a eu erreur, c'était pour la table à côté, pour les voyageurs.

— I sont avec nous, dit Gabriel.

— Vous inquiétez pas, dit le gérant d'un air complice, je trouverai bien à la replacer ma choucroute. Qu'est-ce que vous désirez à la place, mademoiselle ?

— Une autre choucroute.

— Une autre choucroute ?

— Oui, dit Zazie, une autre choucroute.

— C'est que, dit le gérant, l'autre sera pas meilleure que celle-là. Je vous dis ça tout de suite pour que ça recommence pas, vos réclamations.

— Somme toute, y a que de la chose à manger dans votre établissement ?

— Pour vous servir, dit le gérant. Ah si y avait pas les impôts (soupir).

— Miam miam, dit un voyageur en dégustant le fin fond de son assiette de choucroute.

D'un geste, il signifia qu'il en revoulait.

— Là, dit le gérant triomphalement.

Et l'assiette de Zazie que le vicieux loufiat venait juste d'enlever réapparut en face du boulimique.

— Comme je vois que vous êtes des connaisseurs, continua le gérant, je vous conseille de prendre notre cornède bif nature. Et j'ouvrirai la boîte devant vous.

— Il a mis du temps pour comprendre, dit Zazie.

Humilié, l'autre s'éloignait. Gabriel, bonne âme, pour le consoler, lui demanda :

— Et votre grenadine ? Elle est bonne, votre grenadine ?

13

Mado Ptits-pieds regarda le téléphone sonner pendant trois secondes, puis à la quatrième entreprit d'écouter ce qui se passait à l'autre bout. Ayant descendu l'instrument de son perchoir, elle l'entendit aussitôt emprunter la voix de Gabriel qui lui déclarait qu'il avait deux mots à dire à sa ménagère.

— Et fonce, qu'il ajouta.

— Je peux pas, dit Mado Ptits-pieds, je suis toute seule, msieu Turandot n'est pas là.

— Tu causes, dit Laverdure, tu causes, c'est tout ce que tu sais faire.

— Eh conne, dit la voix de Gabriel, si y a personne tu boucles la lourde, si y a quelqu'un tu le fous dehors. T'as compris, fleur de nave [1] ?

— Oui, msieu Gabriel.

Et elle raccrocha. C'était pas si simple. Y avait en effet un client. Elle aurait pu le laisser tout seul d'ailleurs, puisque c'était Charles et que Charles c'était pas le type à aller fouiner dans le tiroir-caisse pour y saisir quelque monnaie. Un type honnête, Charles. La preuve, c'est qu'il venait de lui proposer le conjungo [2].

---

1. Imbécile (argot).
2. Le mariage (cf. *conjugal*).

Mado Ptits-pieds avait à peine commencé à réfléchir à ce problème que le téléphone se remettait à sonner.

— Merde, rugit Charles, y a pas moyen d'être tranquille dans ce bordel.

— Tu causes, tu causes, dit Laverdure que la situation énervait, c'est tout ce que tu sais faire.

Mado Ptits-pieds reprit l'écouteur en main, et s'entendit propulser un certain nombre d'adjectifs tous plus désagréables les uns que les autres.

— Raccroche donc pas, sorcière, tu saurais pas où me rappeler. Et fonce donc, t'es toute seule ou y a quelqu'un ?

— Y a Charles.

— Qu'est-ce qu'on lui veut à Charles, dit Charles noblement.

— Tu causes, tu causes, c'est tout, dit Laverdure, ce que tu sais faire.

— C'est lui qui gueule comme ça ? demanda le téléphone.

— Non, c'est Laverdure. Charles, lui, il me parle marida[1].

— Ah ! il se décide, dit le téléphone avec indifférence. Ça l'empêche pas d'aller chercher Marceline, si toi tu veux pas t'appuyer les escaliers. Il fera bien ça pour toi, le Charles.

— Je vais lui demander, dit Mado Ptits-pieds.

(un temps)

— I dit qu'i veut pas.

— Pourquoi ?

— Il est fâché contre vous.

— Le con. Dis-y qu'il s'amène au bout du fil.

— Charles, cria Mado Ptits-pieds (geste).

Charles ne dit rien (geste).

Mado s'impatiente (geste).

— Alors ça vient ? demande le téléphone.

---

1. Mariage (argot).

— Oui, dit Mado Ptits-pieds (geste).

Finalement Charles, ayant éclusé son verre, s'approche lentement de l'écouteur, puis, arrachant l'appareil des mains de sa peut-être future, il profère ce mot cybernétique[1] :

— Allô.

— C'est toi, Charles ?

— Rrroin.

— Alors fonce et va chercher Marceline que je lui cause, c'est hurgent.

— J'ai d'ordres à recevoir de personne.

— Ah là là, s'agit pas de ça, grouille que je te dis, c'est hurgent.

— Et moi je te dis que j'ai d'ordres à recevoir de personne.

Et il raccroche.

Puis il revint vers le comptoir derrière lequel Mado Ptits-pieds semblait rêver.

— Alors, dit Charles, qu'est-ce que t'en penses ? C'est oui ? c'est non ?

— Jvous répète, susurra Mado Ptits-pieds, vous mdites ça comme ça, sans prévnir, c'est hun choc, jprévoyais pas, ça dmande réflexion, msieu Charles,

— Comme si t'avais pas déjà réfléchi.

— Oh ! msieu Charles, comme vous êtes squeleptique.

La sonnerie du truc-chose se mit de nouveau à téléphonctionner.

— Non mais qu'est-ce qu'il a, qu'est-ce qu'il a.

— Laisse-le donc tomber, dit Charles.

— Faut pas être si dur que ça, c'est quand même un copain.

— Ouais, mais la gosse en supplément ça n'arrange rien.

— Y pensez pas à la gamine. À stage-là, c'est du flan.

---

1. Qui a trait à la communication.

Comme ça continuait à ronfler, de nouveau Charles se
mit au bout du fil de l'appareil décroché.

— Allô, hurla Gabriel.

— Rrroin, dit Charles.

— Allez, fais pas Icon. Va, fonce chez Marceline et tu commences à m'emmerder à la fin.

— Tu comprends, dit Charles d'un ton supérieur, tu
mdéranges.

— Non mais, brâma le téléphone, qu'est-ce qu'i faut pas
entendre. T't'déranger toi? qu'est-ce que tu pourrais bran-
ler d'important?

Charles posa énergiquement sa main sur le fonateur[1] de
l'appareil et se tournant vers Mado, lui demanda:

— C'est-ti oui? c'est-ti non?

— Ti oui, répondit Mado Ptits-pieds en rougissant.

— Bin vrai?

— (geste).

Charles débloqua le fonateur et communiqua la chose
suivante à Gabriel toujours présent à l'autre bout du fil:

— Bin voilà, j'ai une nouvelle à t'annoncer.

— M'en fous. Va me chercher...

— Marceline, je sais.

Puis il fonce à toute vitesse:

— Mado Ptits-pieds et moi, on vient de se fiancer.

— Bonne idée. Au fond j'ai réfléchi, c'est pas la peine...

— T'as compris ce que je t'ai dit? Mado Ptits-pieds et
moi, c'est le marida.

— Si ça te chante. Oui, Marceline, pas la peine qu'elle se
dérange. Dis-y seulement que j'emmène la petite au Mont-
de-piété pour voir le spectacle. Y a des voyageurs distingués
qui m'accompagnent et quelques copains, toute une bande

---

1. Graphie fantaisiste de *phonateur*, employé ici comme substantif,
avec le sens de microphone de l'appareil téléphonique.

quoi. Alors mon numéro, ça ce soir, je vais le soigner. Autant que Zazie en profite, c'est une vraie chance pour elle. Tiens, et puis c'est vrai, t'as qu'à venir aussi, avec Mado Ptits-pieds, ça vous fera une célébration pour vos fiançailles, non, pas vrai ? Ça s'arrose ça, c'est moi qui paie, et le spectacle en plus. Et puis Turandot, il peut venir aussi, cette andouille, et Laverdure si on croit que ça l'amusera, et Gridoux, faut pas l'oublier, Gridoux. Sacré Gridoux.

Là-dessus, Gabriel raccroche.

Charles laisse pendre l'écouteur au bout de son fil et se tournant vers Mado Ptits-pieds, il entreprit d'énoncer quelque chose de mémorable.

— Alors, qu'il dit, ça y est ? L'affaire est dans le sac ?

— Et comment, dit Madeleine.

— On va se marier, nous deux Madeleine, dit Charles à Turandot qui rentrait.

— Bonne idée, dit Turandot. Je vous offre un réconfortant pour arroser ça. Mais ça m'embête de perdre Mado. Elle travaillait bien.

— Oui mais c'est que je resterai, dit Madeleine. Je m'emmerderais à la maison, le temps qu'il fait le taxi.

— C'est vrai, ça, dit Charles. Au fond, y aura rien de changé, sauf que, quand on tirera un coup, ça sera dans la légalité.

— On finit toujours par se faire une raison, dit Turandot. Qu'est-ce que vous prenez ?

— Moi jm'en fous, dit Charles.

— Pour une fois, c'est moi qui vais te servir, dit Turandot galamment à Madeleine en lui tapant sur les fesses ce qu'il n'avait pas coutume de faire en dehors des heures de travail et alors seulement pour réchauffer l'atmosphère.

— Charles, il pourrait prendre un fernet-branca, dit Madeleine.

— C'est pas buvable, dit Charles.

— T'en as bien éclusé un verre à midi, fit remarquer Turandot.

— C'est pourtant vrai. Alors pour moi ce sera un beaujolais.

On trinque.

— À vos crampettes[1] légitimes, dit Turandot.

— Merci, répond Charles en s'essuyant la bouche avec sa casquette.

Il ajoute que c'est pas tout ça, faut qu'il aille prévenir Marceline.

— Te fatigue pas, mon chou, dit Madeleine, jvais y aller.

— Qu'est-ce que ça peut lui foutre que tu te maries ou pas ? dit Turandot. Elle attendra bien demain pour le savoir.

— Marceline, dit Charles, c'est encore autre chose. Y a Gabriel qu'a gardé la Zazie avec lui et qui nous invite tous et toi aussi à venir s'en jeter un en le regardant faire son numéro. S'en jeter un et j'espère bien plusieurs.

— Bin, dit Turandot, t'es pas dégoûté. Tu vas haller dans une boîte de pédales pour célébrer tes fiançailles ? Bin, je le répète, t'es pas dégoûté.

— Tu causes, tu causes, dit Laverdure, c'est tout ce que tu sais faire.

— Vous disputez pas, dit Madeleine, moi jvais prévenir madame Marceline et m'habiller chouette pour faire honneur à notre Gaby.

Elle s'envole. À l'étage second parvenue, sonne à la porte la neuve fiancée. Une porte sonnée d'aussi gracieuse façon ne peut faire autre chose que s'ouvrir. Aussi la porte en question s'ouvre-t-elle.

— Bonjour, Mado Ptits-pieds, dit doucement Marceline.

— Eh bin voilà, dit Madeleine en reprenant sa respira-

---

1. Relations sexuelles (argot).

tion laissée un peu à l'abandon[1] dans les spires[2] de l'escalier.

— Entrez donc boire un verre de grenadine, dit doucement Marceline en l'interrompant.

— C'est qu'il faut que je m'habille.

— Je ne vous vois point nue, dit doucement Marceline. Madeleine rougit. Marceline dit doucement :

— Et ça n'empêcherait pas le verre de grenadine, n'est-ce pas ? Entre femmes…

— Tout de même.

— Vous avez l'air tout émue.

— Jviens de me fiancer. Alors vous comprenez.

— Vous n'êtes pas enceinte ?

— Pas pour le moment.

— Alors vous ne pouvez pas me refuser un verre de grenadine.

— Ce que vous causez bien.

— Je n'y suis pour rien, dit doucement Marceline en baissant les yeux. Entrez donc.

Madeleine susurre encore des politesses confuses et entre. Priée de s'asseoir, elle le fait. La maîtresse de céans va quérir deux verres, une carafe de flotte et un litron de grenadine. Elle verse ce dernier liquide avec précaution, assez largement pour son invitée, juste un doigt pour elle.

— Je me méfie, dit-elle doucement avec un sourire complice.

Puis elle dilue le breuvage qu'elles supent[3] avec des petites mines.

— Et alors ? demande doucement Marceline.

_____

1. Queneau prend au pied de la lettre l'expression *reprendre* sa respiration, comme si elle avait été abandonnée.
2. L'escalier est donc en colimaçon.
3. Mot normand : aspirer, gober.

— Eh bien, dit Madeleine, meussieu Gabriel a téléphoné qu'il emmenait la petite à sa boîte pour le voir faire son numéro, et nous deux avec, Charles et moi, pour fêter nos fiançailles.

— Parce que c'est Charles?

— Autant lui qu'un autre Il est sérieux et puis, on se connaît.

Elles continuaient à se sourire.

— Dites-moi, madame Marceline, dit Madeleine, quelle pelure dois-je mettre?

— Bin, dit doucement Marceline, pour des fiançailles, c'est le blanc moyen qui s'impose avec une touche de virginal argenté.

— Pour le virginal, vous rpasserez, dit Madeleine.

— C'est ce qui se fait.

— Même pour une boîte de tapettes?

— Ça ne fait rien à la chose.

— Oui mais oui mais oui mais, si j'en ai pas moi de robe blanc moyen avec une touche de virginal argenté ou même simplement un tailleur deux-pièces salle de bains avec un chemisier porte-jarretelles cuisine, eh! qu'est-ce que je ferai? Non mais, dites-moi dites, qu'est-ce que je ferai?

Marceline baissa la tête en donnant les signes les plus manifestes de la réflexion.

— Alors, qu'elle dit doucement, alors dans ce cas-là pourquoi ne mettriez-vous pas votre veste amarante avec la jupe plissée verte et jaune que je vous ai vue un jour de bal un quatorze juillet.

— Vous me l'avez remarquée?

— Mais oui, dit doucement Marceline, je vous l'ai remarquée (silence). Vous étiez ravissante.

— Ça c'est gentil, dit Madeleine. Alors comme ça vous faites attention à moi, des fois?

— Mais oui, dit doucement Marceline.

— Passque moi, dit Madeleine, passque moi, je vous trouve si belle.

— Vraiment ? demanda Marceline avec douceur.

— Ça oui, répondit Mado avec véhémence, ça vraiment oui. Vous êtes rien bath. Ça me plairait drôlement d'être comme vous. Vzêtes drôlement bien roulée. Et d'une élégance avec ça.

— N'exagérons rien, dit doucement Marceline.

— Si si si, vzêtes rien bath. Pourquoi qu'on vous voit pas plus souvent ? (silence). On aimerait vous voir plus souvent. Moi (sourire) j'aimerais vous voir plus souvent.

Marceline baissa les yeux et rosit doucement.

— Oui, reprit Madeleine, pourquoi qu'on vous voit pas plus souvent, vous qu'êtes en si rayonnante santé que je me permets de vous le signaler et si belle par-dessus le marché, oui pourquoi ?

— C'est que je ne suis pas d'humeur tapageuse, répondit doucement Marceline.

— Sans aller jusque-là, vous pourriez…

— N'insistez pas, ma chère, dit Marceline.

Là-dessus, elles demeurèrent silencieuses, penseuses, rêveuses. Le temps coulait pas vite entre elles deux. Elles entendaient au loin, dans les rues, les pneus se dégonfler lentement dans la nuit. Par la fenêtre entrouverte, elles voyaient la lune scintiller sur le gril d'une antenne de tévé en ne faisant que très peu de bruit.

— Il faudrait tout de même que vous alliez vous habiller, dit doucement Marceline, si vous ne voulez pas rater le numéro de Gabriel.

— Faudrait, dit Madeleine. Alors je mets ma veste vert pomme avec la jupe orange et citron du quatorze juillet ?

— C'est ça.

(un temps)

— Tout de même, ça me fait triste de vous laisser toute seule, dit Madelaine.

— Mais non, dit Marceline. J'y suis habituée.

— Tout de même.

Elles se levèrent ensemble d'un même mouvement.

— Eh bien, puisque c'est comme ça, dit Madeleine, je vais m'habiller.

— Vous serez ravissante, dit Marceline en s'approchant doucement.

Madeleine la regarde dans les yeux.

On cogne à la porte.

— Alors ça vient? qu'il crie Charles.

14

Le bahut s'emplit et Charles démarra. Turandot s'assit à côté de lui, Madeleine dans le fond, entre Gridoux et Laverdure.

Madeleine considéra le perroquet pour demander ensuite à la ronde :

— Vous croyez que le spectacle va l'amuser ?

— T'en fais pas, dit Turandot qui avait poussé la vitre de séparation pour entendre ce qui se raconterait derrière lui, tu sais bien qu'il s'amuse à son idée, quand il en a envie. Alors pourquoi pas en regardant Gabriel ?

— Ces bêtes-là, déclara Gridoux, on sait jamais ce qu'elles gambergent.

— Tu causes, tu causes, dit Laverdure, c'est tout ce que tu sais faire.

— Vous voyez, dit Gridoux, ils entravent plus qu'on croit généralement.

— Ça c'est vrai, approuva Madeleine avec fougue. C'est rudement vrai, ça. D'ailleurs nous, est-ce qu'on entrave vraiment kouak ce soit à kouak ce soit ?

— Koua à koua ? demanda Turandot.

— À la vie. Parfois on dirait un rêve.

— C'est des choses qu'on dit quand on va se marier.

Et Turandot donne une claque sonore sur la cuisse de Charles au risque de faire charluter le taxi.

— Me fais pas chier, dit Charles.

— Non, dit Madeleine, c'est pas ça, je pensais pas seulement au marida, je pensais comme ça.

— C'est la seule façon, dit Gridoux d'un ton connaisseur.

— La seule façon de quoi?

— De ce que tu as dit.

(silence)

— Quelle colique que l'egzistence, reprit Madeleine (soupir).

— Mais non, dit Gridoux, mais non.

— Tu causes, tu causes, dit Laverdure, c'est tout ce que tu sais faire.

— Quand même, dit Gridoux, il change pas souvent son disque, celui-là.

— Tu insinues peut-être qu'il est pas doué? cria Turandot par-dessus son épaule.

Charles, que Laverdure n'avait jamais beaucoup intéressé, se pencha vers son propriétaire pour lui glisser à mi-voix:

— Dmanddzi si ça colle toujours le marida.

— À qui je demande ça? À Laverdure?

— Te fais pas plus con qu'un autre.

— On peut plus plaisanter, alors, dit Turandot d'une voix émolliente.

Et il cria par-dessus son épaule:

— Mado Ptits-pieds!

— La vlà, dit Madeleine.

— Charles demande si tu veux toujours de lui pour époux.

— Voui, répondit Madeleine d'une voix ferme.

Turandot se tourna vers Charles et lui demanda:

— Tu veux toujours de Mado Ptits-pieds pour épouse ?

— Voui, répondit Charles d'une voix ferme.

— Alors, dit Turandot d'une voix non moins ferme, je vous déclare unis par les liens du mariage.

— Amen, dit Gridoux.

— C'est idiot, dit Madeleine furieuse, c'est une blague idiote.

— Pourquoi ? demanda Turandot. Tu veux ou tu veux pas ? Faudrait s'entendre.

— C'était la plaisanterie qu'était pas drôle.

— Je plaisantais pas. Ça fait longtemps que je vous souhaite unis, vous deux Charles.

— Mêlez-vous de vos fesses, msieu Turandot.

— Elle a eu le dernier mot, dit Charles placidement. Nous y vlà. Tout le monde descend. Je vais ranger ma voiture et je reviens.

— Tant mieux, dit Turandot, je commençais à avoir le torticolis. Tu m'en veux pas ?

— Mais non, dit Madeleine, vzêtes trop con pour qu'on puisse vous en vouloir.

Un amiral en grand uniforme vint ouvrir les portières. Il s'esclama.

— Oh la mignonne, qu'il fit en apercevant le perroquet. Elle en est, elle aussi ?

Laverdure râla :

— Tu causes, tu causes, c'est tout ce que tu sais faire.

— Eh bien, dit l'amiral, on dirait qu'elle en veut.

Et aux nouveaux venus :

— C'est vous les invités de Gabriella ? Ça se voit du premier coup d'œil.

— Dis donc eh lope[1], dit Turandot, sois pas insolent.

— Et ça aussi, ça veut voir Gabriella ?

----

1. Homosexuel (injurieux).

Il regardait le perroquet avec l'air d'avoir l'air d'avoir le cœur soulevé de dégoût.

— Ça te dérange ? demanda Turandot.

— Quelque peu, répondit l'amiral. Ce genre de bestiau me donne des complexes.

— Faut voir un psittaco-analyste, dit Gridoux.

— J'ai déjà essayé d'analyser mes rêves, répondit l'amiral, mais ils sont moches. Ça donne rien.

— De quoi rêvez-vous ? demanda Gridoux.

— De nourrices.

— Quel dégueulasse, dit Turandot qui voulait badiner.

Charles avait trouvé une place pour garer sa tire.

— Alors quoi, dit Charles, vzêtes pas encore entrés ?

— En voilà une méchante, dit l'amiral.

— J'aime pas qu'on plaisante avec moi, dit le taximane.

— J'en prends note, dit l'amiral.

— Tu causes, tu causes, dit Laverdure...

— Vous en faites un sainfoin[1], dit Gabriel apparu. Entrez donc. Ayez pas peur. La clientèle est pas encore arrivée. Y a que les voyageurs. Et Zazie. Entrez donc. Entrez donc. Tout à l'heure, vous allez drôlement vous marer.

— Pourquoi que spécialement tu nous as dit de venir ce soir ? demanda Turandot.

— Vous qui, continua Gridoux, jetiez le voile pudique de l'ostracisme sur la circonscription de vos activités.

— Et qui, ajouta Madeleine, n'avez jamais voulu que nous vous admirassassions dans l'exercice de votre art.

— Oui, dit Laverdure, nous ne comprenons pas le hic de ce nunc, ni le quid de ce quod.

Négligeant l'intervention du perroquet, Gabriel répondit en ces termes à ses précédents interlocuteurs.

— Pourquoi ? Vous me demandez pourquoi ? Ah, l'étrange

---

1. Jeu de mots sur *faire du foin*, faire du grabuge, du bruit.

question lorsqu'on ne sait qui que quoi y répondre soi-même. Pourquoi ? Oui, pourquoi ? vous me demandez pourquoi ? Oh ! laissez-moi, en cet instant si doux, évoquer cette fusion de l'existence et du presque pourquoi qui s'opère dans les creusets du nantissement et des arrhes. Pourquoi pourquoi pourquoi, vous me demandez pourquoi ? Eh bien, n'entendez-vous pas frissonner les gloxinias[1] le long des épithalames[2] ?

— C'est pour nous que tu dis ça ? demanda Charles qui faisait souvent les mots croisés.

— Non, du tout, répondit Gabriel. Mais, regardez ! Regardez !

Un rideau de velours rouge se magnifiquement divisa selon une ligne médiane laissant apparaître aux yeux des visiteurs émerveillés le bar, les tables, le podium et la piste du Mont-de-piété, la plus célèbre de toutes les boîtes de tantes de la capitale, et c'est pas ça qui manque, asteure encore seulement et faiblement animée par la présence aberrante et légèrement anormale des disciples du cicéron Gabriel au milieu desquels trônait et pérorait l'enfant Zazie.

— Faites place, nobles étrangers, leur dit Gabriel.

Ayant toute confiance en lui, ils se remuèrent pour permettre aux nouveaux venus de s'insérer au milieu d'eux. Le mélange opéré, on installa Laverdure au bout d'une table. Il manifesta sa satisfaction en foutant des graines de soleil un peu partout autour de lui.

Un Écossaise, simple loufiat attaché à l'établissement, considéra le personnage et fit part à haute voix de son opinion.

---

1. Plante d'intérieur originaire du Brésil.
2. Poème composé à l'occasion d'un mariage.

— Y a des cinglés tout de même, qu'il déclara. Moi, la terre verte[1]…

— Grosse fiotte[2], dit Turandot. Si tu te crois raisonnable avec ta jupette.

— Laisse-le tranquille, dit Gabriel, c'est son instrument de travail. Quant à Laverdure, ajouta-t-il pour l'Écossaise, c'est moi qui lui ai dit de venir, alors tu vas la boucler et garder tes réflexions pour ta personne.

— Ça c'est causer, dit Turandot en dévisageant l'Écossaise d'un air victorieux. Et avec ça, ajouta-t-il, qu'est-ce qu'on nous offre? Du champagne, ou quoi?

— Ici c'est obligatoire, dit l'Écossaise. À moins que vous preniez le ouisqui. Si vous savez ce que c'est.

— Imdemande ça, s'esclama Turandot, à moi qui suis dans la limonade!

— Fallait le dire, dit l'Écossaise en brossant sa jupette du revers de la main.

— Eh bien gy, dit Gabriel, apporte-nous la bibine gazeuse de l'établissement.

— Combien de bouteilles?

— Ça dépend du prix, dit Turandot.

— Puisque je te dis que c'est moi qui régale, dit Gabriel.

— Je défendais tes intérêts, dit Turandot.

— Ce qu'elle est près de ses sous, remarqua l'Écossaise en pinçant l'oreille du cafetier et en s'éloignant aussitôt. J'en apporterai une grosse.

— Une grosse quoi? demanda Zazie en se mêlant tout à coup à la conversation.

— I veut dire douze douzaines de bouteilles, espliqua Gabriel qui voit grand.

---

1. La terre verte est un colorant; mais la terre jaune, en argot, c'est l'anus…

2. Homosexuel (argotique, injurieux).

Zazie daigna s'occuper alors des nouveaux arrivants.

— Eh, l'homme au taxi, qu'elle dit à Charles, paraît qu'on se marie ?

— Paraît, répondit succinctement Charles.

— En fin de compte, vous avez trouvé quelqu'un à vott goût.

Zazie se pencha pour regarder Madeleine.

— C'est elle ?

— Bonjour, mademoiselle, dit aimablement Madeleine.

— Salut, dit Zazie.

Elle se tourna du côté de la veuve Mouaque pour l'affranchir.

— Ces deux-là, qu'elle lui dit en désignant du doigt les personnes en cause, ils se marient.

— Oh ! que c'est émouvant, s'esclama la veuve Mouaque. Et mon pauvre Trouscaillon qu'est peut-être en train d'attraper un mauvais coup, par cette nuit noire. Enfin (soupir), il a choisi ce métier-là (silence). Ce serait comique si je devenais veuve une seconde fois avant même d'être mariée.

Elle eut un petit rire perçant.

— Qui c'est, cette dingue ? demanda Turandot à Gabriel.

— Sais pas. Depuis staprès-midi, elle nous colle aux chausses avec un flicard qu'elle a récolté en chemin.

— Lequel c'est, le flicard ?

— Il est allé faire un tour.

— Ça me plaît pas, cette compagnie, dit Charles.

— Oui, dit Turandot. C'est pas sain.

— Vous en faites pas, dit Gabriel. Vous vous inquiétez pour un rien. Tenez, vlà la bibine. Hourra ! Gobergez-vous, amis et voyageurs, et toi, nièce chérie, et vous, tendres fiancés. C'est vrai ! faut pas les oublier, les fiancés. Un tôste ! Un tôste pour les fiancés !

Les voyageurs, attendris, chantèrent en chœur apibeursdè

touillou et quelques serviteurs écossaises, émus, écrasèrent la larme qui leur aurait gâché leur rimmel.

Puis Gabriel tapa sur un verre avec un estracteur de gaz et l'attention générale aussitôt obtenue, car tel était son prestige, il s'assit à califourchon sur une chaise et dit :

— Alors, mes agneaux et vous mes brebis mesdames, vous allez enfin avoir un aperçu de mes talents. Depuis longtemps certes vous savez, et quelques-uns d'entre vous ne l'ignorent plus depuis peu, que j'ai fait de l'art choré-graphique le pis principal de la mamelle de mes revenus. Il faut bien vivre, n'est-ce pas ? Et de quoi vit-on ? je vous le demande. De l'air du temps bien sûr — du moins en partie, dirai-je, et l'on en meurt aussi — mais plus capitalement de cette substantifique moelle qu'est le fric. Ce produit melli-fluent, sapide et polygène s'évapore avec la plus grande faci-lité cependant qu'il ne s'acquiert qu'à la sueur de son front du moins chez les esploités de ce monde dont je suis et dont le premier se prénomme Adam que les Élohim tyran-nisèrent comme chacun sait. Bien que sa planque en Éden ne semble pas onéreuse pour eux aux yeux et selon le juge-ment des humains actuels, ils l'envoyèrent aux colonies gratter le sol pour y faire pousser le pamplemousse tandis qu'ils interdisaient aux hypnotiseurs d'aider la conjointe dans ses parturitions et qu'ils obligeaient les ophidiens à mettre leurs jambes à leur cou. Billevesées, bagatelles et bibleries de mes deux. Quoi qu'il en soit j'ai oint la jointure de mes genoux avec la dite sueur de mon front et c'est ainsi qu'édénique et adamiaque, je gagne ma croûte. Vous allez me voir en action dans quelques instants, mais attention ! ne vous y trompez pas, ce n'est pas du simple sliptize que je vous présenterai, mais de l'art ! De l'art avec un grand a, faites bien gaffe ! De l'art en quatre lettres, et les mots de quatre lettres sont incontestablement supérieurs et aux mots de trois lettres qui charrient tant de grossièretés à travers le majestueux courant de la langue française, et aux mots de cinq qui n'en véhiculent pas moins. Arrivé au terme de mon discours, il ne me reste plus qu'à vous manifester toute ma gratitude et toute ma reconnaissance pour les applaudissements innombrables que vous ferez crépiter en mon honneur et pour ma plus grande gloire. Merci! D'avance, merci! Encore une fois, merci!

Et, se levant d'un bond avec une souplesse aussi singulière qu'inattendue, le colosse fit quelques entrechats en agitant ses mains derrière ses omoplates pour simuler le vol du papillon.

Cet aperçu de son talent suscita chez les voyageurs un enthousiasme considérable.

— Go, femme[1], qu'ils s'écrièrent pour l'encourager.

— Va hi, hurla Turandot qui n'avait jamais bu d'aussi bonne bibine.

— Oh! la bruyante, dit un serviteur écossaise.

Tandis que de nouveaux clients arrivaient par grappes, déversés par les autocars familiers de ces lieux, Gabriel brusquement, revenait s'asseoir, l'air sinistre.

— Ça ne va pas, meussieu Gabriel? demanda gentiment Madeleine.

— J'ai le trac.

— Coyon, dit Charles.

— C'est bien ma veine, dit Zazie.

— Tu vas pas nous faire ça, dit Turandot.

— Tu causes, tu causes, dit Laverdure, c'est tout ce que tu sais faire.

— Elle a de l'à-propos, cette bête, dit un serviteur écossaise.

— Te laisse pas impressionner, Gaby, dit Turandot.

---

1. Jeu de mots sur *Go home* (rentrez chez vous!).

— Imagine-toi qu'on est des gens comme les autres, dit Zazie.

— Pour me faire plaisir, dit la veuve Mouaque en minaudant.

— Vous, dit Gabriel, je vous emmerde. Non, mes amis, ajouta-t-il à l'intention des autres, non, c'est pas seulement ça (soupir) (silence), mais j'aurais tellement aimé que Marceline puisse m'admirer, elle aussi.

On annonçait que le spectacle allait commencer par une caromba[1] dansée par des Martiniquais tout à fait chous.

_____

1. Mot-valise (*caramba* et *rumba*, danse cubaine).

15

Marceline s'était endormie dans un fauteuil. Quelque chose la réveilla. Elle regarda l'heure d'un œil clignotant, n'en tira aucune conclusion spéciale et, enfin, comprit que l'on toquait à la porte, très discrètement.

Elle éteignit aussitôt la lumière et ne bougea pas. Ça ne pouvait pas être Gabriel parce que quand il rentrerait avec les autres, ils feraient naturellement un chabanais[1] à réveiller le quartier. C'était pas non plus la police, vu que le soleil n'était pas encore levé. Quant à l'hypothèse d'un casseur convoitant les éconocroques à Gabriel, elle prêtait à sourire.

Il y eut un silence, puis on se mit à tourner la poignée. Ceci ne donnant aucun résultat, on se mit à trifouiller dans la serrure. Ça dura un certain temps. Il est pas trop calé, se dit Marceline. La porte finalement s'ouvrit.

Le type n'entra pas tout de suite. Marceline respirait si faiblement et astucieusement que l'autre ne devait pas pouvoir l'entendre.

Enfin il fit un pas. Il tâtonnait en cherchant le commutateur. Il parvint à le trouver et la lumière se fit dans le vestibule.

---

1. Tapage (argot).

Marceline reconnut tout de suite la silhouette du type : c'était le soi-disant Pédro-surplus. Mais lorsqu'il eut allumé dans la pièce où elle se trouvait, Marceline crut s'être trompée car le personnage présent ne portait ni bacchantes ni verres fumés.

Il tenait ses chaussures à la main et souriait.

— Je vous fous la trouille, hein ? qu'il demanda galamment.

— Nenni, répondit doucement Marceline.

Et tandis que, s'étant assis, il remettait en silence ses tatanes, elle constata qu'elle n'avait pas commis d'erreur dans sa première identification. C'était bien le type que Gabriel avait jeté dans l'escalier.

Une fois chaussé, il regarda de nouveau Marceline en souriant.

— Cette fois-ci, qu'il dit, j'accepterais bien un verre de grenadine.

— Pourquoi « cette fois-ci » ? demanda Marceline, en roulant les derniers mots de sa question entre des guillemets.

— Vous ne me reconnaissez pas ?

Marceline hésita, puis en convint (geste).

— Vous vous demandez ce que je viens faire ici à une pareille heure ?

— Vous êtes un fin psychologue, meussieu Pédro.

— Meussieu Pédro ? Pourquoi ça « meussieu Pédro » ? demanda le type très intrigué, en agrémentant meussieu Pédro de quelques guillemets.

— Parce que c'est comme ça que vous vous appeliez ce matin, répondit doucement Marceline

— Ah oui ? fit le type d'un air désinvolte. J'avais oublié. (silence)

— Eh bien ? reprit-il, vous ne me demandez pas ce que je viens faire ici à pareille heure ?

— Non, je ne vous le demande pas.

— C'est malheureux, dit le type, parce que je vous aurais répondu que je suis venu pour accepter l'offre d'un verre de grenadine.

Marceline s'adressa silencieusement la parole à elle-même pour se communiquer la réflexion suivante :

— Il a envie que je lui dise que c'est idiot, son prétexte, mais je ne lui ferai pas ce plaisir, ah mais non.

Le type regarde autour de lui.

— C'est là-dedans (geste) que ça se trouve ?

Il désigne le buffet genre hideux.

Comme Marceline ne répond pas, il hausse les épaules, se lève, ouvre le meuble, sort la bouteille et deux verres.

— Vous en prendrez bien un peu ? qu'il propose.

— Ça m'empêcherait de dormir, répond doucement Marceline.

Le type n'insiste pas. Il boit.

— C'est vraiment dégueulasse, qu'il remarque incidemment.

Marceline, elle, ne fait aucun commentaire.

— Ils sont pas encore rentrés ? demande le type juste pour dire quelque chose.

— Vous le voyez bien. Sans ça vous seriez déjà en bas.

— Gabriella, fait le type rêveusement (un temps). Marant (un temps). Positivement marant.

Il finit son verre.

— Pouah, murmure-t-il.

Il y a de nouveau du silence dans l'air.

Enfin le type se décide.

— Voilà, qu'il dit, j'ai un certain nombre de questions à vous poser.

— Posez, dit doucement Marceline, mais je n'y répondrai pas.

— Il faut, dit le type. Je suis l'inspecteur Bertin Poirée[1]. Ça fait rire Marceline.

— Voilà ma carte, dit le type vexé.

Et, de loin, il la montre à Marceline.

— Elle est fausse, dit Marceline. Ça se voit au premier coup d'œil. Et puis si vous étiez un véritable inspecteur, vous sauriez qu'on ne mène pas une enquête comme ça. Vous ne vous êtes même pas donné la peine de lire un roman policier, un français bien sûr, où vous l'auriez appris. Y a de quoi vous faire casser : effraction de serrure, violation de domicile…

— Et peut-être violation d'autre chose.

— Pardon ? demanda doucement Marceline.

— Bin voilà, dit le type, j'ai un sacré béguin pour vous. Dès que je vous ai vue, je me suis dit : je pourrais plus vivre sur cette terre si je ne me la farcis pas un jour ou l'autre, alors je me suis ajouté : autant que ça soye le plus vite possible. Je peux pas attendre, moi. Je suis un impatient : c'est mon caractère. Alors donc je me suis dit : ce soir, j'aurai ma chance puisqu'elle, la divine — c'est vous — sera toute seulette dans son nid, vu que tout le reste de la maisonnée cet imbécile de Turandot compris iront[2] au Mont-de-piété pour admirer les gambades de Gabriella. Gabriella ! (silence). Marant (silence). Positivement marant.

— Comment savez-vous tout ça ?

— Parce que je suis l'inspecteur Bertin Poirée.

— Vous charriez nettement, dit Marceline en changeant brusquement de vocabulaire. Avouez que vous êtes un faux flic.

---

1. Il y a à Paris, Ier arrondissement, une rue Bertin-Poirée.
2. Il faudrait « ira », le sujet étant « tout le reste ». Accord (incorrect, mais Queneau s'amuse) par le sens.

— Vous croyez qu'un flic — comme vous dites — peut pas être amoureux ?

— Alors vous êtes trop con.

— Y a des flics qui sont pas bien forts.

— Mais vous, vous êtes gratiné.

— Alors, c'est tout l'effet que ça vous fait ma déclaration ? Ma déclaration d'amour ?

— Vous ne vous imaginez tout de même pas que je vais m'allonger comme ça : à la demande.

— Je pense sincèrement que mon charme personnel ne vous laissera pas indifférente, finalement.

— Qu'est-ce qu'il ne faut pas entendre !

— Vous verrez. Un bout de conversation, et mon pouvoir séducteur opérera.

— Et s'il opère pas ?

— Alors je vous saute dessus. Aussi sec.

— Eh bien, allez-y. Essayez.

— Oh j'ai le temps. C'est seulement en dernier recours que j'utiliserai ce moyen que ma conscience n'approuve pas entièrement, faut dire.

— Vous devriez vous presser. Gabriel va bientôt rentrer maintenant.

— Oh non. Ce soir, c'est un coup de six heures du matin.

— Pauvre Zazie, dit doucement Marceline, elle va être bien fatiguée, elle qui doit reprendre le train à six heures soixante.

— On s'en fout de Zazie. Les gosselines[1], ça m'écœure, c'est aigrelet, beuhh. Tandis qu'une belle personne comme vous... crénom.

— N'empêche que ce matin vous lui couriez aux trousses, à cette pauvre petite.

— On peut pas dire. C'est moi qui vous l'ai ramenée. Et

_____
1. Gamines (vieilli).

puis je ne faisais que commencer ma journée. Mais lorsque je vous ai vue…

Le visiteur du soir regarda Marceline en se donnant un air de grande mélancolie, puis il saisit énergiquement la bouteille de grenadine pour emplir de ce breuvage un verre dont il avala le contenu, en reposant sur la table la partie incomestible, comme on fait de l'os de la côtelette ou de l'arête de la sole.

— Beuouahh, fit-il en déglutissant la boisson qu'il avait lui-même élue et à laquelle il venait de faire subir le traitement expéditif dont est coutumière la vodka.

Il essuya ses lèvres gluantes avec le revers de sa main (gauche) et, sur ce, commença la séance de charme annoncée.

— Moi, qu'il dit comme ça, je suis un volage. La mouflette cambrousarde, elle m'intéressait pas malgré ses histoires meurtrières. Je vous parle là de la matinée. Mais, dans la journée, voilà-t-il pas que je tombe une rombière de la haute, à première vision. La baronne Mouaque. Une veuve. Elle m'a dans l'épiderme. En cinq minutes, sa vie était chamboulée. Faut dire qu'à ce moment-là j'étais revêtu de mes plus beaux atours d'agent de la circulation. J'adore ça. Je m'amuse avec cet uniforme, vous pouvez pas vous en faire une idée. Ma plus grande joie, c'est de siffler un taxi et de monter dedans. Le cancrelat au volant, il en revient pas. Et je me fais ramener chez moi. Soufflé, le cancrelat (silence). Peut-être me trouvez-vous un peu snob ?

— Chacun ses goûts.

— Je ne vous charme toujours pas ?

— Non.

Bertin Poirée toussota deux trois coups, puis reprit en ces termes :

— Faut que je vous raconte comment je l'ai rencontrée, la veuve.

— On s'en fout, dit doucement Marceline.

— En tout cas, je l'ai fourguée au Mont-de-piété. Moi, les évolutions de Gabriella (Gabriella!), vous pensez si ça me laisse terne. Tandis que vous... vous me faites briller.

— Oh! meussieu Pédro-surplus, vous n'avez pas honte?

— Honte... honte... c'est vite dit. Est-on délicat lorsqu'on jase? (un temps) Et puis, ne m'appelez pas Pédro-surplus. Ça m'agace. C'est un blase[1] que j'ai inventé sur l'instant, comme ça, à l'intention de Gabriella (Gabriella!), mais j'y suis pas habitué, je l'ai jamais utilisé. Tandis que j'en ai d'autres qui me conviennent parfaitement.

— Comme Bertin Poirée?

— Par egzemple. Ou bien encore celui que j'adopte lorsque je me vêts en agent de police (silence).

Il parut inquiet.

— Je me vêts, répéta-t-il douloureusement. C'est français ça : je me vêts? Je m'en vais, oui, mais : je me vêts? Qu'est-ce que vous en pensez, ma toute belle?

— Eh bien, allez-vous-en.

— Ça n'est pas du tout dans mes intentions. Donc, lorsque je me vêts...

— Déguise...

— Mais non! pas du tout!! ce n'est pas un déguisement!!! qu'est-ce qui vous a dit que je n'étais pas un véritable flic?

Marceline haussa les épaules.

— Eh bien vêtez-vous.

— Vêtissez-vous, ma toute belle. On dit : vêtissez-vous.

Marceline s'esclaffa.

— Vêtissez-vous! vêtissez-vous! Mais vous êtes nul. On dit : vêtez-vous.

— Vous ne me ferez jamais croire ça.

_____
1. Nom (argot).

Il avait l'air vexé.

— Regardez dans le dictionnaire.

— Un dictionnaire? mais j'en ai pas sur moi de dictionnaire. Ni même à la maison. Si vous croyez que j'ai le temps
de lire. Avec toutes mes occupations.

— Y en a un là-bas (geste).

— Fichtre, dit-il impressionné. C'est que vous êtes en
plus une intellectuelle.

Mais il bougeait pas.

— Vous voulez que j'aille le chercher? demanda doucement Marceline.

— Non, j'y vêts.

L'air méfiant, il alla prendre le livre sur une étagère en
s'efforçant de ne pas perdre de vue Marceline. Puis, revenu
avec le bouquin, il se mit à le consulter péniblement et s'absorba complètement dans ce travail.

— Voyons voir... vésubie... vésuve... vetter... véturie,
mère de Coriolan... ça y est pas.

— C'est avant les feuilles roses qu'il faut regarder.

— Et qu'est-ce qu'il y a dans les feuilles roses? des
cochonneries, je parie... j'avais pas tort, c'est en latin...
«fèr' ghiss ma-inn nich't'[1], veritas odium ponit[2], victis
honos[3]... », ça y est pas non plus.

— Je vous ai dit: avant les feuilles roses.

— Merde, c'est d'un compliqué... Ah! enfin, des mots
que tout le monde connaît... vestalat... vésulien... vétilleux... euse... ça y est! Le voilà! Et en haut d'une page
encore. Vêtir. Y a même un accent circonchose. Oui: vêtir.
Je vêts... là, vous voyez si je m'esprimais bien tout à
l'heure. Tu vêts, il vêt, nous vêtons, vous vêtez... vous

---

1. Transcription de *vergiss mein nicht*, ne m'oubliez pas.
2. Formule latine proverbiale : la franchise engendre la haine.
3. « Honneur aux vaincus. »

vêtez… c'est pourtant vrai… vous vêtez… marant… positivement marant… Tiens… Et dévêtir?… regardons dévêtir… voyons voir… déversement… déversoir… dévêtir… Le vlà. Dévêtir vé té se conje comme vêtir. On dit donc dévêtez-vous. Eh bien, hurla-t-il brusquement, eh bien, ma toute belle, dévêtez-vous! Et en vitesse! À poil! à poil!

Et ses yeux étaient injectés de sang. Et d'autant plus d'ailleurs que Marceline s'était totalement non moins que brusquement éclipsée.

S'aidant des harpes[1] le long de la descente, une valoche à la main, elle se déplaçait le long du mur avec la plus grande aisance et n'avait plus qu'un petit saut de trois mètres et quelque pour terminer son itinéraire.

Elle disparut au coin de la rue.

---

1. Pierres en saillie de la façade.

Trouscaillon avait de nouveau revêtu son uniforme de flicmane. Sur la petite place non loin du Mont-de-piété, il attendait, mélancolieux, la fermeture de cet établissement. Il regardait pensivement (semblait-il) un groupe de clochards qui dormaient sur le gril d'un puits de métro, goûtant la tiédeur méditerranéenne que dispense cette bouche et qu'une grève n'avait pas suffi à rafraîchir. Il médita quelques instants ainsi sur la fragilité des choses humaines et sur les projets des souris qui n'aboutissent pas plus que ceux des anthropoïdes [1], puis il se prit à envier — quelques instants seulement, faut pas egzagérer — le sort de ces déshérités, déshérités peut-être mais libérés du poids des servitudes sociales et des conventions mondaines. Trouscaillon soupira.

Un sanglot pire lui fit écho, ce qui porta le trouble dans la rêverie trouscaillonne. Kèss kèss kèss, se dit la rêverie trouscaillonne en revêtant à son tour l'uniforme de flicmane et, en faisant le tour de l'ombre d'un œil minutieux,

---

1. Paraphrase du passage suivant d'un poème de Robert Burns : « Les plans les mieux conçus des souris et des hommes souvent n'aboutissent pas », qui inspira à John Steinbeck le titre de son roman *Des souris et des hommes*.

elle découvrit l'origine de l'intervention sonore en la personne d'un kidan[1] assis coi sur un banc. Trouscaillon s'en approcha non sans avoir pris les précautions d'usage. Les clochards, eux, continuaient à dormir, en ayant senti passer d'autres.

L'individu prétendait somnoler, ce qui ne rassura pas Trouscaillon mais ne l'empêcha point cependant de lui adresser la parole en ces termes :

— Que faites-vous en ces lieux ? Et à une heure si tardive ?

— Est-ce que ça vous regarde ? répondit le dénommé X.

Trouscaillon s'était d'ailleurs posé la même question dans le temps qu'il dévidait les siennes. Oui, en quoi cela le regardait-il ? C'était le métier qui voulait ça, le métier de l'enveloppe, mais, depuis qu'il avait perdu Marceline, il aurait eu tendance à attendrir le cuir de son comportement dans le sperme de ses desiderata. Combattant cette funeste inclination, il poursuivit ainsi la conversation :

— Oui, qu'il dit, ça me concerne.

— Alors, dit l'homme, dans ce cas-là, c'est différent.

— M'autorisez-vous donc à de nouveau formuler la proposition interrogative qu'il y a quelques instants j'énonça devant vous ?

— J'énonçai, dit l'obscur.

— J'énonçais, dit Trouscaillon.

— J'énonçai sans esse.

— J'énonçai, dit enfin Trouscaillon. Ah ! la grammaire c'est pas mon fort. Et c'est ça qui m'en a joué des tours. Passons. Alors ?

— Alors quoi ?

— Ma question.

— Bin, dit l'autre, je l'ai oubliée. Depuis le temps.

---

1. Pour *quidam*, individu quelconque.

— Alors, faut que je recommence?

— On dirait.

— Quelle fatigue.

Trouscaillon s'abstint de soupirer, craignant une réaction de la part de son interlocuteur.

— Allez, lui dit celui-ci cordialement, faites un petit effort.

Trouscaillon en fit un vache:

— Nom prénoms date de naissance lieu de naissance numéro d'immatriculation de la sécurité sociale numéro de compte en banque livret de caisse d'épargne quittance de loyer quittance d'eau quittance de gaz quittance d'électricité carte hebdomadaire de métro carte hebdomadaire d'autobus facture lévitan[1] prospectus frigidaire trousseau de clé cartes d'alimentation blanc-seing laissez-passer bulle du pape et tutti frutti aboulez-moi sans phrase votre documentation. Et encore j'aborde pas la question automobile carte grise lampion de sûreté passeport international et tutti quanti parce que tout ça, ça doit pas être dans vos moyens.

— Meussieu l'agent, vous voyez le car (geste) là-bas?

— Oui.

— C'est moi qui le conduis.

— Ah.

— Bin, dites-moi, vous n'êtes pas très fort. Vous m'avez pas encore reconnu?

Trouscaillon, un peu rassuré, alla s'asseoir à côté de lui.

— Vous permettez? qu'il demanda.

— Faites donc.

— C'est xa n'est pas très réglementaire.

(silence)

— Il est vrai, reprit Trouscaillon, pour ce qui est du règlement, j'ai nettement charrié aujourd'hui.

---

1. Lévitan, marchand de meubles bien connu.

— Pépins ?

— Noyaux.

(silence)

Trouscaillon ajouta :

— À cause des femmes.

(silence)

Trouscaillon poursuivit :

— ... j'ai la confession qui m'étrangle la pipe [1]... la confession... enfin la racontouse, quoi... j'en ai tout de même un bout à dégoiser...

(silence)

— Bien sûr, dit Fédor Balanovitch.

Un moustique vola dans la cônerie [2] de la lueur d'un réverbère. Il voulait se réchauffer avant de piquer de nouvelles peaux. Il y réussit. Son corps calciné chut lentement sur l'asphalte jaune.

— Alors allez-y, dit Fédor Balanovitch, sinon c'est moi qui raconte.

— Non, non, dit Trouscaillon, parlons encore un peu de moi.

Après s'être gratté le cuir chevelu d'un ongle rapace et moissonneur, il prononça des mots auxquels il ne manqua pas de donner une certaine teinte d'impartialité et même de noblesse. Ces mots, les voici :

— Je ne vous dirai rien de mon enfance ni de ma jeunesse. De mon éducation, n'en parlons point, je n'en ai pas, et de mon instruction je n'en parlerai guère car j'en ai peu. Sur ce dernier point, voilà qui est fait. J'en arrive donc maintenant à mon service militaire sur lequel je n'insisterai pas. Célibataire depuis mon plus jeune âge, la vie m'a fait ce que je suis.

---

1. Le gosier (argot).
2. Mot-valise (*cône* et *connerie*).

Il s'interrompit pour rêvasser un brin.

— Eh bin, continuez, dit Fédor Balanovitch. Sans ça je commence.

— Décidément, dit Trouscaillon, ça tourne pas rond... et tout ça à cause de la femme que je rencontra ce matin.

— Que je rencontrai.

— Que je rencontrais.

— Que je rencontrai sans esse.

— Que je rencontrai.

— La rombière que Gabriel traîne après lui?

— Oh non. Pas celle-là. D'ailleurs celle-là, elle m'a déçu. Elle m'a laissé courir à mes occupations, et quelles occupations, sans même faire des simagrées pour me retenir, tout ce qu'elle voulait, c'est voir danser Gabriella. Gabriella... marant... positivement marant.

— C'est le mot, dit Fédor Balanovitch. Y a rien de comparable au numéro de Gabriel sur la place de Paris et je vous assure que j'en connais un bout sur le bâille-naïte de cette cité.

— Vous en avez de la veine, dit Trouscaillon distraitement.

— Mais je l'ai vu si souvent, le numéro de Gabriel, que maintenant j'en ai soupé, c'est le cas de le dire. Et puis, il ne se renouvelle pas. Les artisses, qu'est-ce que vous voulez, c'est souvent comme ça. Une fois qu'ils ont trouvé un truc, ils l'esploitent à fond. Faut reconnaître qu'on est tous un peu comme ça, chacun dans son genre.

— Moi pas, dit Trouscaillon avec simplicité. Moi, mes trucs, je les varie constamment.

— Parce que vous avez pas encore trouvé le bon. Voilà: vous vous cherchez. Mais une fois que vous aurez obtenu un résultat appréciable, vous vous en tiendrez là. Parce que jusqu'à présent ce que vous avez obtenu comme résultats, ça ne doit pas être bien brillant. Y a qu'à vous regarder : vous avez l'air d'un minable.

— Même avec mon uniforme ?

— Ça n'arrange rien.

Accablé, Trouscaillon se tut.

— Et, reprit Fédor Balanovitch, à quoi ça rime ?

— Je ne sais pas trop. J'attends madame Mouaque.

— Eh bien, moi, j'attends tout simplement mes cons pour les ramener à leur auberge, car ils doivent partir à la première heure pour Gibraltar aux anciens parapets. Tel est leur itinéraire.

— Ils en ont de la veine, murmura Trouscaillon distraitement.

Fédor Balanovitch haussa les épaules et ne daigna pas commenter ce propos.

C'est alors que des clameurs se firent entendre : le Mont-de-piété fermait.

— Pas trop tôt, dit Fédor Balanovitch.

Il se lève et se dirige vers son autocar. Il s'en va comme ça, sans formule de politesse.

Trouscaillon se lève à son tour. Il hésite. Les clochards dorment. Le moustique est mort.

Fédor Balanovitch donne quelques coups de claqueson pour réunir ses agneaux. Ceux-ci se congratulent sur la bonne, l'excellente soirée qu'ils ont passée et charabiaïsent à kimieumieu en voulant transmettre ce message dans la langue autochtone. On se dit adieu. Les éléments féminins veulent embrasser Gabriel, les masculins n'osent pas.

— Un peu moins de ramdam, dit l'amiral.

Les voyageurs montent peu à peu dans le car. Fédor Balanovitch bâille.

Dans sa cage, au bout du bras de Turandot, Laverdure s'est endormi. Zazie résiste courageusement : elle n'imitera pas Laverdure. Charles est allé chercher son bahut.

— Alors, mon coquin, dit la veuve Mouaque en voyant arriver Trouscaillon, vous vous êtes bien amusé?

— Point de trop, point de trop, dit Trouscaillon.

— Nous, ce qu'on a pu se distraire. Meussieu est d'un drôle.

— Merci, dit Gabriel. N'oubliez pas l'art tout de même. Y a pas que la rigolade, y a aussi l'art.

— I sramène pas vite avec son bahut, dit Turandot.

— Elle s'est bien amusée? demande l'amiral en considérant l'animal le bec sous son aile.

— Ça lui fera des souvenirs, dit Turandot.

Les derniers voyageurs ont regagné leur place. Ils enverront des cartes postales (gestes).

— Ho ho! crie Gabriel, adios amigos, tchinn tchinn, à la prochaine...

Et le car s'éloigne emportant ses étrangers ravis. Le jour même, à la première heure, ils partiront pour Gibraltar aux anciens parapets. Tel est leur itinéraire.

Le taxi de Charles vient se ranger le long du trottoir.

— Y a des gens en trop, remarque Zazie.

— Ça n'a aucune importance, dit Gabriel, maintenant on va aller se taper une soupe à l'oignon.

— Merci, dit Charles. Moi, je rentre.

Aussi sec.

— Alors, Mado, tu viens?

Madeleine monte et s'assoit à côté de son futur.

— Au revoir tout le monde, qu'elle crie par la portière, et merci pour la bonne... et merci pour l'ec...

Mais on n'entend pas le reste. Le taxi est déjà loin.

— Si on était en Amérique, dit Gabriel, on leur aurait foutu du riz dessus.

— T'as vu ça dans les vieux films, dit Zazie. Maintenant à la fin ils se marient moins que dans le temps. Moi, je préfère quand ils crèvent tous.

— J'aime mieux le riz, dit la veuve Mouaque.

— On vous a pas sonnée, dit Zazie.

— Mademoiselle, dit Trouscaillon, vous devriez être plus polie avec une ancienne.

— Ce qu'il est beau quand il prend ma défense, dit la veuve Mouaque.

— En route, dit Gabriel. Je vous emmène Aux Nyctalopes. C'est là où je suis le plus connu.

La veuve Mouaque et Trouscaillon suivent le mouvement.

— T'as vu? dit Zazie à Gabriel, la rombière et le flic qui nous colochaussent.

— On peut pas les empêcher, dit Gabriel. Ils sont bien libres.

— Tu peux pas leur faire peur? Je veux plus les voir.

— Faut montrer plus de compréhension humaine que ça, dans la vie.

— Un flic, dit la veuve Mouaque qui avait tout entendu, c'est quand même un homme.

— J'offre une tournée, dit Trouscaillon timidement.

— Ça, dit Gabriel, rien à faire. Ce soir, c'est moi qui régale.

— Rien qu'une petite tournée, dit Trouscaillon d'une voix suppliante. Du muscadet par egzemple. Quelque chose dans mes moyens.

— Écorne pas ta dot, dit Gabriel, moi c'est différent.

— D'ailleurs, dit Turandot, tu vas nous offrir rien du tout. T'oublies que t'es flic. Moi qui suis dans la limonade, jamais je servirais un flic qui amènerait une bande de gens avec lui pour leur arroser la dalle.

— Vous êtes pas forts, dit Gridoux. Vous le reconnaissez pas? C'est le satyre de ce matin.

Gabriel se pencha pour l'egzaminer plus attentivement. Tout le monde, même Zazie parce que fort surprise et vexée à la fois, attendit le résultat de l'inspection. Trouscaillon, tout le premier, conservait un silence prudent.

— Qu'est-ce que t'as fait de tes moustaches? lui demanda Gabriel d'une voix paisible et redoutable à la fois.

— Vous allez pas lui faire du mal, dit la veuve Mouaque.

D'une main, Gabriel saisit Trouscaillon par le revers de sa vareuse et le porta sous la lueur d'un réverbère pour compléter son étude.

— Oui, dit-il. Et tes moustaches?

— Je les ai laissées chez moi, dit Trouscaillon.

— Et en plus c'est donc vrai que t'es un flic?

— Non, non, s'écria Trouscaillon, C'est un déguisement... juste pour m'amuser... pour vous amuser... c'est comme vott tutu... c'est le même tabac..

— Le même passage à tabac, dit Gridoux inspiré.

— Vous allez tout de même pas lui faire du mal, dit la veuve Mouaque.

— Ça demande des esplications, dit Turandot, en surmontant son inquiétude.

— Tu causes, tu causes... dit faiblement Laverdure et il se rendormit.

Zazie la bouclait. Dépassée par les événements, accablée par la somnolence, elle essayait de trouver une attitude à la fois adéquate à la situation et à la dignité de sa personne, mais n'y parvenait point.

Soulevant Trouscaillon le long du réverbère, Gabriel le regarda de nouveau en silence, le reposa délicatement sur ses pieds et lui adressa la parole en ces termes:

— Et qu'est-ce que t'as à nous suivre comme ça?

— C'est pas vous qu'il suit, dit la veuve Mouaque, c'est moi.

— C'est ça, dit Trouscaillon. Vous savez peut-être pas... mais quand on est mordu pour une mousmé...

— Qu'est-ce que (oh qu'il est mignon) t'insinues (il m'a

appelée) sur mon compte (une mousmé), dirent, synchrones, Gabriel (et la veuve Mouaque), l'un avec fureur, (l'autre avec ferveur).

— Pauvre andouille, continua Gabriel en se tournant vers la dame, il vous raconte pas tout ce qu'il fait.

— J'ai pas encore eu le temps, dit Trouscaillon.

— C'est un dégoûtant satyre, dit Gabriel. Ce matin, il a coursé la petite jusque chez elle. Ignoble.

— T'as fait ça ? demanda la veuve Mouaque bouleversée.

— Je ne vous connaissais pas encore, dit Trouscaillon.

— Il avoue ! hurla la veuve Mouaque.

— Il a avoué ! hurlèrent Turandot et Gridoux.

— Ah ! tu avoues ! dit Gabriel d'une voix forte.

— Pardon ! cria Trouscaillon, pardon !

— Le salaud ! brailla la veuve Mouaque.

Ces vociférantes exclamations firent hors de l'ombre surgir deux hanvélos.

— Tapage nocturne, qu'ils hurlèrent les deux hanvélos, chahut lunaire, boucan somnivore, médianoche gueulante, ah çà mais c'est que, qu'ils hurlaient les deux hanvélos.

Gabriel, discrètement, cessa de tenir Trouscaillon par les revers de sa vareuse.

— Minute, s'écria Trouscaillon faisant preuve du plus grand courage, minute, vous m'avez donc pas regardé ? Adspicez[1] mon uniforme. Je suis flicard, voyez mes ailes.

Et il agitait sa pèlerine.

— D'où tu sors, dit le hanvélo qualifié pour engager le dialogue. On t'a jamais vu dans le canton.

— Possible, répondit Trouscaillon animé avec une audace qu'un bon écrivain ne saurait qualifier autrement que d'insensée. Possible, n'empêche que flic je suis, flic je demeure.

---

1. Latinisme : Regardez.

— Mais eux autres, dit le hanvélo d'un air malin, eux autres (gestes), c'est tous des flics ?

— Vous ne voudriez pas. Mais ils sont doux comme l'hysope.

— Tout ça ne me paraît pas très catholique, dit le hanvélo qui causait.

L'autre se contentait de faire des mines. Terrible.

— J'ai pourtant fait ma première communion, répliqua Trouscaillon.

— Oh que voilà une réflexion qui sent peu son flic, s'écria le hanvélo qui causait. Je subodore en toi le lecteur de ces publications révoltées qui veulent faire croire à l'alliance du goupillon et du bâton blanc[1]. Or, vous entendez (et il s'adresse à la ronde), les curés, la police les a là (geste).

Cette mimique fut accueillie avec réserve, sauf par Turandot qui sourit servilement. Gabriel haussa nettement les épaules.

— Toi, lui dit le hanvélo qui causait. Toi, tu pues (un temps). La marjolaine.

— La marjolaine, s'écria Gabriel avec commisération. C'est Barbouze de Fior.

— Oh ! dit le hanvélo incrédule. Voyons voir.

Il s'approcha pour renifler le veston de Gabriel.

— Ma foi, dit-il ensuite presque convaincu. Regardez donc voir, ajouta-t-il à l'intention de son collègue.

L'autre se mit à renifler à son tour le veston de Gabriel. Il hocha la tête.

— Mais, dit celui qui savait causer, je me laisserai pas impressionner. Il pue la marjolaine.

— Je me demande ce que ces cons-là peuvent bien y connaître, dit Zazie en bâillant.

---

1. Jeu sur *l'alliance du sabre et du goupillon* : de l'armée et de l'Église.

— Mazette, dit le hanvélo qui savait causer, vous avez entendu, subordonné? Voilà qui semble friser l'injure.

— C'est pas une frisure, dit Zazie mollement, c'est une permanente.

Et comme Gabriel et Gridoux s'esclaffaient, elle ajouta pour leur usage et agrément:

— C'en est encore une que j'ai trouvée dans les Mémoires du général Vermot.

— Ah mais c'est que, dit le hanvélo. Voilà une mouflette qui se fout de nous comme l'autre avec sa marjolaine.

— C'en est pas, dit Gabriel. Je vous répète: Barbouze de Fior.

La veuve Mouaque s'approcha pour renifler à son tour.

— C'en est, qu'elle dit aux deux hanvélos.

— On vous a pas sonnée, dit celui qui savait pas causer.

— Ça c'est bien vrai, marmonna Zazie. Je lui ai déjà dit ça tout à l'heure.

— Faudrait voir à voir à être poli avec la dame, dit Trouscaillon.

— Toi, dit le hanvélo qui savait causer, tu ferais mieux de ne pas trop attirer l'attention sur ta pomme.

— Faudrait voir à voir, répéta Trouscaillon avec un courage qui émut la veuve Mouaque.

— Est-ce que tu ferais pas mieux d'être couché asteure?

— Ah ah, dit Zazie.

— Fais-nous donc voir tes papiers, dit à Trouscaillon le hanvélo qui savait causer.

— On n'a jamais vu ça, dit la veuve Mouaque.

— Toi, la vieille, ferme ça, dit le hanvélo qui savait pas causer.

— Ah ah! dit Zazie.

— Soyez poli avec madame, dit Trouscaillon qui devenait téméraire.

— Encore un propos de non-flic, dit le hanvélo qui savait causer. Tes papiers, hurla-t-il, et que ça saute.

— Ce qu'on peut se marer, dit Zazie.

— C'est tout de même un peu fort, dit Trouscaillon. C'est à moi qu'on réclame ses papiers maintenant alors que ces gens-là (geste) on leur demande rien.

— Ça, dit Gabriel, ça c'est pas chic.

— Quel fumier, dit Gridoux.

Mais les hanvélos changeaient pas d'idée comme ça.

— Tes papiers, hurlait celui qui savait causer.

— Tes papiers, hurlait celui qui savait pas.

— Tapage nocturne, surhurlèrent à ce moment de nouveaux flics complétés, eux, par un panier à salade. Chahut lunaire, boucan somnivore, médianoche gueulante, ah çà mais c'est que...

Avec un flair parfait, ils subodorèrent les responsables et sans hésiter embarquèrent Trouscaillon et les deux hanvélos. Le tout disparut en un instant.

— Y a tout de même une justice, dit Gabriel.

La veuve Mouaque, elle, se lamentait.

— Faut pas pleurer, lui dit Gabriel. Il était un peu faux jeton sur les bords votre jules. Et puis on en avait mare, de sa filature. Allez, venez donc vous taper une soupe à l'oignon avec nous. La soupe à l'oignon qui berce et qui console.

17

Une larme tomba sur un croûton brûlant et s'y volatilisa.

— Allez allez, dit Gabriel à la veuve Mouaque, reprenez vos esprits. Un de perdu, dix de retrouvés. Moche comme vous êtes, vous n'aurez pas de mal à redécrocher un coquin.

Elle soupire, incertaine. Le croûton glisse dans la cuiller et la veuve se le projette, fumant, dans l'œsophage. Elle en souffre.

— Appelez les pompiers, lui dit Gabriel.

Et il lui remplit de nouveau son verre. Chaque bouchée mouaquienne est ainsi arrosée de muscadet sévère.

Zazie a rejoint Laverdure dans la somnie[1]. Gridoux et Turandot se débattent en silence avec les fils du râpé.

— Fameuse hein, que leur dit Gabriel, cette soupe à l'oignon. On dirait que toi (geste) tu y as mis des semelles de bottes et toi (geste) que tu leur as refilé ton eau de vaisselle. Mais c'est ça que j'aime : la bonne franquette, le naturel. La pureté, quoi.

Les autres approuvent, mais sans commentaires.

— Eh bien, Zazie, tu manges pas ta soupe ?

— Laissez-la dormir, dit la veuve Mouaque d'une voix effondrée. Laissez-la rêver.

_____

1. Mot forgé sur *insomnie,* son antonyme : le sommeil.

Zazie ouvre un œil.

— Tiens, qu'elle dit, elle est encore là, la vieille taupe.

— Faut avoir pitié des malheureux, dit Gabriel.

— Vzêtes bien bon, dit la veuve Mouaque. C'est pas comme elle (geste). Les enfants, c'est bien connu : ça n'a pas de cœur.

Elle vida son glasse et fit signe à Gabriel qu'elle souhaitait vivement qu'il le remplît de nouveau.

— Ce qu'elle peut déconner, dit Zazie faiblement.

— Peuh, dit Gabriel. Quelle importance ? N'est-ce pas, vieille soucoupe ? ajouta-t-il à l'intention de la principale intéressée.

— Ah vzêtes bon, vous, dit celle-ci. C'est pas comme elle. Les enfants, c'est bien connu. Ça n'a pas de cœur.

— Elle va nous les casser encore longtemps comme ça ? demanda Turandot à Gabriel en profitant d'une déglutition réussie.

— Vous êtes dur, vous alors, dit Gabriel. Il a quand même du chagrin, ce vieux débris.

— Merci, dit la veuve Mouaque avec effusion.

— De rien, dit Gabriel. Et, pour revenir à cette soupe à l'oignon, il faut reconnaître que c'est une invention bien remarquable.

— Celle-ci, demanda Gridoux qui, au terme de sa consommation, raclait avec énergie le fond de son assiette pour faire un sort au gruyère qui adhérait encore à la faïence, celle-ci en particulier ou la soupe à l'oignon en général ?

— En général, répondit Gabriel avec décision. Je ne parle jamais qu'en général. Je ne fais pas de demi-mesures.

— T'as raison, dit Turandot qui avait également achevé sa pâtée, faut pas chercher midi à quatorze heures. Egzemple : le muscadet se fait rare, c'est la vieille qui siffle tout.

— C'est qu'il n'est pas sale, dit la veuve Mouaque en

souriant béatement. Moi aussi, je parle en général quand je veux.

— Tu causes, tu causes, dit Laverdure réveillé en sursaut pour un motif inconnu de tous et de lui-même, c'est tout ce que tu sais faire.

— J'en ai assez, dit Zazie en repoussant sa portion.

— Attends, dit Gabriel en attirant vivement l'assiette devant lui, je vais te terminer ça. Et qu'on nous envoie deux bouteilles de muscadet, et une de grenadine ajouta-t-il à l'intention d'un garçon qui circulait dans les parages. Et lui (geste), on l'oublie. Peut-être qu'il croquerait bien quelque chose ?

— Hé Laverdure, dit Turandot, tu as faim ?

— Tu causes, tu causes, dit Laverdure, c'est tout ce que tu sais faire.

— Ça, dit Gridoux, ça veut dire oui.

— C'est pas toi qui vas m'apprendre à comprendre ce qu'il raconte, dit Turandot avec hauteur.

— Je me permettrais pas, dit Gridoux.

— N'empêche qu'il l'a fait, dit la veuve Mouaque.

— Envenimez pas la situation, dit Gabriel.

— Tu comprends, dit Turandot à Gridoux, je comprends ce que tu comprends aussi bien que toi. Je suis pas plus con qu'un autre.

— Si tu comprends autant que moi, dit Gridoux, alors c'est que t'es moins con que t'en as l'air.

— Et pour en avoir l'air, dit la veuve Mouaque, il en a l'air.

— Elle est culottée, celle-là, dit Turandot. La vlà qui m'agonise maintenant.

— Voilà ce que c'est quand on n'a pas de prestige, dit Gridoux. Le moindre gougnafier vous crache alors en pleine gueule. C'est pas avec moi qu'elle oserait.

— Tous les gens sont des cons, dit la veuve Mouaque

avec une énergie soudaine. Vous compris, ajouta-t-elle pour Gridoux.

Elle reçut immédiatement une bonne calotte.

Elle la rendit non moins prestement.

Mais Gridoux en avait une autre en réserve qui retentit sur le visage mouaquien.

— Palsambleu, hurla Turandot.

Et il se mit à sautiller entre les tables, en essayant vaguement d'imiter Gabriella dans son numéro de *La Mort du cygne*.

Zazie, de nouveau, dormait. Laverdure, sans doute dans un esprit de vengeance, essayait de projeter un excrément frais hors de sa cage.

Cependant les gifles allaient bon train entre Gridoux et la veuve Mouaque et Gabriel s'esclaffait en voyant Turandot essayer de friser la jambe.

Mais tout ceci n'était pas du goût des loufiats d'Aux Nyctalopes. Deux d'entre eux spécialisés dans ce genre d'exploit saisirent subitement Turandot chacun sous un bras et, l'encadrant allègrement, ils eurent tôt fait de l'emmener hors pour le projeter sur l'asphalte de la chaussée, interrompant ainsi la maraude de quelques taxis moroses dans l'air grisâtre et rafraîchi du tout petit matin.

— Alors ça, dit Gabriel. Alors ça : non !

Il se leva et, attrapant les deux loufiats qui s'en retournaient satisfaits vers leurs occupations ménagères, il leur fait sonner le cassis l'un contre l'autre de telle force et belle façon que les deux farauds s'effondrent fondus.

— Bravo ! s'écrient en chœur Gridoux et la veuve Mouaque qui, d'un commun accord, ont interrompu leur échange de correspondance.

Un tiers loufiat qui s'y connaissait en matière de bagarre, voulut remporter une victoire éclair. Prenant en main un siphon, il se proposait d'en faire résonner la masse contre le crâne de Gabriel. Mais Gridoux avait prévu la contre-offensive. Un autre siphon, non moins compact, balancé par ses soins, s'en vint, au terme de sa trajectoire, faire des dégâts sur la petite tête de l'astucieux.

— Palsambleu ! hurle Turandot qui, ayant repris son équilibre sur la chaussée aux dépens des freins de quelques chars nocturnes particulièrement matineux, pénétrait de nouveau dans la brasserie en manifestant un fier désir de combats.

C'était maintenant des troupeaux de loufiats qui surgissaient de toutes parts. Jamais on upu croire qu'il y en u tant. Ils sortaient des cuisines, des caves, des offices, des soutes. Leur masse serrée absorba Gridoux puis Turandot aventuré parmi eux. Mais ils n'arrivaient pas à réduire Gabriel aussi facilement. Tel le coléoptère attaqué par une colonne myrmidonne, tel le bœuf assailli par un banc hirudinaire, Gabriel se secouait, s'ébrouait, s'ébattait, projetant dans des directions variées des projectiles humains qui s'en allaient briser tables et chaises ou rouler entre les pieds des clients.

Le bruit de cette controverse finit par éveiller Zazie. Apercevant son oncle en proie à la meute limonadière, elle hurla : courage, tonton ! et s'emparant d'une carafe la jeta au hasard dans la mêlée. Tant l'esprit militaire est grand chez les filles de France. Suivant cet exemple, la veuve Mouaque dissémina des cendriers autour d'elle. Tant l'esprit d'imitation peut faire faire de choses aux moins douées. S'entendit alors un fracas considérable.

Gabriel venait de s'effondrer dans la vaisselle, entraînant parmi les débris sept loufiats déchaînés, cinq clients qui avaient pris parti et un épileptique.

D'un seul mouvement se levant, Zazie et la veuve Mouaque s'approchèrent du magma humain qui s'agitait dans la sciure et la faïence. Quelques coups de siphon bien appliqués éliminèrent de la compétition quelques personnes au crâne fragile. Grâce à quoi, Gabriel put se relever, déchirant pour ainsi dire le rideau formé par ses adversaires, du même coup révélant la présence abîmée de Gridoux et de Turandot allongés contre le sol. Quelques jets aquagazeux dirigés sur leur tronche par l'élément féminin et brancardier les remirent en situation. Dès lors, l'issue du combat n'était plus douteuse.

Tandis que les clients tièdes ou indifférents s'éclipsaient en douce, les acharnés et les loufiats, à bout de souffle, se dégonflaient sous le poing sévère de Gabriel, la manchette sidérante de Gridoux, le pied virulent de Turandot. Lorsque ratatinés, Zazie et Mouaque les effaçaient de la surface d'Aux Nyctalopes et les traînaient jusque sur le trottoir, où des amateurs bénévoles, par simple bonté d'âme, les disposaient en tas. Seul ne prenait pas part à l'hécatombe Laverdure, dès le début de la bigorne[1] douloureusement atteint au périnée par un fragment de soupière. Gisant au fond de sa cage, il murmurait en gémissant : charmante soirée, charmante soirée ; traumatisé, il avait changé de disque.

Même sans son concours, la victoire fut bientôt totale.

Le dernier antagoniste éliminé, Gabriel se frotta les mains avec satisfaction et dit :

— Maintenant, je me taperais bien un café-crème.

— Bonne idée, dit Turandot qui passa derrière le zinc tandis que les quatre autres s'y accoudaient.

— Et Laverdure ?

Turandot partit à la recherche de l'animal qu'il trouva toujours maugréant. Il le sortit de sa cage et se mit à le caresser en l'appelant sa petite poule verte. Laverdure rasséréné lui répondit :

— Tu causes, tu causes, c'est tout ce que tu sais faire.

— Ça, c'est vrai, dit Gabriel. Et ce crème ?

1. Bagarre.

Rassuré, Turandot réencagea le perroquet et s'approcha des machines. Il essaya de les faire marcher, mais, ne pratiquant pas ce modèle, il commença par s'ébouillanter une main.

— Ouïouïouïe, dit-il en toute simplicité.

— Sacré maladroit, dit Gridoux.

— Pauvre minet, dit la veuve Mouaque.

— Merde, dit Turandot.

— Le crème, pour moi, dit Gabriel : bien blanc.

— Et pour moi, dit Zazie : avec de la peau dessus.

— Aaaaaaahh, répondit Turandot qui venait de s'envoyer un jet de vapeur en pleine poire.

— On ferait mieux de demander ça à quelqu'un de l'établissement, dit Gabriel placidement.

— C'est ça, dit Gridoux, je vais en chercher un.

Il alla choisir dans le tas le moins amoché. Qu'il remorqua.

— T'étais bath, tu sais, dit Zazie à Gabriel. Des hormosessuels comme toi, doit pas y en avoir des bottes.

— Et comment mademoiselle désire-t-elle son crème ? demanda le loufiat ramené à la raison.

— Avec de la pelure, dit Zazie.

— Pourquoi que tu persistes à me qualifier d'hormosessuel ? demanda Gabriel avec calme. Maintenant que tu m'as vu au Mont-de-piété, tu dois être fixée.

— Hormosessuel ou pas, dit Zazie, en tout cas t'as été vraiment suprême.

— Qu'est-ce que tu veux, dit Gabriel, j'aimais pas leurs manières (geste).

— Oh meussieu, dit le loufiat désigné, on le regrette bien, allez.

— C'est qu'ils m'avaient insulté, dit Gabriel.

— Là, meussieu, dit le loufiat, vous faites erreur.

— Que si, dit Gabriel.

— T'en fais pas, lui dit Gridoux, on est toujours insulté par quelqu'un.

— Ça c'est pensé, dit Turandot.

— Et maintenant, demanda Gridoux à Gabriel, qu'est-ce que tu comptes faire ?

— Bin, boire ce crème.

— Et ensuite ?

— Repasser par la maison et reconduire la petite à la gare.

— T'as vu dehors ?

— Non.

— Eh bien, va voir.

Gabriel y alla.

— Évidemment, dit-il en revenant.

Deux divisions blindées de veilleurs de nuit et un escadron de spahis jurassiens venaient en effet de prendre position autour de la place Pigalle.

18

Faudrait peut-être que je téléphone à Marceline, dit Gabriel.

Les autres continuèrent à boire leur crème en silence.

— Ça va chier, dit le loufiat à mi-voix.

— On vous a pas sonné, répliqua la veuve Mouaque.

— Je vais te rapporter où je t'ai pris, dit Gridoux.

— Ça va ça va, dit le loufiat, y a plus moyen de plaisanter.

Gabriel revenait.

— C'est marant, qu'il dit. Ça répond pas.

Il voulut boire son crème.

— Merde, ajouta-t-il, c'est froid.

Il le reposa sur le zinc, écœuré.

Gridoux alla regarder.

— Ils s'approchent, qu'il annonça.

Abandonnant le zinc, les autres se groupèrent autour de lui, sauf le loufiat qui se camoufla sous la caisse.

— Ils ont pas l'air content, remarqua Gabriel.

— C'est rien chouette, murmura Zazie.

— J'espère que Laverdure aura pas d'ennuis, dit Turandot. Il a rien fait, lui.

— Et moi alors, dit la veuve Mouaque. Qu'est-ce que j'ai fait, moi ?

— Vous irez rejoindre votre Trouscaillon, dit Gridoux en haussant les épaules.

— Mais c'est lui ! s'écria-t-elle.

Enjambant le tas des déconfits qui formaient une sorte de barricade devant l'entrée d'Aux Nyctalopes, la veuve Mouaque manifesta l'intention de se précipiter vers les assaillants qui s'avançaient avec lenteur et précision. Une bonne poignée de balles de mitraillette coupa court à cette tentative. La veuve Mouaque, tenant ses tripes dans ses mains [1], s'effondra.

— C'est bête, murmura-t-elle. Moi qu'avais des rentes. Et elle meurt.

— Ça se gâte, fit remarquer Turandot. Pourvu que Laverdure attrape pas un mauvais coup.

Zazie s'était évanouie.

— Ils devraient faire attention, dit Gabriel furieux. Y a des enfants.

— Tu vas pouvoir leur faire tes observations, dit Gridoux. Les vlà.

Ces messieurs, fortement armés, se trouvaient maintenant tout simplement de l'autre côté des vitres, défense d'autant plus faible qu'elles avaient en majeure partie valsé durant la précédente bagarre. Ces messieurs, fortement armés, s'arrêtèrent en ligne, au milieu du trottoir. Un personnage, le pébroque accroché à son bras, se détacha de leur groupe et, enjambant le cadavre de la veuve Mouaque, pénétra dans la brasserie.

— Tiens, firent en chœur Gabriel, Turandot, Gridoux et Laverdure.

Zazie était toujours évanouie.

— Oui, dit l'homme au pébroque (neuf), c'est moi,

---

1. Citation de la *Complainte du roi Renaud* (xve siècle) : « Le roi Renaud de guerre vint / tenant ses tripes dans ses mains. »

Aroun Arachide. Je suis je, celui que vous avez connu et parfois mal reconnu. Prince de ce monde et de plusieurs territoires connexes, il me plaît de parcourir mon domaine sous des aspects variés en prenant les apparences de l'incertitude et de l'erreur qui, d'ailleurs, me sont propres. Policier primaire et défalqué, voyou noctinaute, indécis pourchasseur de veuves et d'orphelines, ces fuyantes images me permettent d'endosser sans crainte les risques mineurs du ridicule, de la calembredaine et de l'effusion sentimentale (geste noble en direction de feu la veuve Mouaque). À peine porté disparu par vos consciences légères, je réapparais en triomphateur, et même sans aucune modestie. Voyez ! (Nouveau geste non moins noble, mais englobant cette fois-ci l'ensemble de la situation.)

— Tu causes, tu causes, dit Laverdure, c'est…

— En voilà un qui me paraît bon pour la casserole, dit Trouscaillon pardon : Aroun Arachide.

— Jamais ! s'écrie Turandot en serrant la cage sur son cœur. Plutôt périr !

Sur ces mots, il commence à s'enfoncer dans le sol ainsi d'ailleurs que Gabriel, Zazie et Gridoux. Le monte-charge descend le tout dans la cave d'Aux Nyctalopes. Le manipulateur du monte-charge, plongé dans l'obscurité, leur dit doucement, mais avec fermeté, de le suivre et de se grouiller. Il agitait une lampe électrique, signe à la fois de ralliement et des vertus de la pile qui l'entretenait. Tandis qu'au rez-de-chaussée, les messieux fortement armés, sous le coup de l'émotion, se laissaient partir des rafales de mitraillette entre les jambes, le petit groupe suivant l'injonction et la lumière susdites se déplaçait avec une notable rapidité entre les casiers bourrés de bouteilles de muscadine et de grenadet. Gabriel portait Zazie toujours évanouie, Turan-

---

1. Ainsi Jésus désigne-t-il Satan.

dot Laverdure toujours maussade et Gridoux ne portait rien[1].

Ils descendirent un escalier, puis ils franchirent le seuil d'une petite porte et ils se trouvèrent dans un égout. Un peu plus loin, ils franchirent le seuil d'une autre petite porte et ils se trouvèrent dans un couloir aux briques vernissées, encore obscur et désert.

— Maintenant, dit doucement le lampadophore[2], si on veut pas se faire repérer, il faut partir chacun de son côté. Toi, ajouta-t-il à l'intention de Turandot, t'auras du mal avec ton zoizo.

— Je vais le peindre en noir, dit Turandot d'un air sombre.

— Tout ça, dit Gabriel, c'est pas marrant.

— Sacré Gabriel, dit Gridoux, toujours le mot pour rire.

— Moi, dit le lampadophore, je ramène la petite. Toi aussi, Gabriel, t'es un peu visible. Et puis j'ai pris sa valoche avec moi. Mais j'ai dû oublier des choses. J'ai fait vite.

— Raconte-moi ça.

— C'est pas le moment.

Les lampes s'allumèrent.

— Ça y est, dit doucement l'autre. Le métro remarche. Toi, Gridoux, prends la direction Étoile et toi, Turandot, la direction Bastille.

— Et on se démerde comme on peut ? dit Turandot.

— Sans cirage sous la main, dit Gabriel, va falloir que tu fasses preuve d'imagination.

— Et si je me mettais dans la cage, dit Turandot, et que ce soit Laverdure qui me porte ?

— C'est une idée.

---

1. Souvenir de la chanson *Malbrough s'en va t'en guerre* : « L'un portait son grand sabre, / L'autre ne portait rien. »
2. Porteur de flambeaux (ironique).

— Moi, dit Gridoux, je rentre chez moi. La cordonnerie est, heureusement, une des bases de la société. Et qu'est-ce qui distingue un cordonnier d'un autre cordonnier?

— C'est évident.

— Alors au revoir, les gars! dit Gridoux.

Et il s'éloigna dans la direction Étoile.

— Alors au revoir, les gars! dit Laverdure.

— Tu causes, tu causes, dit Turandot, c'est tout ce que tu sais faire.

Et ils s'envolèrent dans la direction Bastille.

19

Jeanne Lalochère s'éveilla brusquement. Elle consulta sa montre-bracelet posée sur la table de nuit ; il était six heures passées.

— Faut pas que je traîne.

Elle s'attarda cependant quelques instants pour examiner son jules qui, nu, ronflait. Elle le regarda en gros, puis en détail, considérant notamment avec lassitude et placidité l'objet qui l'avait tant occupée pendant un jour et deux nuits et qui maintenant ressemblait plus à un poupard après sa tétée qu'à un vert grenadier.

— Et il est d'un bête avec ça.

Elle se vêtit en vitesse, jeta divers objets dans son fourre-tout, se rafistola le visage.

— Faudrait pas que je soye en retard. Si je veux récupérer la fille. Comme je connais Gabriel. Ils seront sûrement à l'heure. À moins qu'il lui soit arrivé quelque chose.

Elle serra son rouge à lèvres sur son cœur.

— Pourvu qu'il lui soit rien arrivé.

Maintenant, elle était fin prête. Elle regarda son jules encore une fois.

— S'il revient me trouver. S'il insiste. Je dirai peut-être pas non. Mais c'est plus moi qui courrai après.

Elle ferma doucement la porte derrière elle. L'hôtelier lui

appela un taxi et à la demie elle était à la gare. Elle marqua deux coins et redescendit sur le quai. Peu après, Zazie s'amenait accompagnée par un type qui lui portait sa valoche.

— Tiens, dit Jeanne Lalochère. Marcel.

— Comme vous voyez.

— Mais elle dort debout !

— On a fait la foire. Faut l'escuser. Et moi aussi, faut m'escuser si je me tire.

— Je comprends. Mais Gabriel ?

— C'est pas brillant. On s'éclipse. Arvoir, petite.

— Au revoir, meussieu, dit Zazie très absente.

Jeanne Lalochère la fit monter dans le compartiment.

— Alors tu t'es bien amusée ?

— Comme ça.

— T'as vu le métro ?

— Non.

— Alors, qu'est-ce que t'as fait ?

— J'ai vieilli.

Table des chapitres

De la photographie

au texte

Ferrante Ferranti

De la photographie
au texte

Le Cirque Fanny,
à la Foire du Trône, Paris, 1949
d'Izis

… ceux qui voient ce que l'on ne voit pas…

La photographie semble faite avec un regard d'enfant. Quelques personnes, dispersées entre deux toiles tendues et fleuries, assistent à un spectacle. Dans le fond, les guirlandes ont des allures de feu d'artifice dans la nuit du cirque. Au premier plan, régissant la composition par leur symétrie : des chaises vides. Le photographe a peut-être quitté la sienne, s'est retourné, et a figé les expressions d'un homme, de femmes et d'enfants. À l'extrême gauche, sous un béret, pointe un œil scrutateur ; à droite, un être androgyne semble, comme dans les tragédies antiques, tenir un masque plaqué sur son visage.

L'image, par son absence de couleurs, se détache de la réalité. Il faut avoir recours à la légende pour savoir qu'elle a été prise à la Foire du Trône en 1949. À quel spectacle assiste-t-on : du cirque ou du théâtre de marionnettes ? Les chaises vides nous invitent à prendre place, nous aussi, et à nous abandonner à la scène, qu'on devine, imagine, féerique.

Plus que tout, bien que « décentré », c'est le visage de la femme placée au premier rang qui attire notre regard, et relègue les autres au stade de figurants. Elle capte la lumière, qui rejaillit sur nous.

Mettre l'accent sur un détail et omettre dans un cadrage d'autres personnages conditionnent le regard du spectateur. Certes, le visage est immobile, figé comme tous les autres, mais tous disent des choses différentes. On se demande s'ils posent, mais le photographe cherchait avant tout à se faire oublier. Il aura fallu à Izis de nombreuses années pour oser s'approcher des gens avec un appareil. « Les gens que je photographie ne me voient pas car ils sont la plupart du temps dans leur monde, dans leur rêve. »

Dans une mise en abyme où celui qui capte voit, sans être vu, ceux qui voient ce que l'on ne voit pas, le visible appelle l'invisible. L'image devient l'allégorie de la rêverie, et de l'imaginaire…

Photographier sans être vu : défi aussi ambitieux que celui de l'écrivain qui se fait oublier et disparaît derrière son style : « Je voudrais atteindre dans la photographie au plus de simplicité possible, je voudrais que la technique ne soit pas visible. Que le spectateur ne se pose pas la question : comment a-t-il fait ? » À l'heure de la téléréalité, où l'on se donne en spectacle et où l'on se doit d'être voyeur, il faut continuer d'entendre, dans les images, l'appel vers les espaces de l'imaginaire. À chacun son image, et son droit à l'image.

Izis est moins connu du grand public que Robert Doisneau, Édouard Boubat, Willy Ronis : ses images nous éclairent pourtant autant sur le Paris d'alors que celles de ces photographes humanistes pour qui l'émotion prime sur le projet artistique. Il est un peu le chantre oublié de Paris, peut-être parce que son pouvoir de suggérer prévaut sur la concrète réalité. En cela, son « réalisme magique » se rapproche de celui d'un

Queneau. Mais la flânerie d'Izis est sereine, quand celle de Zazie est excessive.

… À treize ans, apprenti d'un photographe, Izis découvre tous les sortilèges…

Au moment où paraît *Zazie dans le métro*, en 1959, Izis arpente les rues de Paris. Le photographe «aime l'homme des quartiers populaires parce que, visuellement, on le reconnaît, il est marqué par sa vie. On devine presque son métier». Il a été découvert en 1946, par des écrivains — surréalistes ou poètes —, grâce à une exposition de portraits et de «vues de Paris». Mais il faut attendre 1950 pour qu'il s'impose avec *Paris des rêves*, son premier livre sur la capitale, longtemps refusé par des éditeurs parce qu'il ne montrait pas tout ce qu'en attendaient les touristes. D'emblée, il choisit de ne pas dater les photos. En ouverture, une fillette presse son front contre une vitre. Elle est légèrement défigurée, mais elle sourit, et accueille le spectateur. En regard des images, préfacées par Jean Cocteau, des textes d'écrivains, d'André Breton à Louise de Vilmorin, en passant par Francis Carco et Blaise Cendrars…

Quatre titres suivent en France. *Grand bal de printemps* et *Charmes de Londres*, en 1951 et 1952, avec des textes de Jacques Prévert. *Paradis terrestre* paraît en 1953, avec des textes de Colette, et *Israël*, en 1955, préfacé par André Malraux. Sur Londres, Izis reconnaît avoir porté un regard de «touriste»; Colette lui répond que «le voyage n'est nécessaire qu'aux imaginations courtes», tandis qu'André Malraux déclare que le photographe «a fait surgir dans une épopée moderne la trouble majesté d'une obsession spirituelle».

Israël reflète la quête des origines. Israël Biderman naît en Lituanie en 1911 et devient Israelis Bidermanas en 1918, lorsque le pays conquiert une brève indépendance en échappant au contrôle russe. À treize ans, apprenti d'un photographe, il découvre tous les sortilèges, de l'éclairage à la retouche, puis s'affirme comme spécialiste de l'enfance et de la jeunesse. «Jamais déçu par cette vocation», il gardera intacte sa fascination pour les humbles vitrines des magiciens de l'image. Il décrit ainsi un de ses premiers souvenirs en Lituanie : «un petit cirque de trois personnes seulement [...] le côté humain prend une intensité extraordinaire — surtout dans les petits cirques où toute la famille fait son numéro». Le jour où il arrive à Paris, un cirque était dressé place de la République. Il préfigure tous ceux qui entretiendront sa fascination. «Quand j'étais libre, j'y allais, je rôdais autour puis j'entrais.»

... Izis fuit la misère pour Paris parce qu'il rêve de voir les impressionnistes...

Car, en 1930, à dix-neuf ans, il fuit la misère pour Paris parce qu'il rêve de voir les impressionnistes. «Je travaillais pour plaire aux clients. Ça leur plaisait : belle pose, beau sourire...» Pendant l'occupation allemande, il se cache dans le Limousin où il est arrêté. Torturé, il échappe à la mort puis voit descendre les maquisards de Grammont, qu'il considère «comme des héros de légende». Afin de les montrer tels qu'au sortir des combats, il les portraiture sans artifice, à la lumière naturelle, avec un carton blanc pour réflecteur. Les héros émergent de la nuit et le photographe, devenu Izis, franchit un nouveau seuil de la réalité.

Engagé à *Paris-Match* en 1949, il est libre de choisir ses sujets et se révèle le « spécialiste des endroits où il ne se passe rien ». Pendant vingt ans, il fait des reportages sur les artistes, peintres et écrivains surtout. Trois titres restent à paraître : *Le Cirque d'Izis*, en 1965, *Le Monde de Chagall*, en 1969 et *Paris des poètes*, en 1978. *Le Cirque d'Izis*, préfacé par Jacques Prévert, est augmenté de quatre compositions de Marc Chagall. Le peintre, chargé du plafond de l'Opéra de Paris, n'autorisera personne d'autre qu'Izis à le photographier à l'œuvre. Pour Izis, « Prévert était le poète de la réalité ». Il meurt avant d'écrire le texte prévu pour *Paris des poètes*. Le livre paraît en 1977, sur le modèle de *Paris des rêves*, et les photos alternent avec des textes autographes. Du rêve à la poésie, le photographe a franchi des étapes certes, mais elles dessinent son ambition immuable : « Faire rêver. Fixer l'imaginaire. »

… Tout ce jeu des apparences déteint sur la scène de théâtre…

L'exergue de *Zazie dans le métro* flotte sur la page blanche, c'est une citation grecque d'Aristote : ὁ πλάσαζ ἠφάνισεν. Mais Raymond Queneau se garde bien de la transcrire — *o plasas èphanisen* — ou de la traduire. Le ton est donné. Au lecteur d'avoir recours à ses connaissances autant qu'à son imagination. Au-delà des nuances qu'appelle toute interprétation, on peut comprendre que « celui qui l'avait fait l'a fait disparaître ». Tout est dit, rien n'est révélé.

Queneau avoue, en présentant son livre, être resté fidèle à lui-même et s'être fait plaisir en composant sa partition littéraire. En vrai démiurge, et tout en construisant sur les formes classiques dignes de son statut d'académicien Goncourt au même titre que sur les *Exercices de style* qui ont assis sa réputation, il fait œuvre d'extrapolation. Mais faire œuvre, fabriquer, c'est être poète, le poète, en grec, étant celui qui crée.

Quant à Zazie, sa fantaisie se libère au cours d'une extrapolation sans limite de la réalité. Le décor se dessine, et l'on découvre les personnages qui déploient une théâtralité propre à chacun.

Sur la grande scène dressée par Queneau, il faut « avoir l'air d'avoir l'air », et « jeter le voile pudique de l'ostracisme sur la circonspection de [ses] activités ».

Dans cette errance du *kouavouar*, en passant par les Puces où « on trouve des ranbrans pour pas cher », les personnages se laissent abuser par le vent, et s'ils paraissent dix ans de plus ou de moins que leur âge, cela n'a pas beaucoup d'importance.

Tout ce jeu des apparences déteint sur la scène de théâtre où Zazie vit son initiation : Paris, la capitale. Le décor est celui que veulent bien lui montrer Charles le taxiste et l'oncle Gabriel — pour qui la rue est l'école du vice et qui, pour cela peut-être, préfère vivre la nuit dans son Mont-de-piété.

Les Invalides deviennent le Sacré-Cœur, et en est-on bien sûr ? Après tout, la sépulture de l'« enflé » Napoléon côtoie l'antre du cordonnier, au cœur des habitations du petit monde. De quoi perdre son chemin jusqu'à la Sainte-Chapelle. Car il ne s'agit pas seulement d'avoir des yeux pour voir, à chacun son regard et sa réalité, comme le suggère Prévert quand il écrit sur Izis : « Ce qu'il voit est si beau / Et ce qu'il sait est si vrai / Que bien peu peuvent le voir. »

... Toute narration est imagée...

Telle une photographe, Zazie provoque les rencontres. Elle nous convie à son *Grand bal de printemps*. Au fond, tout est question de style, en littérature comme en photographie. Toute narration est imagée. Et «la cornée des œils» reste l'instrument sensible de nos récits imaginaires. Queneau demeure le maître des images en mots, entre langage cru et préciosité, inversions et distorsions, effets de latin et éclats de «langues forestières». C'est par le langage imagé, sur la plate-forme d'un théâtre naturel reconnaissable entre tous — la Tour Eiffel — que Gabriel passe au travers des codes et des apparences, et touche au vertige.

Le point de convergence de tous les regards, la scène culminante du roman, c'est le grand numéro du colosse Gabriel habillé en Sévillane ou dansant *La Mort du cygne*. Ce jour-là, tout le monde est convié au cabaret. La veuve Mouaque de s'étonner : «il danse cet éléphant»; Zazie de répliquer fièrement : «Et en tutu encore.» Rien n'est comparable à ce numéro de travesti, qui n'est ni décrit dans le roman de Queneau, ni montré dans le film réalisé par Louis Malle en 1960. À la fin du spectacle, où Gabriel se surpasse, tout le monde va au restaurant : Et tout s'achève en une baroque bataille de paladins.

Zazie quitte alors le monde des apparences et déclare à son tonton : «Hormossessuel ou pas, t'as été vraiment suprême.» Après s'être marrée au confus numéro des adultes, elle ne veut plus rien voir, elle préfère dormir. «Laissez-la rêver», dit la veuve Mouaque avant de quitter la scène.

Dans les souterrains, les lumières se rallument sans

crier gare et, une fois la grève terminée, le métro remarche. Si Zazie avait pris le métro puisque tel était son souhait en arrivant à Paris, rien de tout cela ne serait arrivé. La réalité sociale lui a fait franchir le pas dans le monde des adultes. Mais elle n'a plus la force de se réveiller. Zazie est entrée dans le cirque de Paris. Il ne lui manquera que le métro. À son réveil, sur le quai de la gare, elle retrouve sa mère et, pour tout résumé de son aventure, lui déclare : « J'ai vieilli. » C'est ce que n'a pas fait cette femme, au cirque d'Izis, qui garde, comme la Marceline de Queneau, le masque de l'enfance émerveillée.

Ce n'est pas à Queneau — je ne sais s'il s'est inspiré des photographies d'Izis — que je donnerai le dernier mot mais au « poète de la réalité », Jacques Prévert : « Izis a souvent le loisir de choisir et de faire apparaître ce qui le fait rêver, l'intrigue, l'émeut ou lui fait plaisir. » N'est-ce pas là une des clés pour percer le mystère de l'exergue emprunté à Aristote ?

Le texte

en perspective

Laurent Fourcaut

Mouvement littéraire

Le roman français après guerre : déconstruction, quête du sens et réflexivité

ZAZIE DANS LE MÉTRO, non plus que l'œuvre romanesque de Queneau, n'appartient à un courant ou à
un mouvement littéraire déterminé. En revanche, cette
œuvre, et surtout ce roman, paru en 1959, s'inscrit dans
cet ensemble complexe et pluriel de textes romanesques qui, après la guerre — c'est-à-dire après l'effondrement des valeurs de la civilisation occidentale
chrétienne —, ont entrepris, chacun à leur manière,
de déconstruire le genre du roman en s'attaquant à ses
principaux codes et en sapant son fondement même :
la mise en œuvre cohérente d'un destin étayé par un
sens. *Zazie dans le métro* étant un roman qui porte à certaines extrémités ce processus de déconstruction, sur
un mode parodique et un ton humoristique.

Il convient donc d'abord de faire état de quelques-uns
des romanciers qui, depuis l'origine (Flaubert) jusqu'à la
Seconde Guerre, ont contribué à cette métamorphose
du genre. Puis on envisagera les principaux auteurs qui,
parallèlement à Queneau, ont œuvré à l'éclatement des
formes romanesques, dans un double mouvement de
mise en doute et de refondation du sens — puisque
aussi bien c'est toujours de (donner) sens qu'il s'agit
dans la littérature. Et c'est bien de cela qu'il aura été,

d'un bout à l'autre, question dans l'œuvre de Queneau elle-même, dans sa profonde originalité, dans son étrange tonalité, entre fantaisie, sarcasme et mélancolie, terreau sur lequel a pu naître ce roman extraordinaire qu'est *Zazie*. On ne peut évidemment prétendre ici qu'à un survol de ce moment complexe, mais passionnant, de l'histoire récente du roman.

1.

Genèse d'une crise du roman

1. *Flaubert et la fin des héros*

L'influence de Gustave Flaubert sur Queneau a été grande. Ce n'est pas pour rien qu'il a pensé au perroquet de « Un cœur simple » (*Trois contes*) pour créer celui de *Zazie*, Laverdure, lequel, en ressassant son « Tu causes, tu causes, c'est tout ce que tu sais faire », pointe la tare majeure de la société nouvelle selon Queneau, avec sa culture de masse : les individus tendent à n'être plus que des disques « formatés » pour répercuter indéfiniment lieux communs et idées reçues qui dissuadent de penser, et de vivre son désir. Or dès 1850, justement, Flaubert avait écrit son *Dictionnaire des idées reçues* (dont il met plus d'une dans la bouche du Homais de *Madame Bovary*, type du bourgeois dogmatique et satisfait), qui devait figurer dans la seconde partie de son dernier roman, inachevé, *Bouvard et Pécuchet*, pour lequel Queneau avait une grande admiration (exprimée dans « Bouvard et Pécuchet de Gustave Flaubert », *Bâtons, Chiffres et Lettres*).

Pareille continuité de l'un à l'autre, à un siècle de distance, tient à ce qu'ils ont la même cible : la société capitaliste bourgeoise. Certes, elle a beaucoup changé depuis 1850, en particulier en ceci que les *idées reçues*, sécrétées jadis par la bourgeoisie pour protéger ses intérêts de classe, ont entre-temps descendu l'échelle sociale et sont devenues *populaires*, à tous les sens du terme. C'est pourquoi, si Flaubert exècre les bourgeois, Queneau conserve de la sympathie pour ses personnages, pantins de la nouvelle comédie humaine.

En outre, *L'Éducation sentimentale*, en 1869, signe la mort du héros de roman : Frédéric Moreau, individu velléitaire et chimérique, n'a plus rien de l'énergie balzacienne ou de la vertu stendhalienne, le destin héroïque dégénère en ratage et désormais ce sont les masses qui font l'histoire, à l'aveuglette.

2. *Perspective, identité, voix : une révolution d'avant guerre*

Queneau a pris intérêt très tôt à l'œuvre de **Marcel Proust**, *À la recherche du temps perdu* (1913-1927). Il invente — après Flaubert — un roman qui substitue sa propre épaisseur, la géographie originale de ses «pays», son petit monde de fantoches raffinés ou médiocres, à ce monde désormais *perdu* dont la réalité et le sens étaient garantis par un dieu. Pour autant, cependant, il n'ambitionne plus de «faire concurrence à l'état civil», comme Balzac dans *La Comédie humaine*. Car il ne cherche pas à donner le change (la fameuse illusion référentielle) en conférant à son univers la consistance d'un réel, maintenant hors d'atteinte. Il lui insuffle une autre cohérence, il le fait dépendre d'autres principes, d'autres lois. On en distinguera trois. Tout, d'abord, est réordonné en fonction de la perspective changeante d'une conscience, qui confère à son objet la singularité, somp-

tueuse, chatoyante, pointilleuse ou dithyrambique, d'une
réalité que donc elle reconstruit. La subjectivité d'un
« je » devient le véritable centre de cet autre monde. Or,
cette réalité est reconstruite dans et par le discours. Non
seulement celui, principal, du narrateur, mais ceux de
l'ensemble des personnages. Ainsi s'élabore, prend
forme et profondeur (à la surface du papier !) le lan-
gage-monde de chacun : celui, emphatique, maniéré et
furibard de Charlus, ceux de Françoise, de madame Ver-
durin, de Saniette, de tous les autres. À chacun son style,
ses tics, sa rhétorique, ses faussetés, ses chimères, à chacun, en somme, la combinaison particulière et tâton-
nante — élégante, truqueuse, irréductible — de son
sens, en l'absence de tout référent étalon. De là, le troisième principe : de proche en proche, l'œuvre-monde se
compose, fabuleux tissu, de l'entrecroisement ou de l'in-
trication de tous ces discours, chacun brodant sa toile à
lui sur le vide. Car c'est bien un monde, non plus lacu-
naire, bâtard ou orphelin comme le vrai, mais plein
(dans le constat même qu'il fait de l'effondrement
continu que produit le temps), souverainement construit, admirablement musical, suavement rythmique
(architecture et cadence sans pareilles de la phrase de
Proust), et cette cohérence incomparablement édifiée
fait contrepoids à l'insignifiance inhabitable du réel.

Les romans de **Céline**, à commencer par *Voyage au bout
de la nuit* (1932), ne pouvaient que retenir Queneau,
tout particulièrement du fait de cette langue que, pour
la première fois, un écrivain utilisait complètement dans
son œuvre, une langue flirtant de près avec le français tel
qu'il se parle (« On cause », dans *Bâtons, chiffres et lettres*) :

> Le *Voyage au bout de la nuit*, ça a tout de même été un
> bouquin sensationnel. Mais quand il a voulu le faire au
> politique, qu'est-ce qu'il a pu débloquer. [...] N'em-

> pêche que le *Voyage* est le premier livre important où l'usage du français parlé ne soit pas limité au dialogue, mais aussi au narré.

Cependant, la langue de Céline est finalement très écrite, très élaborée, jusque dans le sordide ou l'atroce, et il y a dans son livre, qui affronte les principaux naufrages de l'époque, et d'abord celui de la Grande Guerre, une dimension épique, fût-ce à rebours, que les romans de Queneau, eux, vont s'attacher invariablement à dégonfler.

L'auteur de *Zazie dans le métro* connaissait bien aussi **Franz Kafka**. En novembre 1944, évoquant la place des philosophes dans la société, il notait ceci (« Lectures pour un front » dans *Bâtons, chiffres et lettres*) :

> Depuis, il y a eu le coup dur de 14-18. Depuis, il y a eu le coup dur de 33 — qui dure encore. Le philosophe a été menacé. […] L'enfer est monté sur la terre, absurde et menaçant.
> Le pressentiment de ce cauchemar fait retentir l'œuvre de Kafka de cris de désespoir étouffés.

Les romans de Kafka sont en effet très représentatifs, dans l'étrangeté inquiétante de leurs allégories et leur onirisme fantastique, d'un monde qui a perdu repères et légitimité, où l'autorité paraît arbitraire, où pèse sur les êtres, comme dans *Le Procès* (1925), une culpabilité d'autant plus obsédante qu'elle ne semble fondée sur rien. Dans un environnement où rien ni personne ne leur renvoie d'eux-mêmes une image nette, solide, rassurante, les personnages sont exposés au vacillement de leur identité, comme celui du *Château* (1926), dont le nom se réduit significativement à une initiale, K. Par là, Kafka ouvre la voie à la mise en cause plus ou moins radicale du personnage romanesque qui s'affirmera après la guerre.

L'œuvre de **James Joyce** (1882-1941) — singulièrement *Ulysse* (1922) — aura pesé d'un poids décisif sur
le roman moderne, notamment par le prodigieux travail sur le langage qui y est engagé (conflagration de
signifiants, de langues nombreuses, de variétés d'anglais) et par la technique du monologue intérieur. Queneau a écrit un petit texte savoureux, « Une traduction
en joycien » (*Bâtons, chiffres et lettres*), qui témoigne de
l'intérêt qu'il trouvait à cette entreprise radicale :

> Doradrôle de vie la vie de poisson. Je n'ai jeunet
> jamais pu unteldigérer qu'on ment on pouvait vivier
> comme ce la sol dos rêt. Fischtre, ouïes !

Les révolutionnaires irlandais de fantaisie de *On est
toujours trop bon avec les femmes* (publié en 1947 sous le
pseudonyme de Sally Mara) ont pour cri de guerre
«*Finnegans wake !*» («La veillée de Finnegan »), c'est-à-
dire le titre même de l'ultime livre de Joyce (1939).

L'influence de **William Faulkner**, dont Queneau pré-
faça *Moustiques* en 1948, a également été considérable.
La polyphonie — dans *Tandis que j'agonise*, par exemple,
les personnages-narrateurs alternent d'un chapitre à
l'autre —, l'éclatement de la temporalité, la fatalité qui
voue les êtres à la déchéance vont laisser leur empreinte
sur maints romanciers. Selon la formule célèbre de Malraux à propos de *Sanctuaire*, il y a chez Faulkner « l'in-
trusion de la tragédie grecque dans le roman policier » :
on verra que, dans *Zazie*, la tragédie grecque s'abâtardit
en fait divers.

2.

Réorientations du roman d'après guerre

1. *Perte et mise en bouche du sens*

Ami proche de Queneau dans le Saint-Germain-des-Prés d'après guerre, membre comme lui du «Collège de pataphysique», **Boris Vian** (1920-1959) partage avec l'auteur de *Zazie* le goût de l'invention verbale, la fantaisie sans frein, et cette mélancolie tenace dissimulée derrière l'humour. Queneau avait particulièrement aimé *L'Écume des jours* (1947).

Sans doute **Albert Camus** (1913-1960) aura-t-il joué un rôle plus déterminant dans la mutation qui touche le roman au lendemain de la Seconde Guerre mondiale. *L'Étranger* (1942) est à cet égard un livre clé. L'utilisation neuve et systématique du passé composé, qui détrône le passé simple, a cet effet capital de rendre la vie du narrateur, Meursault, à la contingence d'une existence qui échoue à prendre forme et sens — d'où la nécessité de réinventer ce qui lui rendra sens : les noces sensuelles et mortelles avec le monde —, au lieu que le passé simple du roman classique plaçait tous les actes, réduits à autant de points, sur la ligne orientée d'un destin, c'est-à-dire d'une vie pleine, pleine de sens. En 1947, *La Peste* n'était pas seulement une allégorie de la Résistance dans la France soumise à la barbarie, c'était aussi une réflexion sur l'état actuel de la condition humaine, tragiquement exilée par un langage nécrosé de sa «vraie patrie» des collines et de la mer : d'un éden libre et tacite.

On n'a pas encore pleinement mesuré l'importance de l'œuvre de **Jean Giono** (1895-1970) dans la littéra-

ture de xxᵉ siècle. Giono n'est pas le chantre d'une
nature paradisiaque, comme on continue trop souvent
de le croire. Dans la nature, il reconnaît au contraire ce
réel amorphe et grouillant — dont Roquentin, personnage de *La Nausée* de Sartre (1938), fait la radicale expérience dans le jardin public avec la racine obscènement
échappée à toute saisie de la représentation et du langage — au contact duquel se volatilisent les formes et les
figures humaines et qui parle invinciblement à l'homme
de son secret et irrépressible désir de se perdre. Ses
romans sont une prodigieuse tentative pour produire
un équivalent textuel de ce réel informe, de façon qu'il
soit possible — à l'écrivain, au lecteur — de s'y perdre
«à blanc», sans mourir. De là, entre autres, les techniques narratives si novatrices de ses livres d'après
guerre : emboîtement virtuose des voix dans *Un roi sans
divertissement* (1948), mise en abyme de l'écriture dans
Noé (1948), roman du romancier, narrations concur-
rentes d'un même objet dans *Les Âmes fortes*, etc.

Autre romancier sous-estimé, victime de sa réputation d'auteur prolifique et facile de romans policiers :
Georges Simenon (1903-1989), exact contemporain de
Queneau, avec qui il partage un intérêt passionné pour
les abîmes de la conscience. La psychanalyse a joué un
rôle décisif dans la vie et dans l'œuvre de l'auteur de
Chêne et Chien, autobiographie en vers sous l'éclairage
de Sigmund Freud. La préoccupation de Simenon à
l'égard de l'inconscient est plus permanente et plus
diffuse. On pourrait certainement dire de son œuvre
immense (environ quatre cents livres, la première moi-
tié sous pseudonymes) qu'elle constitue une auto-
analyse sans précédent. Mais, si la mélancolie foncière
de Queneau est tempérée par l'humour, l'exploration
implacable des mobiles inconscients chez Simenon, par

milliers de personnages interposés, est frappée d'angoisse et de vertige : peu d'artistes se seront aussi délibérément exposés à l'insoutenable monstruosité intérieure. Lire *Les Fantômes du chapelier* (1949), par exemple et entre cent autres, c'est faire une plongée sans retour dans l'innommable.

Or mettre des mots *malgré tout* sur ce qui par nature se dérobe aux noms, y est foncièrement étranger, en constitue le «dehors», selon le terme de **Maurice Blanchot**, auteur et critique majeur (*L'Espace littéraire*, 1955), voilà la principale et paradoxale caractéristique de la littérature d'après guerre, et du roman en particulier.

L'Innommable (1953), tel est précisément le titre d'un des romans de **Samuel Beckett** (1906-1989). L'auteur de *En attendant Godot* (1953) a bâti son œuvre quasi irrespirable sur une mise en mots du sort de l'homme dans un univers d'où «Godot» (de *God*, Dieu) s'est absenté : un homme réduit à presque rien, à une conscience exaspérée d'elle-même et de cette voix, la sienne, condamnée à ressasser le constat désespéré de sa propre contingence. Dans ce monde privé de toute raison, de toute lumière, elle est à la fois tout ce qui reste et intolérablement de trop (*Molloy*, 1951, Minuit) :

> Je dis ça maintenant, mais au fond qu'en sais-je maintenant, de cette époque, maintenant que grêlent sur moi les mots glacés de sens et que le monde meurt aussi, lâchement, lourdement nommé ? J'en sais ce que savent les mots et les choses mortes et ça fait une jolie petite somme, avec un commencement, un milieu et une fin, comme dans les phrases bien bâties et dans la longue sonate des cadavres. Et que je dise ceci ou cela ou autre chose, peu importe vraiment.

Déjà, en 1946, **Louis-René des Forêts**, dans *Le Bavard*, procédait à une mise en cause radicale de la parole et, à travers elle, de la littérature dont la légitimité se trouvait du même coup contestée :

> C'est entendu, je suis un bavard, un inoffensif et fâcheux bavard, comme vous l'êtes vous-mêmes, et par surcroît un menteur comme le sont tous les bavards, je veux dire les hommes.

Sa créature intarissable vendait donc courageusement la mèche et, finalement écœurée, cherchait un repos, sinon un salut, dans le « silence » :

> Donc, je vais me taire. Je me tais parce que je suis épuisé par tant d'excès : ces mots, ces mots, tous ces mots sans vie qui semblent perdre jusqu'au sens de leur son éteint.

On touche là aux extrêmes limites de cette « ère du soupçon » dans laquelle **Nathalie Sarraute**, en 1956, voyait avec raison le roman engagé : soupçon à l'égard des prétentions du roman à raconter une histoire fiable, à reproduire avec ses artifices la réalité.

2. *Le Nouveau Roman et la production du texte*

En 1963, **Alain Robbe-Grillet**, chef de file de la supposée école du « Nouveau Roman » (les auteurs qu'elle est censée rassembler, de Robbe-Grillet lui-même à Claude Simon et Marguerite Duras en passant par Michel Butor, Nathalie Sarraute et quelques autres, ont avant tout pour dénominateur commun d'être publiés par les Éditions de Minuit), exposait dans *Pour un nouveau roman* les principes d'un « nouveau réalisme » qu'il appelait de ses vœux. Refusant toute reconfiguration « anthropocentriste » d'un monde qui n'est « ni signifiant ni absurde », mais « *est*, tout simplement », il récusait ces

« notions périmées », les catégories romanesques du personnage et de l'histoire, mais aussi l'engagement, insistait sur la fonction privilégiée que devait désormais revêtir la description, et mettait pour finir l'accent sur la collaboration dans laquelle devait entrer le lecteur :

> [...] l'auteur aujourd'hui proclame l'absolu besoin qu'il a de son concours, un concours actif, conscient, créateur. Ce qu'il lui demande, ce n'est plus de recevoir tout fait un monde achevé, plein, clos sur lui-même, c'est au contraire de participer à une création, d'inventer à son tour l'œuvre — et le monde — et d'apprendre ainsi à inventer sa propre vie.

Au-delà de leurs divergences, les auteurs du Nouveau Roman s'appuient donc sur un principe essentiel : l'œuvre ne reproduit pas un réel qui lui préexiste et lui est extérieur, elle produit son propre univers, et elle le fait avec *les moyens du bord*, c'est-à-dire, à la limite, en réfléchissant, dans le miroir de la fiction ainsi engendrée, les mécanismes mêmes, le cheminement, le complexe tissage, les obstacles, les vertiges de l'écriture. Jean Ricardou, théoricien du Nouveau Roman, a ainsi pu affirmer que « la fiction se développe comme allégorie de l'écriture qui l'érige », ou encore que « Toute fiction, peut-être, au moins par intuition, tend à produire une image des principes narratifs qui l'établissent » (*Problèmes du nouveau roman*, Seuil). De là cette formule, depuis célèbre : avec le Nouveau Roman, on n'a plus *l'écriture d'une aventure*, mais *l'aventure d'une écriture*. Ainsi peut-on déceler, sous le titre du roman de Claude Simon, *La Bataille de Pharsale* (1969), cet autre, crypté par l'anagramme, qui en révèle le soubassement et le générateur : « la bataille de *la phrase* ».

Autre exemple. Dans *La Jalousie* de Robbe-Grillet (Éditions de Minuit, 1957), le narrateur décrit minutieusement une chanson qui se fait entendre, s'arrête et reprend. La description s'achève par ces mots :

> Sans doute est-ce toujours le même poème qui se continue. Si parfois les thèmes s'estompent, c'est pour revenir un peu plus tard, affermis, à peu de chose près identiques. Cependant ces répétitions, ces infimes variantes, ces coupures, ces retours en arrière, peuvent donner lieu à des modifications — bien qu'à peine sensibles — entraînant à la longue fort loin du point de départ.

Il est certain que la structure de la chanson ainsi décrite peut et doit se lire comme valant aussi et surtout pour le roman même dont elle occupe un point, et dont elle procure donc, indirectement, le mode d'emploi. On dira que ce bref passage *met en abyme* la composition du récit.

En somme, le romancier entreprend de créer sa fiction au plus près des dispositifs scripturaux qui la suscitent. On est alors très près du principe numéro un de l'OuLiPo, l'Ouvroir de Littérature Potentielle fondé par Raymond Queneau et François Le Lionnais en 1960 : engendrer des œuvres à partir d'une contrainte formelle, par exemple celle du lipogramme (suppression délibérée d'une lettre), sur la base duquel Georges Perec écrivit *La Disparition* (1969), roman où il tient la gageure de ne jamais employer la voyelle *e*.

La leçon qu'on en pourrait tirer serait donc celle-ci : ayant progressivement dû renoncer à porter témoignage sur la société, *a fortiori* à agir sur elle, réduit à son propre espace, voué à trouver en lui-même l'aliment des fictions qu'il produit, le roman s'est acheminé vers l'autoréférentialité, le Nouveau Roman n'ayant à cet égard que systématisé une tendance plus ancienne. On trouvera dans le « Groupement de textes » des fragments de

Giono et de Duras où cette dimension réflexive du roman est très affirmée. Qu'on ne conclue pas toutefois à un enfermement du roman, en dehors peut-être de quelques surenchères formalistes (les romans de Jean Ricardou, par exemple). S'il se recourbe sur lui-même, c'est pour trouver un point d'appui, une base restreinte, sans doute, mais indiscutable : la réalité tangible de son fonctionnement le plus matériel, à partir de quoi il puisse espérer renouer sur nouveaux frais ses contacts avec le monde réel, traitant alors avec lui *d'égal à égal.*

Jalons pour une mise en contexte littéraire

1913	Marcel Proust, *Du côté de chez Swann.*
1922	James Joyce, *Ulysse.*
1925	Franz Kafka, *Le Procès.*
1926	André Gide, *Les Faux-Monnayeurs.*
1929	William Faulkner, *Le Bruit et la Fureur.*
1937	John Steinbeck, *Des souris et des hommes.*
1938	Jean-Paul Sartre, *La Nausée.*
1942	Albert Camus, *L'Étranger.*
1946	Louis-René des Forêts, *Le Bavard.*
	Georges Bataille, *L'Impossible.*
1947	Boris Vian, *L'Écume des jours.* Camus, *La Peste.*
1948	Jean Giono, *Noé.*
1949	Georges Simenon, *Les Fantômes du chapelier.*
1951	Samuel Beckett, *Molloy.*
	Julien Gracq, *Le Rivage des Syrtes.*
1952	Alain Robbe-Grillet, *Les Gommes.*
1953	Boris Vian, *L'Arrache-cœur.*
1956	Nathalie Sarraute, *L'Ère du soupçon.*
1957	Michel Butor, *La Modification.* Roger Vailland, *La Loi.*
1958	Marguerite Duras, *Moderato cantabile.*
1959	Claude Simon, *La Route des Flandres.*
1964	Marguerite Duras, *Le Ravissement de Lol V. Stein.*
1965	Georges Perec, *Les Choses.*

Pour prolonger la réflexion

Dominique RABATÉ, *Le Roman français depuis 1900*, PUF, « Que sais-je ? », 1998.

Michel RAIMOND, Pierre-Louis REY, article « Roman », *Dictionnaire de la littérature française du xxᵉ siècle*, Encyclopaedia Universalis-Albin Michel, 2000, p. 652-670.

Dominique VIART, *Le Roman français au xxᵉ siècle*, Hachette, « Les fondamentaux », 1999.

Raymond Queneau, Europe, n° 888, avril 2003.

Genre et registre

Le « roman » parodique
d'un univers déchu

LE TRÈS GRAND SUCCÈS du roman (50 000 exemplaires vendus en un mois, à la parution) tient sans doute à cette gageure : l'auteur réussissait à satisfaire à deux exigences opposées. D'une part, comme le notait justement Roland Barthes, son texte *sauve les apparences* du genre : unité de lieu et de temps ; répartition des personnages entre protagonistes et comparses ; équilibre entre récit et dialogues ; narrateur qui a l'air de bien avoir son histoire en main, l'histoire, classiquement, d'une initiation — mais à quoi ? En outre, le livre donnait de la France de la fin des années cinquante une image aussi critique que fidèle, avec le basculement dans l'américanisation et la culture de masse, et l'effondrement des valeurs (morales, familiales, héroïques, nationales), traité sur un mode burlesque et désabusé. D'autre part, ce roman joue, de façon virtuose, parodique et inquiétante, avec les codes du genre : jetant le doute sur l'identité des personnages, réduisant à presque rien l'action romanesque, détruisant l'effet de réel par un passage insidieux au fantastique. Le recours à la parodie, permanent, va de pair avec une réflexion en acte sur le langage, dont la mise en cause ironique ouvre la voie à un dynamitage très moderne de la notion même de personne.

1.

Un livre en forme de roman (d'initiation)

1. *Des ingrédients romanesques familiers*

Zazie dans le métro présente à première vue certains traits familiers du genre romanesque. Les coordonnées spatio-temporelles du récit sont nettes. L'espace ? L'histoire se déroule entièrement à Paris, dont la gare d'Austerlitz, au premier chapitre, accueille Zazie en provenance de « Saint-Montron » (p. 51), petite ville de province (imaginaire) où elle vit avec sa mère Jeanne Lalochère, et la voit repartir pour sa « cambrousse » (p. 30), au chapitre 19 et dernier. Entre les deux, le lecteur a reconnu les lieux parcourus ou mentionnés : la Tour Eiffel, le Panthéon, les Invalides, le boulevard Sébastopol, la place Pigalle, et quelques autres. Le quartier où vivent Gabriel et les autres personnages, Marceline, son épouse, Charles, le chauffeur de taxi, Gridoux le cordonnier, Turandot, le patron du « café-restaurant La Cave » (p. 19), Mado Ptits-pieds, la serveuse, ce quartier n'est pas explicitement situé. Cependant, lors de son échappée matinale, Zazie ne met pas longtemps à atteindre, à pied, « une des portes de la ville » (p. 43), qui donne sur « la foire aux puces » (p. 45). Il s'agit sans doute de la porte de Clignancourt, donc ce quartier est au nord de Paris, quelque part dans le XVIIIe arrondissement.

Quant à la temporalité, elle est limpide : le récit

couvre «un jour et deux nuits» (p. 192), Zazie étant
arrivée en fin d'après-midi (elle dîne peu après chez
son oncle) et repartant très tôt le surlendemain («je
vous retrouve ici après-demain» [p. 10], a dit Jeanne
Lalochère). Donc, l'essentiel de l'histoire dure vingt-
quatre heures, du chapitre 3 (Zazie se lève et quitte
l'appartement endormi) au chapitre 18 (les personnages échappent aux militaires qui assiègent Aux Nyctalopes et se dispersent, Marceline/Marcel ramenant
Zazie à la gare). On peut donc parler d'une véritable
unité de lieu et de temps, comme dans la tragédie classique.

La façon de raconter, enfin, est elle aussi apparem-
ment assez régulière. Pas de focalisation sur tel ou tel
personnage, mais un narrateur omniscient, qui pénètre
à volonté, semble-t-il, dans la conscience des personnages, par exemple, dès la première ligne, dans celle de
Gabriel («… se demanda Gabriel excédé.» [p. 7]), avec
un monologue intérieur dont le contenu trivial (pourquoi les gens sentent-ils si mauvais?) gomme l'aspect
littéraire du procédé. Le narrateur un peu plus loin
continue de rapporter les réflexions de Gabriel, mais
cette fois au style indirect libre : «Gabriel soupira.
Encore faire appel à la violence. [...] *Il allait tout de même
laisser une chance au moucheron.*» (c'est nous qui souli-
gnons). Toutefois, l'omniscience de la narration est
à géométrie variable. Ainsi la véritable profession de
Gabriel (il a dit à sa nièce qu'il était «gardien de nuit»
[p. 29]), à savoir «Danseuse de charme» (p. 62) sous
le nom de «Gabriella» (p. 95), n'est dévoilée que progressivement, moyennant des indices (son «rouge à
lèvres» [p. 29], l'habitude qu'il a «d'épiler» [p. 40]
son menton, etc.). En outre, ce narrateur qui semblait
garant de la consistance des choses et des êtres, laisse

l'univers qu'en réalité il crée — c'est là toute l'affaire
— s'affranchir insidieusement des règles de la logique
(Pédro-surplus se transforme finalement en «Aroun
Arachide» [p. 189] et la «bien roulée» [p. 145] Marceline deviendra «Marcel» [p. 193]) et des lois du genres,
le réalisme basculant *in extremis* dans le fantastique :
outre ces métamorphoses impossibles, on voit Turandot et le perroquet Laverdure échanger leurs places
(p. 190-191).

2. *Une peinture très réaliste d'une certaine société française*

D'une façon assez voisine de celle du film de Jacques
Tati *Mon oncle*, donné l'année précédente, en 1958, le
roman de Queneau décrit, avec précision et subtilité, la
mutation de la société française à la fin des années cinquante, au moment où la capitale, encore «provinciale» (p. 31), entre dans la modernité capitaliste. Dix
ans plus tard, les événements de 1968 marqueront la fin
de cette période de transition que caractérise très bien
Zazie.

Nombreux sont les signes d'une société encore traditionnelle, voire vieillotte. Seuls onze pour cent des
appartements parisiens disposent d'une salle de bains
(information donnée au premier chapitre). Le taxi de
Charles est archaïque (p. 15). Il y a encore des échoppes
de «remmailleuses de bas» (p. 41) et du «fernet-
branca» (p. 68). Et les jeunes sont encore qualifiés de
«jitrouas» (p. 57). Mais tout est en train de changer. La
petite provinciale qu'est Zazie a beau se prétendre «à
la page», elle ne sait pas que Saint-Germain-des-Prés, le
lieu le plus «branché» de l'après-guerre, est déjà «tout
ce qu'il y a de plus démodé» (p. 16). La «tévé» (p. 23)

se répand et le « stylo à bille » (p. 34) fait son apparition. À la périphérie de Paris, on a construit de « superbes gratte-ciel de quatre ou cinq étages » (p. 43, ce n'est qu'un début…). Le supposé satyre, avec ses « grosses bacchantes noires » et son chapeau « melon », apparaît à Zazie comme « un acteur en vadrouille, un de l'ancien temps » (p. 44). Pour elle, le billard appartient à la « préhistoire » (p. 130).

Par-dessus tout, l'américanisation de la société française va très vite. Les « trucs automatiques américains » (p. 39), comprenons les « machines à laver » (p. 40), sont en train de détrôner les vieilles lessiveuses comme celle dont se sert encore Marceline. Zazie est fascinée par la mode des « bloudjinnzes » (p. 48) ainsi que par la boisson dans le vent, le « cacocalo » (p. 17), à laquelle le gérant très « franchouillard » et xénophobe de la brasserie du Sphéroïde, qui justement s'en prendra aux « étrangers » (p. 134) et à leurs « dollars » (p. 135), donnera son vrai nom de « cocacola ». Étrangers qui viennent désormais visiter Paris par groupes entiers, en car, tel celui que conduit Fédor Balanovitch, lequel faisait jusqu'alors « le bâille-naïte » (p. 96), c'est-à-dire le *Paris by night*. Or l'américanisation se traduit justement aussi par la prolifération dans l'usage courant des mots anglo-américains (en 1964, Étiemble publiera son *Parlez-vous franglais ?*), et Queneau prend un malin plaisir à en transcrire la prononciation populaire, façon de dire la rapide appropriation de ces mots par la petite bourgeoisie à laquelle appartiennent ses personnages : « coboille » (p. 114), « cornède bif » (p. 136), « biftèque » (p. 134), « ouisqui » (p. 152), « apibeursdè touillou » (p. 153), etc. Et rien n'illustre mieux ce moment de passage entre l'ancien et le nouveau que l'épisode où, installée dans les « vécés », elle se raconte « le conte » de

« la belle au bois dormant » « en y intercalant des gros plans d'acteurs célèbres » (p. 31).

Réaliste, le roman l'est aussi par l'image qu'il donne de cette petite bourgeoisie depuis peu sortie de l'occupation allemande (le zinc du bistro de Turandot est « en bois depuis l'occupation » [p. 34]) : « Natürlich, dit Jeanne Lalochère qui avait été occupée » (p. 10). Or Queneau refuse toute héroïsation des Français durant cette époque critique. Il sait que la Résistance n'a été le fait que d'une minorité. En 1971, le film *Le Chagrin et la Pitié*, de Marcel Ophüls, apportera la confirmation du fait que bien des Français s'étaient accommodés de l'occupant nazi. Tout sympathiques qu'ils sont, les personnages ont fait partie de cette majorité et l'avouent sans vergogne. Évoquant les bombardements de la ville occupée, Gabriel déclare : « Au fond on avait pas la mauvaise vie » (p. 37). Turandot s'est livré au marché noir, mais sans habileté, de sorte que, dit-il, « en juin 44 c'est tout juste si j'avais un peu d'or à gauche » (p. 38). Et si Gabriel « a fait ses preuves » pendant la guerre, ce n'est pas dans la Résistance, mais dans l'« esstéo » (p. 70), le STO, le Service du travail obligatoire que les Allemands imposaient aux Français vaincus. En outre, nos personnages manifestent un tranquille racisme ordinaire. « Va te faire voir par les crouilles » (p. 34), a dit une dame à son époux qui lui suggérait des pratiques sexuelles inédites. L'automobiliste sifflé par Trouscaillon se rebiffe et l'invite à aller se « faire voir par les Marocains » (p. 111). Et le prétendu flic, accusant Gabriel de « vivre de la prostitution des petites filles » (p. 61), s'inquiète : « J'espère au moins que vous la vendez pas aux Arabes. / — Ça jamais, msieu. / — Ni aux Polonais ? / — Non pus, msieu. »

Les fondations épiques du genre romanesque sont d'ailleurs systématiquement sapées. La réaction de Zazie

à l'offre que lui fait Gabriel d'aller voir «le tombeau
véritable du vrai Napoléon», le vainqueur d'Austerlitz
qui fut la référence épique majeure des romantiques,
est significative de cet effondrement de l'épopée et
de ses valeurs : «Il m'intéresse pas du tout, cet enflé,
avec son chapeau à la con» (p. 14). La chasse aux ravisseurs de Gabriel, au chapitre 9, est une parodie d'épopée. La veuve s'écrie emphatiquement : «Courons sus
aux guidenappeurs [...] et à la Sainte-Chapelle nous
le délivrerons.» Mais la réponse casse net cet élan
héroïque : «Ça fait une trotte, remarqua le sergent de
ville *bourgeoisement*» (p. 107). D'ailleurs, «les exploits
de Trouscaillon», muni de «son petit sifflet» (un *attribut*
qui le diminue terriblement!), vont s'avérer «minimes»
(p. 111). Parodiques encore les fréquentes épithètes
de style homérique — or l'*Iliade* et l'*Odyssée* sont avec
l'*Énéide* les grandes épopées antiques —, appliquées
qu'elles sont à des objets triviaux : ainsi «les employés
aux pinces perforantes» (p. 111) désignent-ils les poin-
çonneurs du métro. *Zazie dans le métro* peint donc avec
un humour très acéré un univers sourdement déchu.

3. *Une quête problématique : Zazie et le métro*

Queneau a conçu son roman dès 1945, mais n'en a
commencé la rédaction qu'en 1953. L'orientation de la
fiction a connu de nombreuses fluctuations. L'auteur,
qui avait d'abord imaginé que l'action se déroulerait
dans les couloirs du métro, fut gêné, selon ses propres
dires, par l'existence d'un livre pour enfants, *L'Enfant
du métro* de Madeleine Truel, paru en 1943, qui racon-
tait la vie souterraine d'un orphelin né dans le métro,
et qui s'en évadait à la fin, sa mère l'ayant retrouvé.
Jacques Roubaud voit avec raison dans ce conte «une

allégorie de l'Occupation, de l'enfermement dans les camps et d'espoir en la Libération ». Il estime que Queneau s'en est inspiré selon « une stratégie qu'on peut qualifier de pré-oulipienne [...], la stratégie antonymique : un petit garçon errant dans le métro dont il ne peut sortir devient une petite fille errant dans Paris sans pouvoir entrer dans le métro ». Et dans *Zazie*, plus question d'utopie : « Le monde enchanté imaginé par les résistants est devenu le monde réel, où nous sommes. »

Comme tout roman, *Zazie dans le métro* est le récit d'une *quête* (telle que formalisée par le *schéma actantiel*), qui met en relation un *sujet* avec l'*objet* qu'il cherche à obtenir. Le sujet, Zazie, nomme elle-même cet objet : « moi ce que j'aurais voulu c'est aller dans le métro » (p. 13). Or, parce que « y a grève » (p. 11), Zazie n'ira pas dans le métro désiré, sinon, à la fin, à l'aube du troisième jour, alors que « Le métro remarche » (p. 190), mais évanouie et portée par Gabriel. Il faut donc comprendre, ainsi du reste que nous y invite fortement le titre, que l'objet de valeur de cette quête étrange se définit par son absence : il *est* l'absence. Mais l'absence de quoi ? Nous voici au cœur de ce roman extraordinaire, et ce cœur bat dans le premier paragraphe du chapitre 4, mais aussi et d'abord dans le mot même de *métro*, forme abrégée et courante du (chemin de fer) *métropolitain*, de *métropole*, ville principale, littéralement ville-mère (du grec *métêr*, « mère », et *polis*, « ville »). À la lettre, donc, le métro, dans ce roman, et en particulier dans son titre, dont le paradoxe du coup s'éclaire, c'est, symboliquement, *la mère*. Non pas, en l'occurrence, la mère biologique de Zazie, Jeanne Lalochère, mais la Mère primitive, cette entité originelle à laquelle chacun a appartenu et dont il doit se détacher, en une naissance traumatique, pour accéder à l'existence séparée, individuelle. Quelque chose comme la Terre-Mère, figure mythique de toutes les civilisations archaïques. Zazie en a une vague conscience, qui refuse que le métro puisse être «aérien» : «le métro, c'est sous terre, le métro» (p. 13). *Zazie*, c'est exactement le *voyage* impossible *au centre de la terre*. Pourquoi impossible?

Il faut relire sous cet éclairage le début du chapitre 4. Zazie tombe par hasard sur une «bouche» de métro. Elle y respire une odeur qui est celle de «l'abîme interdit» (p. 44). Cette *interdiction* est moins le fait de la grève que celle qui s'attache à la relation œdipienne avec la Mère, ainsi que l'a montré Sigmund Freud, le fondateur de la psychanalyse, notamment dans *Cinq leçons sur la psychanalyse*. Queneau, qui fut lui-même analysé, a glissé dans son livre plus d'une allusion à la science de l'inconscient, notamment lorsque le chasseur du Mont-de-piété, la boîte homosexuelle, confesse que Laverdure, le perroquet, lui «donne des complexes» (p. 150), s'attirant de Gridoux cette réponse : «Faut voir un psittaco-analyste» (p. 150) — savoureux calembour qui amalgame le grec *psittakos*, «perroquet», au mot *psychanalyste*. Sans parler de la place importante faite à la «sessualité» (p. 90). L'interdit qui, dans le complexe d'Œdipe, frappe le désir amoureux pour la mère regarde surtout, il est vrai, le garçon. Mais il est très probable que Queneau a mis beaucoup de lui-même dans ce personnage de fille et, à l'instar de Flaubert déclarant «Madame Bovary, c'est moi», il aurait sans doute pu dire : «Zazie dans son absence de métro, c'est moi.» En outre, la relation à la Grande Mère primitive concerne tout être humain : le retour fusionnel en son corps total est désiré, certes, mais mortel, puisqu'il signifierait perte de l'existence autonome. C'est le rôle du langage — édicté, avec toutes ses *règles* : sa Loi, par le Père, lequel justement profère cet interdit — de détacher l'enfant du corps maternel, en le faisant accéder à l'univers du *symbolique*, c'est-à-dire de ce qui vient se substituer au rapport immédiat avec la chose. Or c'est précisément ce que dit cette page du roman, à laquelle on peut maintenant revenir. Zazie découvre l'«entrée» du métro, mais cette entrée est barrée. Moins parce que «la grille était tirée» qu'en vertu de ceci : «Une ardoise pendante portait à la craie une inscription que Zazie déchiffra sans peine. La grève continuait» (p. 43). Ce qui interdit l'accès au métro, mais constitue en même temps «une balustrade protectrice» contre cet «abîme», c'est l'*inscription*, donc le langage, et même «l'inscription MÉTRO», la répétition de ce mot à six lignes d'intervalle faisant sens.

En somme, le roman raconte comment Zazie doit, *à son tour comme tout le monde*, faire son deuil du *métro* (du retour impossible à la Mère) et apprendre à s'accommoder du langage, à en faire son profit (comme on fait *de nécessité vertu*), puisqu'il fait pour toujours écran entre elle et le *métro*.

Or il y a plus. Dans cette même page, décidément capitale, on lit également cette phrase : «Zazie mit quelque temps à s'apercevoir que, non loin d'elle, une œuvre de ferronnerie baroque plantée sur le trottoir se complétait de l'inscription MÉTRO.» Cette «œuvre [...] baroque» qui porte «l'inscription MÉTRO» en frontispice — et qui donc se met ici en abyme —, c'est le roman même *Zazie dans le MÉTRO*! Autrement dit, le titre a à peu près ce sens : comment la petite Zazie apprit à ses dépens que le «métro» désiré est hors d'atteinte, et qu'il est définitivement remplacé par sa transposition dans le langage, en l'occurrence dans celui du roman qui porte ce titre, dans la mesure où, on va le voir, ce

roman peut et doit se lire aussi comme une traversée
du langage, une admirable théâtralisation baroque et
polyphonique des langages, des styles, des registres, les
humains, à l'image des personnages, étant réduits à
emprunter des *rôles* au *répertoire universel*. C'était déjà
dans Shakespeare (*As you like it* [*Comme il vous plaira*], II,
7) : « *All the world's a stage, / And all the men and women
merely players.* » (« Le monde entier est un théâtre, et
tous, hommes et femmes, simplement des acteurs. »)

Et si à la fin Zazie, inconsciente, *descend dans le métro*
avant de remonter à la surface, c'est que, conformément
à un scénario initiatique très ancien, elle doit, pénétrant
sous terre (simulation d'un retour au ventre maternel),
mourir symboliquement (à l'enfance) pour mieux *renaître*
à une condition nouvelle — et désenchantée —, celle
de l'âge adulte. D'où le mot, parfaitement limpide
désormais, qu'elle prononce alors, le dernier du livre,
car il en constitue la leçon : « J'ai vieilli » (p. 193).

2.

L'anti-roman d'un sens inaccessible : un univers parodique et baroque

1. *La subversion des codes romanesques : temps et espace*

On pourra donc dire que l'essentiel du réalisme de
Zazie se joue en un second degré, le roman s'exhibant
d'un bout à l'autre comme un univers de mots, un
éblouissant et vertigineux théâtre des formes langagières et littéraires, les personnages, et le narrateur
lui-même (mais lui, c'est proprement de l'humour),

étant montrés comme des sortes de marionnettes par la bouche desquelles du langage passe ; qui, se faisant en désespoir de cause *leur cinéma*, s'écoutent grotesquement ou mélancoliquement parler.

Et d'abord, les formes narratives elles-mêmes sont *démontées*.

Le temps est malmené en douce. Il y a ce train de « six heures soixante » (p. 10) : au-delà de la plaisanterie, c'est le temps qui se donne d'autres règles, comme pour marquer d'emblée qu'on est entré dans un univers autre, celui du texte, « tapé à la machine par un romancier idiot » (p. 92), ou plutôt un peu ahuri qu'il puisse ainsi avoir la main (mais une main très habile et très sûre) sur le monde parallèle qui, à travers lui, s'écrit. Il y a aussi ces ellipses brutales, qui font passer sans crier gare le lecteur d'un lieu à un autre et d'un moment à un autre. Ainsi au chapitre 2, on passe sans la moindre transition (pas même une ligne sautée) du bistro de Turandot à l'appartement de Gabriel, Charles, invité chez ce dernier, ayant dû lui rapporter les propos du tenancier, auxquels Gabriel réagit ainsi : « Je l'emmerde, dit Gabriel affectueusement [etc.] » (p. 21). Ou lorsque Pédro-surplus, jeté dans l'escalier par Gabriel, se retrouve dès la ligne suivante au zinc du bistro : « Ce sera quoi ? lui demanda Turandot » (p. 68). C'est brutaliser les habitudes de lecture les moins discutables.

Quant à l'unité de temps, elle est celle de cette tragédie moderne que contait allégoriquement Albert Camus dans *La Peste* en 1947 — où on pouvait lire : « la vérité, c'est-à-dire [le] silence » — et que Queneau, lui, choisit de traiter humoristiquement : ce sentiment de privation du réel sous l'effet de la prolifération des formes langagières. En 1952, Francis Ponge en donnait la formule la plus parfaite dans *Le Grand Recueil* : « Le monde muet est notre seule patrie. » Pour Queneau toutefois, le temps de la tragédie est révolu, puisqu'il n'y a plus de dieux, ni donc de destin. Le « grand destin » qui « guette » Gabriel partant faire son « devoir » (p. 40) à la recherche de Zazie disparue avorte : très vite il renonce et rentre « chez lui se recoucher » (p. 42). Aussi bien le roman offre-t-il ponctuellement la réécriture parodique d'un épisode caractéristique de la destinée funeste des Atrides, dans la Grèce antique : l'assassinat, à son retour de Troie, du roi Agamemnon par son épouse Clytemnestre et l'amant de celle-ci, Égisthe. Cet épisode se dégrade ici en un fait divers sordide, complaisamment narré par Zazie (p. 51-55) au soi-disant Pédro-surplus : sa mère a tué son père avec une hache procurée par son « coquin » Georges, le charcutier. La « factidiversialité » (p. 35) serait donc le genre littéraire emblématique de la France nouvelle dont Queneau se fait le chantre désabusé.

L'espace est lui aussi étrangement brouillé. Le « tabac du coin » (p. 15), qui devrait par définition être la chose la plus assurée, s'avère ne pas être le bon. Ce que Gabriel prend pour le Panthéon n'est que la gare de Lyon, les Invalides avortent en caserne de Reuilly (p. 14), puis, vus de la Tour Eiffel, se révèlent être le Sacré-Cœur (p. 85). C'est que, pour nos personnages, les lieux sont d'abord un réservoir de noms, plus ou moins prestigieux, en tout cas conventionnels, dans lequel ils puisent au petit bonheur. Le meilleur exemple en est la Sainte-Chapelle, sorte de mirage utopique, car incrusté dans les mots, cette définition stéréotypée pour guides touristiques, « Un joyau de l'art gothique » (p. 95), qui revient ensuite comme un *réflexe conditionné*. Gabriel s'enorgueillira de la leur avoir montrée, mais Fédor Balanovitch le détrompera : « C'est le Tribunal de commerce que tu leur as fait visiter » (p. 124). Peu importe aussi bien : la répétition de la formule magique suffira à les rassurer. Ainsi le réel s'estompe-t-il derrière le miroitement séducteur et décevant des mots. De là cette leçon : « Pauvres innocents qui croient que c'est ça, Paris » (p. 124).

2. *Des êtres de mots et de papier*

Ce roman est bien, décidément, une œuvre « baroque » (p. 43). Les personnages ajoutent beaucoup à ce triomphe des apparences ambiguës et des métamorphoses. Zazie est la seule qui tienne à son désir, gagé qu'il est sur le « métro » (p. 14), parce qu'elle n'a pas encore appris que les choses sont tragiquement hors d'atteinte. De là sans doute l'inversion constante et parodique des rapports enfants-adultes : « Les petits farceurs de votre âge », dit Zazie à Charles et Gabriel, « ils me font de la peine » (p. 86 ; voir aussi p. 66, 94, 102, 105, 127), qui se marque aussi dans le goût prononcé de Gabriel pour la grenadine. Les autres tournent en rond depuis longtemps dans le ghetto du langage. Le recours réflexe à des formules toutes faites, à des stéréotypes passe-partout leur tient lieu le plus souvent de pensée. Lorsque Gabriel, ayant cédé à un caprice de Zazie — elle voulait à toute force un « cacocalo » (p. 17) —, conclut : « Les enfants, suffit de les comprendre » (p. 18), ce n'est pas une idée en rapport avec la situation qu'il énonce, c'est un lieu commun qui empêche de penser la réalité des choses. Marceline approuve le projet de Zazie : devenir institutrice, parce que, dit-elle : « Y a la retraite. » Et le narrateur de commenter : « Elle ajouta ça automatiquement parce qu'elle connaissait bien la langue française » (p. 22). Phrase capitale, en ce qu'elle définit à merveille *l'idéologie* : un morceau d'opinion congelé dans du langage. Gabriel encore, de Zazie en vadrouille : «la rue c'est l'école du vice, tout le monde sait ça» (p. 38). Autre poncif borné. Ou ce credo bien-pensant d'une «ménagère» : «on lui a donc jamais appris à cette petite que la propriété, c'était sacré?» (p. 57).

D'où l'importance du perroquet Laverdure, dont la rengaine : «Tu causes, tu causes, c'est tout ce que tu sais faire» dit la vérité de ces personnages, sur le mode même — de répétition mécanique : un «disque» (p. 184) — de ce qu'elle épingle. Zazie du reste n'est pas indemne de ce fonctionnement, puisqu'il est pour Queneau le lot de l'humaine condition. À propos des «bloudjinnzes» (p. 48) :

> — Et ça coûte combien?
> C'est encore Zazie qui a posé cette question-là. Automatiquement. Parce qu'elle est économe mais pas avare.

Seulement, son désir de vivre à elle demeure plus fort que la tendance à verser dans ces ornières d'une pensée préfabriquée, que Gustave Flaubert, un des maîtres de Queneau, avait déjà décelée et pourfendue à la fin du XIXe siècle dans son *Dictionnaire des idées reçues*, et que l'ère commençante de la culture de masse répand à grande échelle. C'est pourquoi les personnages se réfèrent à tout propos au «journal», à «ce que disent les journaux» (p. 23) (la même logique d'aliénation a conduit depuis à l'atroce «vu à la télé»).

Personnages dont le traitement déroge aux codes du roman réaliste, essentiellement en ce qu'ils sont pour plusieurs d'entre eux dépourvus d'identité stable. Gabriel est-il «un vrai tonton des familles» (p. 101) ou plus proche de cette «Gabriella» (p. 95) qu'il est à la scène? Marceline, la douce épouse, se métamorphose en Marcel. Turandot finit par permuter avec Laverdure. Cas extrême, exemplaire illustration de ce mouvant microcosme, les successives transformations de Pédro-surplus, qui devient Trouscaillon, se change en «l'inspecteur Bertin Poirée» (p. 160) et finit en Aroun Arachide. Et c'est bien parce qu'ils ne disposent plus d'une identité qui serait garantie par un sens, lui-même conditionné par une relation claire et ferme entre les mots et les choses, que ces personnages sont la proie des métamorphoses, jusqu'à perdre toute notion distincte d'eux-mêmes. Ainsi, à la fin du chapitre 7, Pédro-surplus (ou supposé tel) déclare à Gridoux : «J'ai ramené la petite à ses parents, mais moi je me suis perdu» (p. 82). Et il précise : «C'est moi, moi, que j'ai perdu» (p. 82).

L'onomastique (les noms donnés aux personnages) accentue cette absence d'ancrage réaliste. Seuls Jeanne Lalochère et Fédor Balanovitch sont dotés d'un prénom et d'un patronyme. Mais on peut douter de l'origine «slave» de ce dernier, et donc de l'authenticité de son état civil, quand on apprend qu'il est «natif de Bois-Colombes» (p. 124). Les autres sont réduits à un prénom, à la mode des contes : Gabriel, Marceline, Charles, Madeleine, dite «Mado Ptits-pieds» (encore une négation de l'épique, par référence implicite et dérisoire à Berthe aux Grands Pieds, épouse de Pépin le Bref, héroïne éponyme d'une chanson de geste); ou à un nom, tel Gridoux (un être étrange, en *demi-teintes*), mais ces noms sont le plus souvent de fantaisie : *Turandot* est le titre d'un opéra de Puccini; la veuve «Mouaque» commente son nom ainsi : «Comme tout le monde» (p. 109). Petite énigme dont la clé est donnée par elle-même, mourante : « C'est bête […]. *Moi qu'*avais des rentes » (p. 188). Comme tout le monde, la veuve n'est intéressée que par soi, chacun peu ou prou allant répétant « c'est *moi que…* ». Sous le jeu de mots, la voix désillusionnée du moraliste Queneau.

3. *Négation de l'action romanesque*

Autres contestations du roman : la parodie, dans la bouche de Trouscaillon, du récit de vie, dont les étapes successives sont censées rendre compte de la constitution d'une personnalité (« … la vie m'a fait ce que je suis », p. 169), et surtout la négation de l'action romanesque. Un roman ordinaire raconte une histoire, avec des péripéties, des conflits, des rebondissements… Pas celui-là. Ce qu'on peut lire au début du chapitre 3 met de ce point de vue en abyme le roman tout entier. Levée, Zazie fait sa toilette, puis :

> Elle regarda dans la cour : il ne s'y passait rien. Dans l'appartement de même, il y avait l'air de ne rien se passer.

Car si l'on excepte la bagarre finale Aux Nyctalopes et la mort par balles de la veuve Mouaque (p. 181-190), trop en rupture avec le monde *sans histoire* présenté jusque-là pour être crédibles, le récit ne narre pas grand-chose de romanesque : le bref séjour à Paris d'une petite provinciale très délurée, qui fait en tout et pour tout l'expérience (ce n'est certes pas rien) de l'impossibilité d'aller dans le métro. Récit éminemment déceptif, que résume comme tel le dialogue final entre Zazie et sa mère (p. 193) :

> — Alors tu t'es bien amusée ?
> — Comme ça.

— T'as vu le métro?
— Non.
— Alors, qu'est-ce que t'as fait?
— J'ai vieilli.

C'est que *Zazie dans le métro* est le lieu d'un déplacement capital : l'accent s'est déporté des choses sur les mots, le sort des personnages se jouant désormais dans le langage.

Pour approfondir la réflexion

Roland BARTHES, «Zazie et la littérature», *Essais critiques*, Seuil, «Tel Quel», 1964, p. 125-131.

Michel BIGOT, *«Zazie dans le métro» de Raymond Queneau*, Gallimard, «Foliothèque», 1994.

Sur la genèse de *Zazie dans le métro* :

Françoise LÉVÈQUE, «À Propos de *L'Enfant du métro*», *Revue de la BNF*, n° 20, 2005, p. 60-61.

Raymond QUENEAU, «Zazie dans son plus jeune âge (Petite mise au point écrite pour mon usage personnel en juillet 1945)», *Les Lettres nouvelles*, n° 2, 11 mars 1959, p. 5-7.

Jacques ROUBAUD, «Raymond Queneau et *L'Enfant du métro*», *Revue de la BNF*, n° 20, 2005, p. 56-59.

L'écrivain
à sa table de travail

L'univers des langages
et des textes, seule voie
d'accès au réel

DANS CETTE SOCIÉTÉ NOUVELLE en train de
prendre forme que saisit *Zazie*, où le langage, n'étant
plus garanti par un ordre du monde qui lui donnerait
sens, devient aléatoire et tragiquement autonome, nul,
au bout du compte, n'a de parole propre, et ce qu'on
appelle le moi n'est jamais qu'une compilation de rôles
plus ou moins stéréotypés, qu'un tissu, sinon de mensonges, du moins d'emprunts à l'universel théâtre.
Ainsi les personnages tendent-ils à n'être plus que
des perroquets (symbolique, de ce point de vue, le
personnage de Laverdure), qui parlent à vide ou de
manière empruntée, s'écoutant parler, en une sorte
de théâtralisation généralisée et dérisoire d'eux-mêmes,
un théâtre souvent grinçant que l'auteur met en scène
avec un mélange de tendresse et d'amertume. Parallèlement, l'intertextualité joue un rôle majeur dans
ce livre : les intertextes affleurent très souvent, ce qui
implique une écoute particulière de la part du lecteur. Ils deviennent une véritable matière première du
roman, qui les exhibe, joue avec eux, mettant par là en
abyme ce que l'auteur entend dire ici de la condition
humaine : elle tourne en rond dans le langage, s'étour-

dissant de phrases pour se masquer son néant et son inéluctable fin.

1.

Parole et langue : l'authenticité perdue

1. *Une parole non homogène*

Au fond, le véritable protagoniste, le seul, de ce roman, c'est le langage. D'une part, et c'est le coup le plus rude porté à l'effet-personnage, la cohérence de la parole des personnages, un des fondements principaux de l'illusion réaliste, est détruite, méthodiquement. On note de constantes ruptures — une des principales sources du comique dans le roman — entre leur être social, culturel, et leur discours, du point de vue du niveau de langue et du style, ce qui revient à leur prêter une parole impossible à l'aune des règles du roman réaliste. Quelques exemples. Cette réponse de Gabriel à Zazie (p. 11) :

> Bin oui : y a grève. Le métro, ce moyen de transport éminemment parisien, s'est endormi sous terre, car les employés aux pinces perforantes ont cessé tout travail.

La première phrase, très familière, convient au personnage ; mais la seconde, au style élevé, parodiquement littéraire (avec son épithète « homérique »), fait entendre une forte dissonance. Même jeu quand Gridoux, cordonnier, se met à parler latin et italien (p. 79). Le procédé culmine dans l'échange entre Gridoux, Madeleine (qui emploie « admirassassions », Queneau se moquant de l'imparfait du subjonctif,

admirassions, dont la pesante désinence se trouve grotesquement redoublée), Laverdure (il se met à parler
un pompeux latin) et Gabriel, qui se livre à une envo-
lée emphatique et lyrique (p. 150-151). Et c'est encore
faire fi de la crédibilité du personnage que de faire parler Mado d'«un tailleur deux pièces salle de bains avec
un chemisier porte-jarretelles cuisine» (p. 144).

La voix du narrateur elle-même, elle surtout, est l'objet de manipulations aussi subtiles que foisonnantes.
Elle est d'abord extrêmement perméable à celle des
personnages, l'étanchéité entre les deux, garant de la
vraisemblance de l'univers représenté, étant abolie. À
propos du «ptit type» de la gare qui cherche un «bouclier verbal» (p. 9) :

> Le premier qu'il trouva fut un alexandrin :
> — D'abord je vous permets pas de me tutoyer.

L'énoncé support est lui-même un alexandrin : sa
forme est malicieusement contaminée par celle du discours rapporté direct. Le niveau de langue du discours
du narrateur se calque souvent sur celui des personnages : «Heureusement vlà ltrain qu'entre en gare»
(p. 9). Tournure syntaxique populaire : «Gabriel lui
son boulot commençait pas avant les onze heures»
(p. 21). Souvent aussi le style d'un personnage déteint
humoristiquement sur celui du narrateur : «Une dame
de la haute société qui passait d'aventure dans le coin
en direction des bibelots rares daigna s'arrêter. Elle
s'enquit auprès de la populace de la cause de l'algarade» (p. 58). Celui de Zazie : «on se trouvait maintenant dans une rue de moyenne largeur fréquentée par
de braves gens avec des têtes de cons» (p. 57).

La parole du narrateur est en outre régulièrement
investie par les registres et les styles les plus divers. Elle

se fait savante sans crier gare : « Faut te faire une raison, dit Gabriel dont les propos se nuançaient parfois d'un thomisme légèrement kantien » (p. 11). Cocasse effet de contraste. Hiératique style homérique : « car le lendemain les voyageurs partaient pour Gibraltar aux anciens parapets. Tel était leur itinéraire » (p. 101). Parodie du registre épique (comme chez Rabelais) : la bataille finale est narrée à la manière des chansons de geste, avec le « fier désir de combats » (p. 183) de Turandot, et des phrases comme : « il leur fait sonner le cassis l'un contre l'autre de telle force et belle façon que les deux farauds s'effondrent fondus » (p. 182), ou : « Tant l'esprit militaire est grand chez les filles de France » (p. 183).

2. *Des procédés contestés*

La parole du narrateur est enfin le lieu et l'instrument d'une souriante contestation de certains procédés romanesques. La « petite voix intérieure » (p. 41, 44, 56, 57, 66) coule dans un moule puéril la transcription des pensées d'un personnage se parlant à lui-même ; en voici même une franche caricature : « Marceline s'adressa silencieusement la parole à elle-même pour se communiquer la réflexion suivante » (p. 159). Les traditionnels temps du récit sont malmenés, avec de fréquents et arbitraires passages du présent au passé, et inversement (p. 20) :

> Turandot le *servit* en silence [...]. Turandot *remplit* le verre de Charles et s'en *verse* une lichée. Mado Ptitspieds *vint* se mettre derrière le comptoir, à côté du patron et *brise* le silence.

Les énoncés introduisant les dialogues sont tournés en dérision (p. 10) :

> Gabriel hausse les épaules. Il ne dit rien. Il saisit la
> valoche à Zazie.
> Maintenant il dit quelque chose.
> — En route, qu'il dit.

Ou encore (p. 14) :

> Gabriel dit : ah. Charles ne dit rien. Puis, Gabriel
> reprend son discours et dit de nouveau : ah.

Il arrive aussi que l'incise soit malignement placée
de façon à faire boiter le propos rapporté : «On, dit
Gabriel, pourrait lui donner [etc.]» (p. 26). Un dialogue anodin entre Trouscaillon et Gabriel devient un
cérémonieux discours narrativisé (p. 120) :

> Le flicmane […] s'informa de l'état de sa santé. Gabriel
> répondit succinctement qu'elle était bonne. L'autre
> alors poursuivit son interrogatoire en abordant le pro-
> blème de la liberté.

Le narrateur se moque encore des fioritures du bien
écrire : l'«enrichissement» du vocabulaire (changeant
une dizaine de fois en trois pages [p. 46-50], pour en
rire, la dénomination du «commerçant» des puces) ;
les métaphores filées (par rabaissement trivial : «depuis
qu'il [Trouscaillon] avait perdu Marceline, il aurait eu
tendance à attendrir le cuir de son comportement dans
le sperme de ses desiderata» [p. 167]) ; les épithètes
convenues : «avec une audace qu'un bon écrivain ne
saurait qualifier autrement que d'insensée» (p. 175).
Enfin, violant joyeusement la morphologie verbale : «Il
se tournit vers le type» (p. 66) ; «intervindre» (p. 134).
En somme, le narrateur ne s'interdit rien, n'ayant pour
règle que sa fantaisie, le plaisir, parfois, de la trouvaille :
«Il désigne le buffet genre hideux» (p. 159)… pour
Henri II.
Ruptures constantes de ton, de style, procédés souli-

gnés et moqués par la parodie : éléments essentiels de la poétique de Queneau, poussés à l'extrême dans *Zazie*.

3. *Les deux langues*

La langue même du texte n'a pas le souci de la cohérence, donc du réalisme. On s'attendait, comme dans la plupart des romans, à ce qu'elle soit homogène, qu'elle corresponde sérieusement à un certain état de la langue à un moment donné (les années cinquante, en l'occurrence) de l'histoire, nationale et littéraire. Or il n'en est rien.

Elle combine de façon virtuose deux langues complètement différentes. Queneau a revendiqué le droit, pour le roman et, au-delà, pour tous les écrits « sérieux », de renoncer au « français sclérosé » ou « figé » légué par la tradition, pour adopter « une langue nouvelle », « un langage vrai » : « le néo-français », à savoir la langue effectivement utilisée dans la vie d'aujourd'hui, « le français parlé contemporain », ou encore « la langue française véritable, la langue parlée » (« Langage académique », « On cause », « Connaissez-vous le chinook ? », dans *Bâtons, Chiffres et Lettres*).

D'un côté, donc, l'écrivain s'attache à mettre dans son texte le français tel qu'on le parle alors, avec sa syntaxe, son lexique, sa prononciation, jusque dans l'agglutination des mots prononcés d'une seule émission de voix, qu'il appelle dans *Bâtons, Chiffres et Lettres* « coagulation phonétique ». D'où le premier mot-phrase du roman, véritable manifeste : « Doukipudonktan » (p. 7). Le mélange systématique du français savant, momifié et des formes parlées populaires vise à faire sentir, sur un mode humoristique (selon le principe ancien du *Castigare ridendo mores* : « corriger les mœurs par le rire »), l'obsolescence du premier : « elle [*l'armoire à glace*] se pencha pour proférer cette pentasyllabe monophasée : — Skeutadittaleur... » (p. 8). Queneau transcrit donc la prononciation populaire de nombreux mots : « meussieu » (p. 7), « espliquer » (p. 10), « s'es-clama » (p. 11), « Exétéra » (p. 32) ; syntagmes : « Ess-méfie » (p. 13), « cexé » (p. 14). Il mime aussi l'absence de liaison : « C'est **h**un cacocalo que jveux » (p. 17). Il adopte des tournures populaires : « moi qu'étais si heu-reuse, si contente et tout de m'aller voiturer dans le métro » ou « Je nous le sommes réservé » (p. 11), un lexique familier, voire argotique : « la valoche » (p. 10), « les roussins » (p. 38), « un pourliche » (p. 99), « un litron » (p. 143), etc. Et même, comme les poètes de la Pléiade, il invente des mots nouveaux, dans le mouve-ment d'une langue vivante, en devenir : « haut-parlait » (p. 96), « halliers » (p. 126, pour « employés des Halles »), « une table vise-à-vise » (p. 132), « charluter » (p. 148), « charabiaïsent » (p. 171), etc. Ce sont souvent des mots-valises : « une euréquation » (p. 14, *eurêka* et *équa-tion*), « squeleptique » (p. 139, *sceptique* et *squelettique*), « téléphonctionner » (p. 139, *téléphone* et *fonctionner*). Enfin, il s'amuse, ici et là, à modifier l'orthographe de certains mots, pour suggérer qu'elle est souvent artifi-cielle. Il écrit *se marrer* (p. 9) et *marrant* (p. 12) avec un seul r, de même que *se barrer* (p. 36), et « un scepticisme déjà solidement *encré* » (p. 33), alors qu'il faudrait *ancré* ; enfin, en trois lignes, on lit successivement « conarde », puis « connarde » (p. 55), parce que les deux graphies sont admises.

Inversement, et parfois dans la même phrase, Que-neau use de constructions recherchées ou archaïques (« Charles se mit au bout du fil de l'appareil décroché » (p. 140), pour « après avoir décroché l'appareil » : tour-

nure imitée du latin), fait place à l'imparfait du subjonctif («Bien que toutes ces attentions le flattassent»,
p. 97), se sert de termes savants ou rares («éonisme,
hypospadie balanique, anaphoriquement» [p. 67], «propos morigénateurs» [p. 114]), tout en se moquant d'un
vocabulaire si obsolète ou si spécialisé, puisqu'il fait
dire à «Bertin Poirée», qui s'était égaré dans les pages
roses du dictionnaire : «Ah! enfin, des mots que tout
le monde connaît… vestalat… vésulien… vétilleux…
euse… » (p. 164).

   Cependant, au-delà de la critique à laquelle il se livre
de la survivance d'une langue désuète, Queneau obtient
de cette confrontation incessante entre les deux langues
un double et décisif effet. D'une part, il démontre par
l'exemple que la stabilité de la langue est une illusion,
qu'elle est en réalité le lieu, l'objet d'un incessant travail, et que le véritable écrivain est celui qui fonde son
œuvre sur une participation délibérée à ce travail-là. La
plupart des écrivains, estimait-il, «n'ont pas vu que c'est
dans l'emploi d'un nouveau "matériau" que surgirait
une nouvelle littérature, vivante, jeune et vraie. L'usage
même d'une langue encore intacte des souillures gram-
mairiennes et de l'emprise des pédagogues devrait
créer les idées elles-mêmes» («Connaissez-vous le chinook?», *Bâtons, chiffres et lettres*). D'autre part, en mettant ainsi au premier plan le signifiant — la matérialité
des mots dont il exhibe en en jouant la plasticité —,
il se place sur un plan résolument poétique. Il l'a dit
lui-même : «je n'ai jamais vu de différences essentielles
entre le roman, tel que j'ai envie d'en écrire, et la
poésie» («Conversation avec Georges Ribemont-Des-
saignes», *Bâtons, chiffres et lettres*).

2.

Langages et textes comme seconde nature

1. *Une théâtralité généralisée*

Parce qu'ils ne sont plus que langage(s), les personnages sont portés à adopter des poses codées, à se
mettre en scène dans des rôles pris au «répertoire»
(p. 14) inépuisable que constituent «le[s] discour[s]
type[s]» (p. 118), discours stockés en mémoire, dispo-
nibles pour chaque situation donnée de la comédie
humaine. Par exemple, celle de la petite fille agressée
par un vilain monsieur, prête à «pousser son cri de
guerre : au satyre!» (p. 57), parce qu'elle sait pouvoir
compter sur un «public» friand de ce genre de scène,
et ravi d'y jouer sa partie.

Les personnages jouissent donc de prendre la pose;
comme on dirait aujourd'hui, ils *se la jouent*. Gabriel
est «accablé» par une «misère» (p. 16) confortable (la
vérité est hors d'atteinte). Turandot joue la comédie du
désespoir : «Il se prit la tête à deux mains et fit le futile
simulacre de se la vouloir arracher» (p. 20), et se donne
«des intonations pathétiques» (p. 27). Avec Marceline,
il se prête aux simagrées solennelles de Gabriel appelé
par son «devoir» (p. 25, p. 38). L'esprit critique de Zazie
lui permet de voir que «Tout ça, c'est du cinéma»
(p. 129), ce qui ne l'empêche pas, à l'occasion, de s'ex-
primer «avec grandiloquence» (p. 66).

Tous sont finalement les acteurs d'un théâtre emphatique et creux, touchant et dérisoire. On ne cesse d'y
singer des attitudes, ce que suggère d'ailleurs cette graphie satirique, «*Singer*mindépré» (p. 28), du nom d'un

quartier qui fut à la mode, emblème de la comédie sociale. C'est parce qu'il la connaît à fond que le « satyre » bat Zazie sur son propre terrain, « en déclamant dans le genre tragique » (p. 58) les mots qu'il sait que la « foule » attend, laquelle en profite pour « se [*faire*] frémir ». Gabriel, accusé de prostituer sa nièce, a « un geste de théâtrale protestation, mais se ratatine aussitôt » (p. 61). Principal représentant, d'ailleurs, de cette théâtralité généralisée, il la met en abyme en se produisant dans une boîte pour homosexuels de Pigalle « déguisé en Sévillane » (p. 81), mais aussi en se livrant à monologues et tirades (p. 91-92, 119, 154-155) devant un public enthousiaste.

Quant au « cinémascope » (p. 24), avec sa large diffusion populaire, il radicalise cette tendance à vivre la vie par scènes types, postures codées et discours convenus interposés. Zazie insère dans sa rêverie « des gros plans d'acteurs célèbres » (p. 31), elle applaudit sa propre virtuosité (« chsuis aussi bonne que Michèle Morgan dans *La Dame aux camélias* », p. 66), son père « roule les yeux en faisant ah ah ah tout à fait comme au cinéma » (p. 54), elle admire le talent du satyre (« au cinéma on fait pas mieux », p. 58) qui, face à Gabriel, « sourit diaboliquement, comme au cinéma » (p. 62).

Ce thème du théâtre est le principal du roman. Or c'est un grand thème baroque, et il se déploie toujours dans les époques troublées, les périodes de transition, quand assises et repères viennent à manquer. La vie paraît alors avoir perdu sa consistance, les hommes ont le sentiment de s'agiter sans but ni raison, telles des marionnettes, tout paraît se réduire à des apparences ambiguës et décevantes. Le monde n'est plus qu'un théâtre où se joue une pièce plus ou moins absurde, et la vie — autre grand thème baroque — semble «un rêve» (p. 147), un songe (p. 92) :

> Paris n'est qu'un songe, Gabriel n'est qu'un rêve (charmant), Zazie le songe d'un rêve (ou d'un cauchemar) et toute cette histoire le songe d'un songe, le rêve d'un rêve, à peine plus qu'un délire tapé à la machine par un romancier idiot (oh! pardon).

Passage clé du livre, un livre dont la réalité et la consistance mêmes se trouvent donc mises en question, voire en doute, pris qu'il est à son tour dans cet effet général de fantasmagorie : le roman est lui-même, emblématiquement, ce théâtre où des pantins cocasses et vains viennent faire trois petits tours avant de s'en aller en fumée. De là le motif de l'inanité et de la fragilité des choses humaines développé par Gabriel dans ses deux monologues. La vie? «Un rien l'amène, un rien l'anime, un rien la mine, un rien l'emmène» (p. 119). L'humour tempérant le désespoir. De là aussi et d'abord l'épigraphe du roman, attribuée à Aristote, trois mots grecs qu'on peut traduire ainsi : «celui qui l'avait modelé le fit disparaître». Modelé quoi? Le livre, bien sûr. Façon énigmatique pour l'auteur de nous dire : le roman que vous vous apprêtez à lire n'a aucune réalité tangible; c'est une pure création *ex nihilo* — ou plutôt, comme on va le voir, à partir d'autres textes —, je l'ai tirée du néant du papier blanc, le dernier feuillet l'y replongera.

Queneau considérait qu'on pouvait dans un roman faire *rimer* tels ou tels éléments, comme des vers dans un poème (*Bâtons, Chiffres et Lettres*) : «On peut faire rimer des situations ou des personnages comme on fait rimer des mots, on peut même se contenter d'allitérations.» De là notamment ces sortes de refrains dont il a semé son texte, le plus net étant le «Tu causes, tu

causes, c'est tout ce que tu sais faire » de Laverdure. Il y
a aussi le « Barbouze de chez Fior » (dès la p. 9), les
mentions répétées du « journal », l'épithète récurrente,
« folle de rage » (p. 12 par exemple), appliquée à Zazie,
le « zinc en bois depuis l'occupation » (p. 19, etc.), la
Sainte-Chapelle, « joyau de l'art gothique » (p. 95, etc.)
et bien sûr les « mon cul » (p. 12, etc.) de Zazie, qui
viennent récuser vigoureusement les valeurs caduques,
sinon déchues. Or ces « rimes »-là constituent, à leur
manière, une forme de théâtralisation du récit. Car,
grâce à elles, et à quelques autres régularités que le
romancier a soin d'y introduire, ce récit se donne ses
propres règles : retours, scansions, jalons, comme pour
mieux lutter, sur ce plan aussi des structures du texte,
contre le vertige du vide et du non-sens.

2. *Le théâtre de la littérature*

De même que les personnages composent leur
conduite et leur discours d'une addition d'emprunts au
vaste répertoire de l'humaine comédie, de même Queneau insère dans son roman une mosaïque d'éléments
pris à d'autres textes (y compris les siens), à des chansons ou à des films (« les visiteurs du soir » [p. 29 et
p. 162] : titre du film de Marcel Carné sorti en 1942),
sous forme de citations plus ou moins fidèles, d'allusions, de parodies. Le recours massif, généralement
ludique, voire parodique, à l'intertextualité, constitue
un ingrédient essentiel de la poétique quenienne. Ces
intertextes sont le plus souvent de taille réduite :
quelques mots, au plus une phrase. Voici les principaux
(les autres sont signalés en notes).

Queneau se cite lui-même : « Non mais, fillette, dit
Gabriel, qu'est-ce que tu t'imagines ? » (p. 16) reprend

presque mot pour mot le début du poème « Si tu t'imagines » : « Si tu t'imagines / si tu t'imagines / fillette
fillette » (*L'Instant fatal*), rendu populaire par la chanson de Juliette Gréco, figure du Saint-Germain-des-Prés
qu'évoque cette page. Mais il convoque surtout, malicieusement, les autres. Ses contemporains : André Breton (le nom de la boîte où se produit Gabriel est le titre
d'un recueil de 1919, *Mont de piété*) ; Jean-Paul Sartre
(« L'être ou le néant » [p. 91], c'est presque *L'Être et le
Néant*, essai philosophique paru en 1943). Boris Vian
(le gérant déplore que les étrangers viennent « cracher
sur nos bombes glacées » [p. 134], calembour ren-
voyant à un roman policier scandaleux, *J'irai cracher sur
vos tombes*, paru en 1946, sous la signature de Vernon
Sullivan). Simone de Beauvoir (« les personnes du
deuxième sexe » [p. 61] : *Le Deuxième Sexe*, 1949). André
Malraux : les « voies du silence » [p. 95] sur lesquelles
veille un policier, sont un clin d'œil au livre *Les Voix du
silence* (1951). Mais il remonte jusqu'au Moyen Âge : les
chansons de geste, et leur parodie par Rabelais, dont
Queneau, en mettant dans la bouche de Fédor Balanovitch les mots « st'urbe inclite qu'on vocite Parouart »
(p. 123, « cette ville célèbre qu'on appelle Paris »), paraphrase un passage du *Pantagruel* où l'écolier limousin,
en un jargon franco-latin, déclare venir « De l'alme,
inclyte et célèbre académie que l'on vocite Lutèce ».
On reconnaît également Montaigne (« quand il dort, il
dort » [p. 36] mime le « Quand je danse, je danse ;
quand je dors, je dors » des *Essais* [III, 13]) ; Pascal (« le
silence des espaces infinis » [p. 119] : « Le silence éter-
nel de ces espaces infinis m'effraie », *Pensées*, 206) ; La
Fontaine (« Je suis flicard, voyez mes ailes », dit Trouscaillon [p. 175] : « Je suis oiseau : voyez mes ailes. / Vive
la gent qui fend les airs ! », « La Chauve-Souris et les

deux Belettes » du livre II des *Fables*) ; Hugo (« avant
l'heure où les gardiens de musée vont boire » [p. 101] :
« C'était l'heure tranquille où les lions vont boire »,
« Booz endormi », *La Légende des siècles*, I, 6) et en se
transformant en « djinns bleus » (p. 82), les bloudjinnzes
de Zazie évoquent le célèbre poème des *Orientales* (« Les
djinns ») ; Flaubert (Laverdure rappelle Loulou, le perroquet de « Un cœur simple », dans *Trois contes* ; la veuve
Mouaque et Trouscaillon — « ils marchaient côte à côte
lentement mais droit devant eux et de plus en silence.
Alors ils se regardèrent et sourirent : leurs deux cœurs
avaient parlé » [p. 126] —, Emma et Rodolphe : « Alors
il y eut un silence. Ils se regardèrent ; et leurs pensées,
confondues dans la même angoisse, s'étreignaient étroi-
tement, comme deux poitrines palpitantes », *Madame
Bovary*) ; Rimbaud (« Gibraltar aux anciens parapets »
[p. 101] vient d'un des derniers vers du « Bateau ivre » :
« Je regrette l'Europe aux anciens parapets ! ») ; Apolli-
naire (« des garçons vêtus d'un pagne commençaient à
servir, accompagnée de demis de bière enrhumés, une
choucroute… » [p. 132] : « Les cafés gonflés de fumée
/ Crient tout l'amour de leurs tziganes / De tous
leurs siphons enrhumés / De leurs garçons vêtus d'un
pagne », « La Chanson du Mal-Aimé », *Alcools*) ; Proust
(« les intermittences de son cœur bon » [p. 132] : « Car
aux troubles de la mémoire sont liées les intermittences
du cœur. », *Sodome et Gomorrhe*). *Les Intermittences du cœur*
était en outre le titre primitif du roman de 1912.

Dans ce jeu intertextuel, trois sources subissent un
traitement particulier.

La Genèse (dans la Bible) fait l'objet d'une parodie
plus continue. Dans son « discours » prononcé au Mont-
de-piété, Gabriel explique qu'il tire sa subsistance de
« l'art chorégraphique », non sans peine, car « le fric »

« ne s'acquiert qu'à la sueur de son front » (p. 154). Or cette formule, devenue proverbiale, vient du passage de la Genèse où Dieu, punissant Adam et Ève d'avoir mangé le fruit défendu, lance à l'homme cette malédiction : « À la sueur de ton visage tu mangeras du pain. » À partir de là, Gabriel embraye sur une paraphrase du texte biblique, non sans de plaisants anachronismes. Le passage : « ils [les Élohim] l'envoyèrent aux colonies gratter le sol pour y faire pousser le pamplemousse tandis qu'ils interdisaient aux hypnotiseurs d'aider la conjointe dans ses parturitions et qu'ils obligeaient les ophidiens [les serpents] à mettre leurs jambes à leur cou » accumule en effet les « bibleries ». Dans l'ordre : « Iahvé Élohim le renvoya donc du jardin d'Éden, pour qu'il cultivât le sol d'où il avait été pris » ; « À la femme il dit : "Je vais multiplier tes souffrances et tes grossesses : c'est dans la souffrance que tu enfanteras des fils" » ; « Iahvé Élohim dit au serpent [qui a poussé Ève au péché] : "Puisque tu as fait cela, maudit sois-tu […] ! Sur ton ventre tu marcheras et tu mangeras de la poussière tous les jours de ta vie !" » (Genèse, III).

L'*Iliade* et l'*Odyssée* laissent plus d'une trace dans le roman. Queneau prend plaisir à forger des épithètes « homériques », sur le modèle d'« Achille aux pieds légers » ou d'« Ulysse aux mille tours » : « les employés aux pinces perforantes » (p. 11), « le véhicule aux lourds pneumatiques » (p. 97). Le segment de phrase « La foule parfumée dirige ses multiples regards » (p. 9) est calqué sur le style d'Homère. La répétition, presque à l'identique, de ces deux phrases : « le lendemain les voyageurs partaient pour Gibraltar aux anciens parapets. Tel était leur itinéraire » (p. 101, 122, 171), mime le retour périodique, chez Homère, de formules ou de vers qu'on pourrait dire passe-partout. Enfin, Queneau multiplie les énoncés introduisant les paroles d'un personnage du type : « Puis il continua son discours en ces termes » (p. 20), « Zazie reprit son discours en ces termes », « Debout, Gabriel médita, puis prononça ces mots » (p. 91). Or ces énoncés sont eux aussi imités d'Homère, par exemple : « Pâris, beau comme un dieu, prend la parole et dit » ; « Puis, debout, il s'adresse aux Argiens en ces termes » (trad. de Robert Flacelière, Pléiade).

Enfin, les deux monologues de Gabriel constituent, dans une large mesure, une réécriture, mi-bouffonne mi-mélancolique, de celui, très célèbre, d'Hamlet, dans la tragédie éponyme de Shakespeare (III, 1, vers 56-90). « L'être ou le néant, voilà le problème » (p. 91). Même début que dans *Hamlet* : « Être ou n'être pas. C'est la question. » Une grande partie du second monologue de la page 119 (« Sans ça, qui supporterait les coups du sort et les humiliations d'une belle carrière, les fraudes des épiciers, les tarifs des bouchers [etc.] ») réécrit, sur le mode parodique (par rabaissement grotesque), celui d'Hamlet : « Qui en effet supporterait le fouet du siècle, / L'injure du tyran, les mépris de l'orgueil [etc.] » (traduction d'Yves Bonnefoy).

Au total, l'intertextualité dans *Zazie* participe pleinement de ce réalisme au second degré qui caractérise le roman : elle témoigne de ce que l'écrivain, plus encore que ses personnages, est contraint d'emprunter le détour par les mots de l'opinion (pour les déconstruire) et de la littérature (pour s'en nourrir, en jouer, et tâcher de s'en défaire) universelles. C'est à cette condition qu'il peut espérer atteindre le réel ou, pour parler comme son ami Jacques Prévert dans cet admirable art poétique qu'est la « Promenade de Picasso » dans *Paroles* : « les terrifiants pépins de la réalité ».

3. *Le théâtre de l'écriture*

Créateur de ce baroque théâtre des apparences, des travestissements et des métamorphoses, tirant les ficelles de ses ondoyantes et farfelues marionnettes, brassant textes et langages à sa fantaisie pour mieux dire la vérité d'un monde sans orient ni racines, l'écrivain s'est amusé (mais c'est un jeu grave) à se représenter dans sa propre création sous les traits changeants d'un personnage équivoque, champion du déguisement, Pédro-surplus, alias Trouscaillon, alias Bertin Poirée, au bout du compte Aroun Arachide. Il faut prendre au sérieux sa déclaration finale (p. 189) :

> Prince de ce monde [le roman *Zazie*] et de plusieurs territoires connexes [ses autres livres], il me plaît de parcourir mon domaine sous des aspects variés en prenant les apparences de l'incertitude et de l'erreur qui, d'ailleurs, me sont propres.

Car écrire, c'est devenir une pièce (maîtresse) de sa propre fiction, faire l'expérience de la dépersonnalisation, selon la formule prémonitoire qu'invente Arthur Rimbaud dans une lettre à Paul Demeny (15 mai 1871) : « JE est un autre. »

Zazie ? Un roman réflexif, au total, qui se prend lui-même pour objet, méditant, sur un mode à la fois humoristique et mélancolique, sur sa propre vanité : son impuissance à sortir vraiment de lui-même. Tout ce qu'il peut faire — et il ne s'en prive pas ! —, c'est *faire jouer* indéfiniment, jusqu'au vertige, les formes littéraires (qui sont sa matière première) entre elles, avec l'espoir de toucher, dans les interstices, quelque chose du réel.

Pour approfondir la réflexion

Jacques JOUET, *Raymond Queneau*, Lyon, La Manufacture, « Qui êtes-vous ? », 1988.

Raymond QUENEAU, *Bâtons, chiffres et lettres*, Gallimard, « Folio Essais », 2000.

Emmanuel SOUCHIER, *Raymond Queneau*, Seuil, « Les contemporains », 1991.

« Dossier Raymond Queneau », *Le Magazine littéraire*, n° 228, mars 1986 (p. 14-48).

Groupement de textes

Des personnages en quête d'un sens

LES TEXTES DE CE GROUPEMENT manifestent et ponctuent le devenir du personnage dans le roman d'après guerre. On y voit en effet des personnages qui commencent par perdre toute emprise sur la société puis, davantage, leur ancrage dans le réel, et de là leur consistance, n'ayant plus que celle que leur confère leur parole. Parole, instrument d'abord décevant puisque factice et conventionnel, mais que justement le personnage, conscient désormais d'en être la victime (il est pris au piège des mots), et à travers lui l'écrivain qui le crée précisément à cette fin, tentent de renverser en son contraire, pour en faire un *bon conducteur* du désir qui les porte vers les êtres et les choses.

Du coup, le personnage de roman est l'objet, et le lieu, d'un déplacement décisif : n'ayant plus directement affaire aux choses mais aux mots, c'est sur ce terrain-là, du langage, terrain miné par l'effondrement des valeurs qui l'étayaient (consécutivement aux *désastres* du siècle : boucherie de 14-18, enrayage inquiétant de la machine capitaliste en 1929, totalitarismes, extermination méthodique des juifs pendant la Seconde Guerre mondiale, cataclysme atomique), qu'il va s'efforcer de *redonner sens* à sa place dans le monde et donc à sa vie, quand bien même ce sens serait cherché, paradoxalement, du côté d'un éclatement du langage, dans l'espoir fou de rentrer alors dans le monde maternel et informe. Conséquence capitale de ce déplacement : le roman, où se livre cette bataille pour la refondation du sens, est conduit à se tendre à lui-même son propre miroir, tablant sur un recours à son propre réel (ses mécanismes de fabrication, la matière de son langage, et jusqu'à ce blanc de la page dans lequel il y a jouissance à s'effondrer, à disparaître) pour avoir une chance de reprendre pied dans le réel des choses. Base par définition fragile, qu'il faut reconstituer à chaque fois : tout est toujours à recommencer, à remettre *en œuvre*.

Gustave FLAUBERT (1821-1880)
L'Éducation sentimentale (1869)

(Folio classique n° 4207)

À Paris, le 24 février 1848, l'insurrection gronde. Place du Palais-Royal, Frédéric Moreau assiste aux combats.

L'Éducation sentimentale *constitue une étape importante dans cette suite de transformations qui ébranlent puis destituent le héros du roman. On est déjà très loin des personnages balzaciens, de l'énergie conquérante d'un Rastignac, par exemple, dans* Le Père Goriot *(1835). On voit ici le protagoniste du roman de Flaubert involontairement mêlé à un épisode révolutionnaire de l'Histoire. Il n'en perçoit pas du tout l'importance, non plus que les insurgés, qui font le coup de feu entre deux verres de vin. Ce sont les « masses » désormais qui, sans rien y comprendre, font l'histoire, une histoire significativement rabattue sur une nature par comparaisons et métaphores. À l'effondrement du « héros » et de ses vertus traditionnelles répond, non seulement un dégonflage radical de l'épique, mais même une disparition, très moderne dans l'histoire de la littérature cette fois, du sens. La vie des sociétés comme celle des individus est réduite à « un spectacle » : on voit se profiler le thème d'un absurde théâtre.*

On considérera donc ce texte comme une des origines du sort du personnage dans le roman d'après guerre.

Les tambours battaient la charge. Des cris aigus, des hourras de triomphe s'élevaient. Un remous continuel faisait osciller la multitude. Frédéric, pris entre deux masses profondes, ne bougeait pas, fasciné d'ailleurs et s'amusant extrêmement. Les blessés qui tombaient, les morts étendus, n'avaient pas l'air de vrais blessés, de vrais morts. Il lui semblait assister à un spectacle.

Au milieu de la houle, par-dessus des têtes, on aperçut un vieillard en habit noir sur un cheval blanc, à selle de velours[1]. D'une main, il tenait un rameau vert, de l'autre un papier, et les secouait avec obstination. Enfin, désespérant de se faire entendre, il se retira.

La troupe de ligne avait disparu et les municipaux restaient seuls à défendre le poste. Un flot d'intrépides se rua sur le perron ; ils s'abattirent, d'autres survinrent ; et la porte, ébranlée sous des coups de barre de fer, retentissait ; les municipaux ne cédaient pas. Mais une calèche bourrée de foin, et qui brûlait comme une torche géante, fut traînée contre les murs. On apporta vite des fagots, de la paille, un baril d'esprit-de-vin. Le feu monta le long des pierres ; l'édifice se mit à fumer partout comme une solfatare[2], et de larges flammes, au sommet, entre les balustres de la terrasse, s'échappaient avec un bruit strident. Le premier étage du Palais-Royal s'était peuplé de gardes nationaux. De toutes les fenêtres de la place, on tirait ; les balles sifflaient ; l'eau de la fontaine crevée se mêlait avec le sang, faisait des flaques par terre ; on glissait dans la

---

1. Le maréchal Gérard a tenté en effet une mission de conciliation.

2. Solfatare : lieu où s'exhalent des vapeurs sulfureuses provenant d'un volcan en repos.

boue sur des vêtements, des shakos[1], des armes ; Frédéric sentit sous son pied quelque chose de mou ; c'était la main d'un sergent en capote grise, couché la face dans le ruisseau. Des bandes nouvelles de peuple arrivaient toujours, poussant les combattants sur le poste. La fusillade devenait plus pressée. Les marchands de vins étaient ouverts ; on allait de temps à autre y fumer une pipe, boire une chope, puis on retournait se battre. Un chien perdu hurlait. Cela faisait rire.

Albert CAMUS (1913-1960)
L'Étranger (1942)
(Folioplus classiques n° 40)

C'est la première page du roman de Camus, son incipit. Page essentielle du point de vue de l'affirmation graduelle de ce tragique moderne qui consiste dans le sentiment d'une coupure irrémédiable entre l'homme et le monde naturel, perçu comme maternel, coupure que symbolise d'emblée la mort de la mère de Meursault, le personnage principal de ce récit en première personne (« je »). Privé de ses racines naturelles, le personnage se retrouve en exil dans le langage, dont ce texte montre avec force l'impuissance à dire la mort, pierre de touche de la condition humaine, qui devrait mettre fin à l'exil en faisant rentrer l'homme dans le monde (la première version du roman s'intitulait La Mort heureuse*) : « Cela ne veut rien dire. » L'emploi systématique du passé composé rompt avec l'effet-destin du passé simple : loin de s'enchaîner en une suite cohérente orientée par un sens, la vie narrée au passé composé se réduit à une succession d'événements aléatoires, qui échouent à prendre sens. La vie sociale apparaît réglée par des conventions (par exemple les condoléances), des for-*

---

1. Shako : coiffure militaire et tronconique, portée par les hussards et les troupes à pied.

mules toutes faites (comme celles du télégramme), une morale qui n'ont d'autre but que de masquer la nécessité et l'urgence de refonder sa vie dans une participation effective aux noces sensuelles de l'homme et du monde.

Le personnage de Camus est exemplaire de cette quête d'un sens restauré, qui implique qu'on sorte du ghetto du langage conventionnel. De là la nécessité de défaire les codes du langage romanesque, qui vaut pour tous les autres langages. À l'horizon de cette entreprise, l'utopie d'un langage naturel, utopie qui fonde la poésie. De là donc aussi cette convergence tendancielle du roman et du poème, un des caractères les plus constants de l'œuvre de Queneau.

Aujourd'hui, maman est morte. Ou peut-être hier, je ne sais pas. J'ai reçu un télégramme de l'asile : «Mère décédée. Enterrement demain. Sentiments distingués.» Cela ne veut rien dire. C'était peut-être hier.

L'asile de vieillards est à Marengo, à quatre-vingts kilomètres d'Alger. Je prendrai l'autobus à deux heures et j'arriverai dans l'après-midi. Ainsi, je pourrai veiller et je rentrerai demain soir. J'ai demandé deux jours de congé à mon patron et il ne pouvait pas me les refuser avec une excuse pareille. Mais il n'avait pas l'air content. Je lui ai même dit : «Ce n'est pas de ma faute.» Il n'a pas répondu. J'ai pensé alors que je n'aurais pas dû lui dire cela. En somme, je n'avais pas à m'excuser. C'était plutôt à lui de me présenter ses condoléances. Mais il le fera sans doute après-demain, quand il me verra en deuil. Pour le moment, c'est un peu comme si maman n'était pas morte. Après l'enterrement, au contraire, ce sera une affaire classée et tout aura revêtu une allure plus officielle.

Raymond QUENEAU (1903-1976)

Pierrot mon ami (1942)

(Folio n° 226)

*La scène se déroule dans une fête foraine. Pierrot, après
la fermeture du stand où il a commencé à travailler, s'est
accoudé au bord de la piste des autos tamponneuses.*

*Cette rêverie de l'ami Pierrot montre exemplairement la
poursuite de ce mouvement de déconstruction de la notion
de héros de roman. Toute ambition, tout projet a disparu chez
ce personnage. Il n'est plus porteur d'aucune mission qui
aurait pour objectif ou horizon l'«avenir de la civilisation».
Il n'est du reste nullement qualifié pour ce genre de tâche,
puisqu'il passe pour un imbécile et porte les stigmates de la
défaite (œil au beurre noir).*

*Désormais, l'indétermination est reine. Plus de pensées
fermes et distinctes : «une buée mentale», «un vol de moucherons anonymes». Ce dernier adjectif est capital : le bonheur,
ce serait d'être ainsi plongé anonymement dans la «foule» ;
non plus noyé en elle comme l'était Frédéric Moreau, mais y
baignant euphoriquement. En outre, le traitement nettement
poétique de cette page (effets de rythme et de rimes, jeu sur
les signifiants) signale une mutation décisive du roman à ce
moment crucial de son histoire comme de l'Histoire : il tend à
perdre ses prises sur le réel et à se recourber sur lui-même, sur
son propre matériau, ses propres formes, comme un poème. On
se rapproche ainsi de l'autoréférentialité du texte romanesque,
qui va bientôt s'affirmer, notamment dans le Nouveau
Roman[1].*

Accoudé bien à son aise, Pierrot pensait à la mort de
Louis XVI, ce qui veut dire, singulièrement, à rien
de précis ; il n'y avait dans son esprit qu'une buée mentale, légère et presque lumineuse comme le brouillard

---

1. On pourra lire une analyse détaillée de ce texte dans
L. Fourcaut, *Le Commentaire composé*, A. Colin, 2005, p. 61-70.

d'un beau matin d'hiver, qu'un vol de moucherons anonymes. Les autos se cognaient avec énergie, les trolleys crépitaient contre le filet métallique, des femmes criaient ; et, au-delà, dans tout le reste de l'Uni-Park, il y avait cette rumeur de foule qui s'amuse et cette clameur de charlatans et tabarins[1] qui rusent et ce grondement d'objets qui s'usent. Pierrot n'avait aucune idée spéciale sur la moralité publique ou l'avenir de la civilisation. On ne lui avait jamais dit qu'il était intelligent. On lui avait plutôt répété qu'il se conduisait comme un manche ou qu'il avait des analogies avec la Lune. En tout cas, ici, maintenant, il était heureux, et content, vaguement. D'ailleurs, parmi les moucherons, il y en avait un plus gros que les autres et plus insistant. Pierrot avait un métier, tout au moins pour la saison. En octobre, il verrait. Pour le moment, il avait un tiers d'an devant lui tintant déjà des écus de sa paie. Il y avait de quoi être heureux et content pour quelqu'un qui connaissait en permanence les jours incertains, les semaines peu probables et les mois très déficients. Son œil beurre noir lui faisait un peu mal, mais est-ce que la souffrance physique a jamais empêché le bonheur ?

Jean GIONO (1895-1970)

Un roi sans divertissement (1947)

(La bibliothèque Gallimard n° 126)

Trièves. Milieu du XIXe siècle. Un village où des meurtres mystérieux sont commis. Un matin, à l'heure bénie où, étant seul, il est libre, Frédéric, propriétaire de la scierie, met la main sur une petite horloge si jolie qu'il a hâte de lui confectionner un écrin de bois. Séparés du monde naturel-maternel

---

1. Tabarin : du nom d'un ancien vendeur forain, Tabarin (vers 1584-1626), célèbre pour son bagout.

— une séparation que figure cette fois la neige recouvrant tout et faisant du monde un désert —, les personnages du roman, à l'image de Frédéric, subissent un intolérable ennui. C'est d'ailleurs pour se divertir de cet ennui que le meurtrier tue.

Ce passage du roman de Giono est du plus haut intérêt. Frédéric est une mise en abyme de l'écrivain dans son texte (la neige uniformément blanche du récit figure le blanc de la feuille de papier). Il faut lire l'ensemble des faits et gestes du personnage ici comme une allégorie de l'écriture, en tant qu'elle constitue le plus efficace des divertissements. Les objets qu'il trouve dans ses boîtes, dont certains datent « de dessous Louis XIV », sont les textes de la tradition littéraire dont l'écrivain-Frédéric s'inspire pour alimenter sa propre création, dans laquelle il les « place ». Pratique analogue à celle de Queneau truffant Zazie des intertextes les plus divers. La belle sonnerie de l'horloge — dont « le mécanisme » figure celui-là même du texte — représente l'effet esthétique, tandis que « le mouvement » correspond à l'acte même d'écrire qui est vécu, dans sa précieuse continuité, comme un divertissement de roi. La cire pour « masquer les joints », ce sera le travail de finition qui gomme les traces de ce bricolage de génie qu'est l'écriture.

Aucun texte ne saurait donner une idée plus nette et plus convaincante de cet aspect majeur du devenir du roman après guerre : il se prend lui-même pour objet, sa fiction tend à n'être plus que la métaphore de la fabrication qui l'engendre, et cette fabrication est ainsi mise en abyme dans la fonction qui est en effet la sienne : riposter au non-sens de la vie, en créant de toutes pièces un microcosme, un contre-monde duquel on a au moins la liberté de tirer les ficelles. Lire une analyse de ce passage et du roman tout entier de Giono dans L. Fourcaut, « Un roi sans divertissement de Jean Giono. Une écriture de la cruauté comme remède à l'ennui », mis en ligne en janvier 2005 sur le site Internet (www.ecole-deslettres.fr) de l'École des Lettres II, L'École des loisirs.

Un matin, Frédéric II faisait le café. Il était sept heures ; nuit noire, mais la neige commençait à prendre cette couleur verte du lever du jour ; brouillard comme d'habitude. En passant le café, Frédéric II pensait à tout ce qu'il voulait; il faisait ainsi un tour d'horizon. Il regardait ces tiroirs de commodes qu'on ouvre rarement, ces dessus d'armoires où l'on ne va pas souvent voir. Ces deux heures de liberté de chaque matin, Frédéric II n'en aurait pas abandonné la prérogative pour tout l'or du monde. Il pensait à sa jeunesse. Il pensait à tout ce qu'il ferait s'il n'avait pas femme et enfant. Il pensait à ce qu'il ferait si c'était à refaire. Il pensait à ce qu'il devrait faire. Il s'interrompait, il prenait une boîte sur la cheminée, il passait en revue tout son contenu. Ravi de trouver un piton ou un clou qu'il mettait dans sa poche, ou un petit bout de poix qu'il mettait dans une autre boîte, ou le vieux bout d'ambre d'une pipe de Frédéric I ou même de Frédéric zéro, dans la nuit des temps; des trucs sucés par des lèvres de dessous Louis XIV; qu'il regardait longuement, se demandant où il pourrait bien placer des choses aussi étonnantes.

Ce matin-là, il en était aux tiroirs des commodes et, dans une, il trouva un joli petit cadran d'horloge colorié. Il y avait tout : le mécanisme, les aiguilles et même les deux clefs pour la sonnerie et pour le mouvement. La sonnerie était parfaite. Ah ! çà, jamais Frédéric II n'avait entendu une sonnerie pareille ! On aurait dit qu'avec une aiguille de bas on frappait sur de petits verres de lampe. On la remontait en fourrant la clef dans son ouverture ronde qui était justement l'œil du berger aux cheveux d'or, à la veste d'or et au foulard rouge qui donnait ce bleuet si bleu à la bergère si blanche avec une touche de rose. Dans l'œil de la bergère on fourrait la clef pour remonter le mouvement. Mouvement extraordinaire ! Ça alors ! La sonnerie était très belle mais il fallait attendre une heure pour la ravoir tandis que le mouvement, ça : tac, tac, tac, tout le temps. Et avec un bruit ! Ah ! çà, jamais Frédéric II n'avait eu des bruits aussi gentils dans les oreilles. Pas question de passer à autre chose ce matin-là. Il ferma le tiroir et il commença à mettre son plaisir sur pied. Tant qu'il n'aurait pas cette horloge accrochée au mur il ne serait pas content. Inutile d'essayer, il ne pouvait pas s'en passer. Rien qu'à imaginer qu'il n'entendrait pas le tac-tac il trouvait le temps long. La femme aurait beau dire. C'était décidé.

Il but un café exquis. L'horloge était sur ses genoux et il pensait à ce qu'il allait faire. C'était bien simple, voilà ce qu'il fallait faire : il allait faire une « petite-boîten-bois » ! avec un trou rond découpé à la scie pour le cadran, un bon crochet derrière pour la pendre. En quel bois ? En bois de noyer bien entendu. Il pensa même à un bout de cire vierge qui devait se trouver dans la boîte marquée « Épices », là sur la cheminée, avec laquelle cire il y aurait de quoi donner du lustre et masquer les joints.

Du bois de noyer il n'en avait pas ici. Il en avait deux très belles feuilles à la scierie. Il se vit en train de scier, râper, ajuster et vernir pendant cette journée qui s'annonçait noire. Il plaça soigneusement la petite horloge dans le tiroir après avoir de nouveau pris un énorme plaisir à regarder le berger d'or et la bergère blanche.

Marguerite DURAS (1914-1996)

Le Ravissement de Lol V. Stein (1964)

(Folio n° 810)

Ce roman de Marguerite Duras est un des plus éblouissants, c'est-à-dire aveuglants, du XXᵉ siècle. Lol V. Stein a été brutalement abandonnée par son fiancé Michael Richardson, la nuit du bal au casino de T. Beach. Une nuit qui aura été, et pour toujours, « la fin du monde » (p. 47). La souffrance folle qu'elle en a éprouvée s'est assoupie pendant les dix années de son mariage avec Jean Bedford. De retour à S. Tahla, sa ville natale, elle y reconnaît Tatiana Karl, une amie chère qui avait assisté à ses côtés à la nuit fatidique. Tatiana, mariée, a pour amant Jacques Hold. Lol cherche et trouve une jouissance étrange à s'allonger dans un champ depuis lequel elle voit la fenêtre de la chambre d'hôtel où les amants se retrouvent. Jacques Hold — le narrateur du récit — devine la nature proprement extraordinaire de la quête de Lol, il y entre, y prend sa place, saisi désormais irrévocablement par la logique quelque peu perverse de cette «passion absolue» (p. 34). Il devient son amant, mais est impuissant à empêcher que finalement se recompose cette scène quasi primitive où Lol V. Stein, couchée dans le champ derrière l'hôtel, rejoue cet «abandon exemplaire» (p. 31) dans lequel elle a été une fois pour toutes «laissée», éprouvant une manière d'extase à jouir de l'objet de son désir sur le mode de sa privation, de son absence.

Dans le passage suivant, qui est celui de la conjonction radieuse et irrémédiable de Jacques Hold et de Lol, celle-ci lui dit comment elle a assisté de loin à ses amours avec Tatiana. Quelque chose d'essentiel s'y énonce : que le but impossible poursuivi par l'écrivain — car Lol, éperdument dépossédée du réel, est en dernière analyse une allégorie de l'écrivaine, *en tant que cette dernière fait dans l'écriture même l'expérience paradoxale, quasi mystique, de la «possession» (p. 123, au sens érotique du terme) des choses sous les espèces de leur disparition, puisque le texte par définition se substitue radicalement au réel, expérience donc, suave et tragique, d'une dépossession : d'un ravissement —, c'est de sortir du langage. Le roman de Marguerite Duras est en effet une fabuleuse tentative pour inventer un dispositif textuel qui permette à qui écrit, dans les mots mêmes de son livre, de rentrer en contact avec la plénitude du «vide» comme d'une «forêt» originelle et maternelle, en s'arrachant à l'attraction de «l'orient pernicieux des mots» (p. 124), grâce à un texte si sensuellement, si physiquement* défait *(comme un lit) qu'il finirait par devenir «un long mugissement fait de tous les mots fondus et revenus au même magma, intelligible à Lol V. Stein» (p. 130).*

Roman exemplaire, donc, de cette aventure moderne de l'écriture romanesque qui se réfléchit *elle-même, mettant en abyme l'expérience véritablement fusionnelle qui la fonde (car cela revient à s'éclater dans le* rien : la rem, la Chose),

pour y goûter un accomplissement indirect (par texte inter-
posé) du désir, lequel est toujours au fond désir de se perdre
par retour extatique au « magma ».

   C'est Jacques Hold qui parle, après la phrase prononcée
par Lol.

— Votre chambre s'est éclairée et j'ai vu Tatiana qui
passait dans la lumière. Elle était nue sous ses cheveux
noirs.
Elle ne bouge pas, les yeux sur le jardin, elle attend. Elle
vient de dire que Tatiana est nue sous ses cheveux noirs.
Cette phrase est encore la dernière qui a été prononcée.
J'entends : « nue sous ses cheveux noirs, nue, nue, cheveux
noirs. »
Les deux derniers mots surtout sonnent avec une égale et
étrange intensité. Il est vrai que Tatiana était ainsi que Lol
vient de la décrire, nue sous ses cheveux noirs. Elle était
ainsi dans la chambre fermée, pour son amant. L'intensité
de la phrase augmente tout à coup, l'air a claqué autour
d'elle, la phrase éclate, elle crève le sens. Je l'entends avec
une force assourdissante et je ne la comprends pas, je ne
comprends même plus qu'elle ne veut rien dire.
Lol est toujours loin de moi, clouée au sol, toujours tournée
vers le jardin, sans un cillement.
La nudité de Tatiana déjà nue grandit dans une surexposition
qui la prive toujours davantage du moindre sens possible.
Le vide est statue. Le socle est là : la phrase. Le vide est
Tatiana nue sous ses cheveux noirs, le fait. Il se transforme,
se prodigue, le fait ne contient plus le fait, Tatiana sort
d'elle-même, se répand par les fenêtres ouvertes, sur la ville,
les routes, boue, liquide, marée de nudité. La voici, Tatiana
Karl nue sous ses cheveux, soudain, entre Lol V. Stein et
moi. La phrase vient de mourir, je n'entends plus rien, c'est
le silence, elle est morte aux pieds de Lol, Tatiana est à sa
place. Comme un aveugle, je touche, je ne reconnais rien
que j'aie déjà touché. Lol attend que je reconnaisse non un
accordement à son regard mais que je n'aie plus peur de
Tatiana. Je n'ai plus peur. Nous sommes

deux, en ce moment, à voir Tatiana nue sous ses cheveux noirs. Je dis en aveugle :

— Admirable putain, Tatiana.

La tête a bougé. Lol a un accent que je ne lui connaissais pas encore, plaintif et aigu. La bête séparée de la forêt dort, elle rêve de l'équateur de la naissance, dans un frémissement, son rêve solaire pleure.

Chronologie

Raymond Queneau
et son temps

LA VIE DE QUENEAU, indissociable de l'élaboration
de son œuvre, peut s'appréhender selon trois grandes
étapes, ponctuées par de successives et décisives « initiations » : l'investigation boulimique des langues et des
sciences, deux domaines qu'il ne cessera de vouloir
associer ; le cinéma ; le surréalisme ; le service militaire
avec la découverte et de l'oppression et de la vraie
langue ; le marxisme et la psychanalyse ; enfin la philosophie orientale.

1.

Les années de formation
(1903-1929)

Raymond Queneau naît le 21 février 1903, au Havre,
où ses parents tiennent une mercerie. Il restera fils
unique. La famille de son père est d'ancienne paysan-
nerie, son grand-père maternel était marin dans le
Cotentin. L'enfant est mis en nourrice jusqu'à l'âge de
trois ans — traumatisme majeur. Il reçoit une éducation catholique, mais perd rapidement la foi. Sa scola-

rité primaire, puis secondaire, se déroule au lycée du Havre. Dès l'âge de huit ans, il se prend de curiosité pour les langues anciennes, commence à tenir son journal en 1914, à apprendre le grec en 1915. Cette année-là, il se met à écrire des romans, du théâtre, des poèmes. En 1916, il découvre l'arabe, l'hébreu, et même le hittite, mais fréquente également les cinémas de la ville, où il goûte particulièrement les films de Chaplin. S'intéresse aux sciences naturelles, à la chimie, fait de très nombreuses lectures. Il affectionne collections et listes : le futur encyclopédiste est en germe. Il découvre les mathématiques en 1917, qu'il cultivera toute sa vie, à un haut niveau. En 1918, il détruit ses déjà abondants manuscrits. Il passe ses deux bacs en 1919 et 1920, à Caen, puis s'inscrit à la Sorbonne en philosophie. À la fin de cette année, pour permettre à Raymond de poursuivre ses études, la famille s'installe dans la banlieue de Paris, à Épinay-sur-Orge. La banlieue jouera une rôle important dans plusieurs de ses livres.

En 1921, il se prend de passion pour l'œuvre de Marcel Proust, pour celle de René Guénon aussi. Il s'adonne cependant au billard et aux échecs. En 1923, il suit des cours de mathématiques. À partir de 1924, il fréquente André Breton et ses amis et participe aux activités du groupe surréaliste. Ses rapports avec les surréalistes, il les relatera, de façon assez caustique, dans *Odile* (1937). Il obtient une licence de lettres en 1926. De novembre 1925 à mars 1927, il accomplit son service militaire dans les zouaves, en Algérie, et participe à la guerre du Rif au Maroc. C'est pour lui l'occasion de découvrir bien des réalités, notamment le français populaire. Il décroche aussi un certificat d'anglais par correspondance. Sa connaissance de l'anglais lui don-

nera accès à la littérature anglo-saxonne, dont il tra-
duira certaines œuvres. Rendu à la vie civile, il fait divers
petits métiers, s'installe en juillet 1927 à Paris, et fréquente le groupe « de la rue du Château » : Prévert, qui
l'impressionne beaucoup, le peintre Yves Tanguy, Marcel Duhamel, futur créateur de la « Série noire ». En
juillet 1928, il épouse Janine Kahn, dont la sœur, Simone,
est la femme d'André Breton. C'est l'année où il commence à peindre. Il se brouille avec Breton en 1929.
C'est alors qu'il découvre *Ulysse* de Joyce.

1900	Freud, *L'Interprétation des rêves*. Naissance de Jacques Prévert. Mort de Nietzsche.
1902	Mort de Zola.
1903	Naissances de Georges Simenon, de Jean Tardieu, de Marguerite Yourcenar.
1904	Loi de séparation de l'Église et de l'État.
1905	Mort d'Alphonse Allais.
1906	Réhabilitation de Dreyfus.
1913	Apollinaire, *Alcools*. Proust, *Du côté de chez Swann*.
1914	Début de la Première Guerre mondiale.
1916	Freud, *Introduction à la psychanalyse*.
1917	Révolution bolchevique.
1918	La guerre a fait 8,5 millions de morts et 20 millions de blessés. Mac Orlan, *Le Chant de l'équipage*, livre lu et relu par Queneau.
1919-1926	Guerre du Rif.
1920	Création du Parti communiste français.
1922	Mussolini au pouvoir en Italie.
1924	André Breton, *Manifeste du surréalisme*.
1926	Paul Eluard, *Capitale de la douleur*.
1927	Abel Gance, *Napoléon*.
1929	Krach boursier de Wall Street.

2.

Naissance et essor d'un écrivain singulier
(1930-1944)

En 1930, Queneau travaille sur les « Fous littéraires ». De ces recherches, il tirera l'*Encyclopédie des sciences inexactes*, refusée par les éditeurs, dont des fragments seront incorporés dans *Les Enfants du limon*. Il se lie d'amitié avec Georges Bataille. De 1931 à 1933, il collabore avec lui à *La Critique sociale* de Boris Souvarine, organe du Cercle communiste démocratique. En 1932, il entreprend une psychanalyse, qui durera dix ans. De juillet à novembre 1932, il fait un voyage en Grèce, au cours duquel il rédige son premier roman, *Le Chiendent*, dans lequel il ose employer le français tel qu'on le parle : « [...] je fis un voyage en Grèce. Sur le bateau, je me mis à étudier le grec moderne, à parler avec des Grecs de la lutte entre la catharevousa et la démotique, entre la langue qui s'efforce de ne différer que le moins possible du grec ancien et la langue réellement parlée » (*Bâtons, Chiffres et Lettres*). Le roman paraît chez Gallimard en 1933. À partir de cette année, il suit à l'École pratique des hautes études le séminaire de Kojève sur le philosophe Hegel (qu'il publiera en 1947 sous le titre *Introduction à la lecture de Hegel*) ; il y côtoie Georges Bataille, Jacques Lacan, Roger Caillois et Maurice Merleau-Ponty. En 1934, c'est la naissance de son fils Jean-Marie, qui deviendra peintre, et la publication de *Gueule de pierre*, premier volet d'un triptyque évoquant la Ville Natale, qui comprendra *Les Temps mêlés* (1941) et *Saint Glinglin* (1948), refonte des deux premiers. Puis viennent trois romans autobiographiques : *Les Derniers Jours* (1936), *Odile* (1937), *Les Enfants du limon* (1938). En 1936, il s'est installé à Neuilly, où il résidera jusqu'à la fin de sa vie.

L'année 1937 voit la mort de sa mère et la parution de *Chêne et Chien*, «Roman en vers», dans lequel Queneau jette sur son enfance et son adolescence, entre amertume et humour, l'éclairage rétrospectif de la psychanalyse, mettant en évidence le conflit intérieur («Chêne et chien voilà mes deux noms»), au demeurant fécond, entre le «chêne», aspiration à la spiritualité, et le «chien», incarnation des instincts liés à la sexualité, mais gisement précieux de dérision et de désir. L'année suivante, il entre au comité de lecture des éditions Gallimard en qualité de lecteur d'anglais. Comme tel, il contribuera à faire connaître la littérature américaine contemporaine. En 1939 paraît *Un rude hiver*, roman qui se passe au Havre pendant la guerre de 1914. Queneau est alors incorporé, se retrouve en Vendée ; démobilisé en juillet 1940, il se réfugie avec sa femme et son fils dans la Haute-Vienne. En 1941, il devient secrétaire général des éditions Gallimard. Mais refuse de collaborer à *La Nouvelle Revue française*, dirigée par Pierre Drieu la Rochelle, écrivain collaborationniste. *Pierrot mon ami* est publié l'année suivante. Le ton en est aussi particulier que remarquable. Entre rebuffades et initiations plus ou moins décevantes, Pierrot s'abandonne à la douceur grise du devenir, mi-riant, mi-mélancolique. 1943 : *Les Ziaux*, premier recueil de poèmes. 1944 : *Loin de Rueil*, roman dont le principal personnage, Jacques L'Aumône, multiplie, en marge de son existence, les vies rêvées les plus débridées, ce qui lui permet de se «débarrass[er] des diverses destinées dans lesquelles il eût pu succomber». Façon pour l'auteur de se purger, avec son humour désabusé, de ces fantasmagories littéraires dégradées (Emma Bovary les paya cher) qui détournent du réel, si elles en consolent. 1944 aussi, *En passant*, pièce de théâtre. Queneau participe à des publications clandestines, devient membre du Comité national des écrivains issu de la Résistance, et sous-directeur des services littéraires de la radio.

1932	Céline, *Voyage au bout de la nuit*.
1933	Hitler prend le pouvoir en Allemagne.
1934	Émeutes fascistes du 6 février à Paris.
1935	L'Italie attaque l'Éthiopie. Giraudoux, *La guerre de Troie n'aura pas lieu*.
1936	Victoire du Front populaire en France. Guerre civile espagnole. Chaplin, *Les Temps modernes*.
1936-1938	« Grands procès » de Moscou.
1937	Malraux, *L'Espoir*. Picasso, *Guernica*.
1938	Fin du Front populaire. Hitler annexe l'Autriche. Artaud, *Le Théâtre et son double*.
1939	Début de la Seconde Guerre mondiale. Leiris, *L'Âge d'homme*. Jean Renoir, *La Règle du jeu*.
1940	La France est occupée par l'Allemagne. Pétain dirige un gouvernement de collaboration. Assassinat de Trotski.
1941	Entrée en guerre de l'URSS et des États-Unis.
1942	Grande rafle des juifs à Paris. Ponge, *Le Parti pris des choses*. Vercors, *Le Silence de la mer*.
1943	Débuts du STO. Création du Conseil national de la Résistance. Sartre, *Les Mouches*.
1944	Débarquement allié en Normandie. La France est libérée par les Alliés. Anouilh, *Antigone*.

3.

Affirmation et consécration
(1945-1976)

À compter de la Libération, Queneau devient une figure de la vie parisienne. Grand amateur de jazz, il fréquente assidûment Saint-Germain-des-Prés et se lie d'amitié avec Boris Vian. Il est très tenté par la peinture, et expose ses gouaches. En 1947, première édition des *Exercices de style*, quatre-vingt-dix-neuf variations virtuoses sur un mini-récit anodin. Véritable art poétique : on ne peut saisir le réel que si l'on s'attache à recenser pour mieux les démêler les fils que le langage et la littérature ont tissés autour de lui, comme une toile qui, le recouvrant, le prendrait au piège, ou qui retiendrait d'y tomber. La même année, sous le pseudonyme de Sally Mara, *On est toujours trop bon avec les femmes*, « saga irlandaise » parodique ; enfin *Bucoliques*, poèmes. Poèmes aussi *L'Instant fatal*, en 1948, année où il devient membre de la Société mathématique de France. En 1950, *Petite cosmogonie portative* retrace en six chants et en alexandrins, à la manière d'un Lucrèce érudit mais trivial, la naissance de la Terre et des planètes, des métaux, des végétaux et des animaux, celle de l'homme enfin, avec ses inventions, ses machines : exemplaire mariage de la science et de la poésie. La même année, il publie *Bâtons, chiffres et lettres*, recueil d'articles sur les états de la langue française et les techniques du roman, notamment. En février, il entre au Collège de pataphysique, « science des solutions imaginaires » fondée par Alfred Jarry. En 1951, il est élu à l'académie Goncourt. L'année suivante paraissent un roman, *Le Dimanche de la vie*, où le soldat de seconde classe Valentin Brû se montre inspiré par Hegel, et *Si tu t'imagines*, qui rassemble des recueils de poèmes antérieurement publiés. En 1954, il accepte la direction de l'« Encyclopédie de la Pléiade », mais devient aussi membre du jury du prix Alphonse Allais. Il écrit les dialogues du film de René Clément, *Monsieur Ripois*, et ceux du film de Buñuel, *La Mort en ce jardin*, en 1955. L'année d'après il effectue un voyage en URSS, en qualité d'académicien Goncourt. En 1958, publication des poèmes de *Sonnets* et de *Le Chien à la mandoline*.

1959 est l'année de *Zazie dans le métro*, qui obtient un grand succès de librairie. Le roman est adapté au théâtre par Olivier Hussenot, et au cinéma par Louis Malle, en 1960. En septembre de cette année, une Décade de Cerisy est consacrée à Queneau, au cours de laquelle se décide la fondation de l'OuLiPo (Ouvroir de Littérature Potentielle) avec l'ami mathématicien François Le Lionnais. Le principe essentiel de l'OuLiPo est celui de la contrainte productrice. La même année, l'écrivain signe les dialogues du film de Jean-Pierre Mocky, *Un couple*. Il travaillera aussi, pour le même cinéaste, à une adaptation de *La Cité de l'indicible peur* de Jean Ray, en 1964. On ne saurait trop insister sur les points de ressemblance entre les univers respectifs de Queneau et de Mocky : fantaisie et liberté extrêmes, étrangeté grinçante, poésie acide, voire mordante. En 1961 paraissent les *Cent mille milliards de poèmes*, fondés sur la combinatoire résultant de la permutabilité des vers d'un ensemble de dix sonnets. Cette « machine à fabriquer des poèmes », selon les mots de l'auteur dans son « Mode d'emploi » liminaire, est, selon Jacques Roubaud, « la première œuvre explicitement oulipienne » et « peut être vue comme une allégorie de la potentialité», laquelle est définie par lui comme le «but de l'OuLiPo». Diffusés à la radio en avril 1962, les *Entretiens avec Georges Charbonnier* paraissent la même année chez Gallimard. En 1963, Queneau est membre de l'American Mathematical Society. Le roman *Les Fleurs bleues* est publié en 1965 («dans ce roman, est-ce le duc d'Auge qui rêve qu'il est Cidrolin ou Cidrolin qui rêve qu'il est le duc d'Auge?…» s'interroge le «Prière d'insérer»). Le grand comparatiste Étiemble a proposé d'y voir un livre taoïste. En 1966, parution d'*Une Histoire modèle*, tentative pour penser mathématiquement l'histoire. Trois recueils de poèmes sont ensuite donnés successivement : *Courir les rues* (1967), *Battre la campagne* (1968), *Fendre les flots* (1969). Le dernier roman de l'écrivain, *Le Vol d'Icare*, ultime réflexion sur la création romanesque, paraît en 1968. Sa femme, Janine, meurt en 1972, et il en est durablement affecté. *Le Voyage en Grèce*, en 1973, rassemble des articles parus en revues de 1931 à 1940, comptes rendus de livres ou réflexions sur la littérature. *Morale élémentaire*, en 1975, marque *in extremis* un surprenant renouvellement du poète. La première section est constituée de poèmes obéissant à une forme fixe inventée (quinze vers dont les premier, troisième, cinquième et quatorzième forment l'élément médian d'une série de trois syntagmes nominaux). Les sections deux et trois sont faites d'une suite de poèmes en prose, inspirés par le *Yi-king*, un des classiques de la sagesse chinoise.

Raymond Queneau meurt à Paris le 25 octobre 1976.

1945   Conférence de Yalta. Bombes atomiques américaines sur le Japon. Découverte des camps d'extermination nazis. Aragon, *La Diane française*.

1946   Début de la Guerre froide. René Char, *Feuillets d'Hypnos.*

1947   Début de la guerre d'Indochine. Camus, *La Peste.* Prévert, *Paroles.* Genet, *Les Bonnes.* Boris Vian, *L'Écume des jours.*

1948   Création de l'État d'Israël.

1949   Fondation de la République populaire de Chine.

1951   Mort d'André Gide. Giono, *Le Hussard sur le toit.*

1953   Mort de Staline. Beckett, *En attendant Godot.*

1954   Début de la guerre d'Algérie. Fellini, *La Strada.*

1957   Bataille, *Le Bleu du ciel.* Barthes, *Mythologies.*

1958   Naissance de la Ve République.

1959   Godard, *À bout de souffle.* Mocky, *Les Dragueurs.* Mort de Boris Vian.

1962   Indépendance de l'Algérie. Mort de Faulkner.

1964-1973   Guerre du Viêt-nam.

1964   Sartre, *Les Mots.*

1965   De Gaulle réélu contre Mitterrand.

1966   Mort d'André Breton. Lacan, *Écrits.*

1967   Guerre israélo-arabe. Roubaud, ∈ («signe d'appartenance»).

1968   Événements de mai-juin. Grève générale.

1969   Pompidou président de la République. Premiers hommes sur la Lune. Perec, *La Disparition.*

1970   Mort de De Gaulle.

1973   Premier choc pétrolier, début de la crise économique.
        Coup d'État du général Pinochet au Chili.
        William Cliff, *Homo sum* (publié chez Gallimard à l'initiative de Queneau).

1975   Émile Ajar (Romain Gary), *La Vie devant soi.*

1976   Mort de Mao Tsé-toung. Morts d'André Malraux et de Paul Morand.

Pour prolonger la réflexion

Claude DEBON, «Queneau Raymond, 1903-1976»,
Dictionnaire de poésie de Baudelaire à nos jours, PUF,
2001, p. 646-648.

Michel LÉCUREUR, *Raymond Queneau. Biographie*,
Les Belles Lettres/Archambaud, 2002.

Anne-Isabelle QUENEAU, *Album Raymond Queneau*,
Gallimard, «Bibliothèque de la Pléiade», 2002.

«Poétique de l'OuLiPo», par J. ROUBAUD, dans le
Dictionnaire de poésie de Baudelaire à nos jours, PUF,
2001, p. 559-562.

Éléments pour une
fiche de lecture

Regarder la photographie

- Relevez tout ce que vous comprenez de la situation photographiée sans tenir compte de son titre (combien de personnages et qui sont-ils les uns pour les autres ? À quelle époque le cliché a-t-il été pris ? À quelle heure ? Quels sont les objets représentés ?).
- Maintenant, adaptez ce que vous venez de relever au titre donné par Izis. La perception change-t-elle ?
- Étant donné les expressions des visages, que pensez-vous que ces personnes regardent ?
- Pourquoi, selon vous, aucun des protagonistes ne regarde l'objectif ?

L'espace

- Dressez la carte complète des divers lieux de Paris mentionnés.
- Peut-on reconstituer l'itinéraire « véritable » du taxi (en dehors des identifications fantaisistes des personnages) depuis la gare jusqu'au domicile de Gabriel ?
- Quel commentaire inspire la comparaison des lieux effectivement habités ou parcourus par les person-

nages et de ceux qui sont seulement, ici et là, mentionnés ?

Le temps

- Faites un inventaire exhaustif des indications et indices qui permettent de situer historiquement le petit monde mis en scène dans *Zazie*.
- L'histoire a une durée totale d'environ trente-six heures (Zazie arrive à Paris en fin de journée, et en repart le surlendemain à sept heures). Efforcez-vous d'évaluer, texte à l'appui, la répartition de cette durée entre les dix-neuf chapitres — en tenant compte des éventuelles ellipses.

Les personnages

- Y a-t-il des personnages dont l'âge soit indiqué ? Peut-on connaître celui de Zazie ? À quels indices ?
- Dans le « Prière d'insérer » de *Zazie*, en 1959, Queneau (qui en est sans doute l'auteur) dit que le roman montre « un Paris dont les habitants semblent tous dépourvus de papiers d'*identité* ». Interrogez-vous sur le traitement réservé dans ce roman à l'*identité* des personnages.

Les genres

- Dans le premier monologue de Gabriel (p. 91-92), intéressez-vous aux divers procédés d'écriture (travail du rythme, des parallélismes, des sonorités) par lesquels Queneau tire cette page de prose du côté de la poésie.
- Dans un admirable article écrit sur le roman à sa sor-

tie, « Zazie et la littérature » (*Essais critiques*, Seuil, 1964), Roland Barthes conclut ainsi son analyse : Queneau « assume le masque littéraire, mais en même temps il le montre du doigt ». Dans quelle mesure ce jugement permet-il en effet de définir la poétique de *Zazie*, les formes littéraires y étant à la fois maniées avec art et déconstruites ?

Les registres

- Procédez à un inventaire des principaux ressorts du comique dans le roman.
- Relevez et examinez de près (motifs, procédés) quelques passages dans lesquels se font entendre, en mineur, le registre lyrique et sa variante, le registre élégiaque, même s'ils sont infléchis par la pression parodique.
- Étudiez en détail la mise en œuvre du registre épique et sa parodie dans la bataille du chapitre 17 (p. 182-184).
- « Y a pas que la rigolade, y a aussi l'art », déclare Gabriel (p. 172). Dans quelle mesure cette profession de foi peut-elle être considérée comme s'appliquant au roman lui-même ?

Les intertextes

- Procédez à un relevé aussi complet que possible des imitations des poèmes homériques auxquelles l'écrivain se livre.
- Comparez systématiquement le monologue de Gabriel (« Sans ça, qui supporterait… », p. 119) et la partie correspondante de celui d'Hamlet : relevez tout ce qui constitue un rabaissement trivial du texte de Sha-

kespeare ; mais aussi les éléments qui échappent à ce procédé.

• Quel emprunt à Rabelais peut-on déceler aux pages 154-155 ?

L'orthographe

• Relevez le plus possible de mots dont l'orthographe a été modifiée par l'écrivain (par exemple : « Jamais on upu croire qu'il y en u tant », p. 183). Comparez avec ce que Queneau écrivait dès 1937 (*Bâtons, Chiffres et Lettres*) : « Et la réforme de l'orthographe, ou plutôt l'adoption d'une orthographe phonétique s'impose, parce qu'elle rendra manifeste l'essentiel : le prééminence de l'oral sur l'écrit. »

• Pourquoi, selon vous, l'écrivain a-t-il fait malgré tout un usage limité de l'« ortograf fonétik », selon l'expression de *Bâtons, Chiffres et Lettres*, dans son livre ?

Du livre au film

• La version cinématographique de Louis Malle, *Zazie dans le métro*, sortit sur les écrans dès 1960. Visionnez attentivement ce film (DVD Arte Vidéo, 2005). Efforcez-vous de repérer et de caractériser les procédés d'écriture proprement filmiques qui ont permis au cinéaste de réaliser, non pas une plate adaptation, mais une *transposition* réussie tant de l'univers que du style du roman.

L'adaptation cinématographique

de Louis Malle

Laurent Canérot

Analyse du film

Zazie dans le métro
de Louis Malle

1.

Louis Malle et la « Nouvelle Vague »

L ouis Malle n'a que vingt-huit ans lorsque son troisième film, *Zazie dans le métro*, sort sur les écrans français en octobre 1960. Un an plus tôt, François Truffaut avait reçu le prix de la mise en scène au festival de Cannes pour *Les Quatre Cents Coups*; en mars 1960 était sorti le premier long-métrage de Jean-Luc Godard, *À bout de souffle. Zazie dans le métro* s'inscrit donc pleinement dans le courant de ce que l'histoire du cinéma appelle la Nouvelle Vague.

Les films composant la Nouvelle Vague ont en commun d'avoir été réalisés par de jeunes gens, selon un mode de financement économique, grâce aux progrès techniques qui rendent à la même époque les caméras plus maniables et la pellicule plus sensible (ce qui permet de tourner hors des studios et réduit considérablement les coûts d'éclairage), et de proposer au public une nouvelle vision de la jeunesse française. Le critique Antoine de Baecque en donne cette définition dans *La Nouvelle Vague, portrait d'une jeunesse* :

La Nouvelle Vague est un mouvement de jeunesse. Elle a brusquement redonné un nouveau visage au cinéma français, lorsque, entre 1959 et 1962, près de cent cinquante tout jeunes gens ont fait leurs débuts de metteurs en scène, faisant respirer le système jusqu'alors fermé et hiérarchisé de l'industrie cinématographique française. Elle a également filmé la jeunesse, a capté ses habitudes, ses manières de parler, a offert aux jeunes spectateurs de jeunes acteurs incarnant les histoires de jeunes cinéastes. Il s'est passé quelque chose d'unique, une double reconnaissance : une génération de Français — qu'on a appelée «nouvelle vague» dans les journaux, les enquêtes et les magazines — s'est retrouvée à peu près synchrone avec une idée et une pratique du cinéma — qu'on a nommées Nouvelle Vague.

Louis Malle partage avec les réalisateurs de la Nouvelle Vague un «amour fou» du cinéma, les mêmes admirations cinématographiques («Nous avions tous la même admiration pour Bresson, Renoir et, bien entendu, pour les grands metteurs en scène hollywoodiens des années 1930 jusqu'aux années 1950... la grande période de Hollywood», dira-t-il à Philip French) et les mêmes ambitions ; il résume ainsi le projet de son premier film de fiction, *Ascenseur pour l'échafaud*, réalisé en 1957 :

J'imitais Hitchcock en tentant de faire, sans doute avec un peu d'ironie, un thriller qui fonctionne bien. [...] Par-dessus le marché, je voulais peindre la nouvelle génération... montrer un Paris nouveau. Traditionnellement, c'était toujours le Paris de René Clair qu'on voyait dans les films français et j'ai tenu à montrer un des premiers immeubles modernes de Paris. [...] J'ai montré un Paris, non pas du futur, mais du moins une ville moderne, un univers déjà déshumanisé.

Mais Louis Malle n'a jamais appartenu à ce qu'il appelle le «clan des *Cahiers du Cinéma*», où écrivaient

François Truffaut, Jean-Luc Godard, Claude Chabrol et Éric Rohmer. Et c'est surtout sa précocité qui lui confère, dans les histoires du cinéma, une place particulière de précurseur de la Nouvelle Vague : entre 1950 et 1960, en effet, Louis Malle est entré à Sciences-Po, qu'il a quitté pour l'IDHEC, école de cinéma prestigieuse, mais sans moyens, qui lui donne du cinéma un savoir exclusivement théorique. C'est pourquoi il abandonne l'IDHEC en 1953 pour suivre le commandant Cousteau dans l'aventure du tournage du *Monde du silence*, un documentaire d'exploration sous-marine couvrant deux années d'exploration dans la mer Rouge, le golfe Persique et l'océan Indien, et sur lequel il travaille comme cameraman, monteur et second réalisateur. En 1956, *Le Monde du silence* obtient la Palme d'Or à Cannes. Louis Malle, auquel Jacques Tati a proposé d'être second cameraman sur *Mon Oncle*, décide plutôt de travailler avec Robert Bresson sur la préproduction d'*Un condamné à mort s'est échappé*. En 1957, il réalise son premier long-métrage, *Ascenseur pour l'échafaud*, avec Henri Decaë comme chef opérateur (qui travaillera ensuite sur *Les Quatre Cents Coups*) et Jeanne Moreau devant la caméra. Le film est un succès critique — il reçoit le prix Louis-Delluc — et public. «Ancien opérateur et assistant de Cousteau pour *Le Monde du silence*, écrit Jean-Pierre Vivet dans *L'Express*, Louis Malle a prouvé qu'il était le cinéaste le plus doué de sa génération.» Son deuxième film, *Les Amants*, réalisé en 1958, et dans lequel on retrouve Jeanne Moreau, est salué par la critique (il remporte le prix spécial du jury au festival de Venise) mais est surtout un succès de scandale international. Dans un article publié dans *Arts* en 1958, Truffaut célèbre en Louis Malle celui qui a «filmé la première nuit d'amour au cinéma», qui a «réalisé le film que tout le monde porte en son cœur et rêve de concrétiser : l'histoire minutieuse d'un coup de foudre ». Le succès dépasse les limites de l'Europe et fait connaître le nom de Louis Malle aux États-Unis, où le film passe même devant la commission de la Cour Suprême, appelée à définir les limites de la pornographie à l'écran.

En 1960, Louis Malle a donc l'ambition d'être un auteur de cinéma, c'est-à-dire de construire, de film en film, une œuvre cinématographique. Il a acquis une grande maîtrise technique, une reconnaissance critique et publique internationale et recherche une indépendance financière à travers La Nouvelle Société de Films qu'il a rachetée en 1956 pour lui permettre de produire ses propres projets. Il justifie ainsi le choix d'adapter, pour son troisième film, le roman de Queneau :

> À l'origine, c'était la difficulté. Le livre venait de sortir et je crois que c'était la première et peut-être la seule œuvre de Queneau à être un best-seller. C'était très drôle et c'était le roman dont tout le monde parlait. Un producteur avait pris une option dessus, René Clément devait le réaliser, mais je pense qu'ils ont dû très vite se rendre compte que c'était infaisable. Tout le monde me disait : « Laisse tomber ce livre, tu n'en feras jamais un film, c'est impossible. » Mais je l'adorais.

La Nouvelle Société de Films a donc racheté les droits de ce film « infaisable » et Louis Malle a travaillé avec Jean-Paul Rappeneau sur le scénario. Sorti en octobre 1960, le film, tourné en couleurs, est un succès critique et un échec public, comme l'explique Louis Malle :

> Ce fut un bide monumental. On ne s'en souvient pas, parce que c'est devenu une sorte de film culte. J'avais eu de très bonnes critiques. Sa sortie avait fait beau-

> coup de bruit ; la première semaine, nous avons battu
> tous les records d'entrées. Et puis, pratiquement plus
> rien. Le public était déconcerté et ne savait pas com-
> ment réagir. Sauf à Paris, ça a été un désastre.

La critique publiée dans *Les Lettres Françaises* en
novembre 1960, pourtant élogieuse, témoigne du désarroi du public :

> Louis Malle enclenche un moteur à explosion perpé-
> tuelle. Il nous précipite dans un tourbillon d'images et
> de sons pris de délire. Il nous place au cœur d'une lan-
> terne magique qui brouille les pistes de la lumière et
> de la raison. Nous naviguons avec *Zazie* sur des flots
> déchaînes, agrippés au radeau de *La Méduse* de la
> logique.

2.

La structure de *Zazie dans le métro*

Plus de cinquante ans après la sortie du film, le format DVD permet d'essayer de se retrouver dans ce
« tourbillon d'images et de sons pris de délire ». Nous
proposons ici le résumé du film à partir du découpage
en chapitres du DVD édité par Arte Vidéo (EDV 236)
en 2005. Ce « chapitrage » n'a aucune valeur théorique,
mais un grand intérêt pratique. Les titres des chapitres
sont donnés par le menu du DVD ; est indiqué aussi le
minutage correspondant au début du chapitre.

CHAP.	MINUTAGE	TITRE	RÉSUMÉ
1		Générique	Les cartons du générique s'inscrivent sur les images d'une ligne de chemin de fer, suivant l'avancée rapide d'un train à travers des petites gares de banlieue, en travelling avant. La musique extradiégétique qui accompagne le générique évoque l'univers du western.
2	1 min 20 s	Médoukipu-donktan	Gabriel attend à la gare l'arrivée de Jeanne, qui court se jeter dans les bras de son amant, et lui confie la petite Zazie, jusqu'au surlendemain.
3	3 min 35 s	Snob mon cul	Gabriel et Zazie sortent de la gare pour rejoindre le «tacot» de Charles, pris d'assaut par la foule. Zazie échappe aux deux adultes pour voir le métro, fermé pour cause de grève. Gabriel et Charles font monter l'enfant en colère dans le taxi, et partent en voiture. Gabriel tente de jouer le guide touristique, mais aucun des deux adultes ne peut identifier le monument devant lequel le taxi passe et repasse.
4	7 min 43 s	Ch'rai astronaute pour faire chier les Martiens	Charles, Gabriel et Zazie entrent dans le bistro, dont ils rencontrent le propriétaire Turandot, la serveuse Mado, le perroquet Laverdure, et des ouvriers occupés à moderniser le décor. Zazie suit Gabriel jusqu'à son appartement, situé au-dessus du bistro. La nuit est tombée. Dans l'ap-

CHAP.	MINUTAGE	TITRE	RÉSUMÉ
			partement, Albertine, la femme de Gabriel, sert le dîner à Zazie et Gabriel. Lorsque Zazie va au lit, Turandot, portant Laverdure, entre dans l'appartement pour manifester son mécontentement à propos de la présence de la petite, et finit par la réveiller. Gabriel, aidé d'Albertine, se prépare soigneusement, puis sort, en manquant d'oublier son rouge à lèvres.
5	14 min 31 s	Course-poursuite I	Au matin, Zazie, seule à être réveillée dans l'appartement, se prépare et quitte la maison. Turandot, qui la voit s'enfuir, la poursuit dans les rues de Paris, jusqu'à ce que l'enfant fasse un scandale. Profitant de ce qu'un groupe de badauds s'interroge sur le contenu malhonnête des prétendues propositions de Turandot, Zazie, puis Turandot, s'enfuient chacun de leur côté.
6	19 min 20 s	Lagoçamilébou	Turandot regagne, effrayé, le bistro, et annonce à Mado, puis à Gabriel, qu'il réveille, la fuite de Zazie. Turandot et Gabriel, rejoints par Gridoux, sortent précipitamment dans la rue, mais oublient la poursuite pour évoquer leurs souvenirs de l'Occupation. Zazie, elle, rejoint une bouche de métro, fermée et cadenassée pour cause de grève. Le désespoir de la petite est in-

CHAP.	MINUTAGE	TITRE	RÉSUMÉ
			terrompu par Pedro-Surplus, qui cherche à la consoler. Assis sur un banc devant le bistro, Gridoux, Turandot et Gabriel se racontent leurs bons et mauvais souvenirs de la guerre.
7	22 min 06 s	La foire aux puces	Pedro-Surplus et Zazie déambulent dans le marché aux puces ; Pedro fait l'acquisition d'un blue-jeans pour la petite, puis l'emmène au restaurant, où elle mange des frites, puis évoque l'assassinat de son père. Le récit se poursuit tandis qu'elle mange des moules, en aspergeant le costume puis la chemise de Pedro. Elle dérobe soudain le blue-jeans et s'enfuit du restaurant.
8	27 min 30 s	Course-poursuite 2	Zazie et Pedro se lancent dans une folle course-poursuite, à pied, puis en voiture, jusqu'à ce que Pedro se retrouve devant Zazie et lui reprenne le paquet des mains. Zazie provoque un esclandre, au même endroit qu'avec Turandot. Mais Pedro tourne la situation à son avantage, et annonce qu'il raccompagne la petite chez ses parents.
9	33 min 32 s	On m'appelle Pedro-Surplus !	Dans l'appartement de Gabriel — qui était retourné au lit —, Pedro-Surplus entreprend l'interrogatoire de Gabriel. Zazie s'est emparée du blue-jeans, et se fait admirer par Albertine,

CHAP.	MINUTAGE	TITRE	RÉSUMÉ
			qui écoute, derrière la porte, la conversation entre les deux hommes. Lorsqu'elle rentre dans le salon, Pedro tombe amoureux d'elle. Gabriel jette soudain Pedro par la fenêtre. Pedro se retrouve attablé à la terrasse du bistro, servi par Mado, qui se rue ensuite dans les bras de Charles.
10	36 min 59 s	23 min plus tard	Mado apporte son déjeuner à Gridoux, qui tient son échoppe de cordonnier un peu plus haut dans la rue. Mado dit son bonheur d'être amoureuse de Charles. Elle est remplacée auprès de Gridoux par Pedro-Surplus, qui enfile des bottes de chevalier tout en faisant douter Gridoux de son identité. Zazie, Gabriel et Charles partent en taxi.
11	40 min 39 s	C'est chouette la ville	Paris est dans les embouteillages, Zazie est en bas de la tour Eiffel. Elle monte dans la tour avec Charles et Gabriel, par un ascenseur envahi de touristes de toutes les nationalités, que Gabriel parvient à faire taire. Au deuxième étage, Gabriel, pris de vertige et qui a perdu ses lunettes, se lance dans une longue tirade, qui l'emmène de plus en plus haut. Zazie et Charles, eux, redescendent par les escaliers. Au sommet, Gabriel s'envole grâce à un ballon d'enfant, qui le ramène au pied de la tour, où

CHAP.	MINUTAGE	TITRE	RÉSUMÉ
			Fédor, conducteur d'un car de touristes, le reconnaît. Les quatre touristes norvégiennes qui avaient suivi Gabriel, fascinées, jusqu'au sommet, arrivent par le même moyen dans le car, qui démarre. Charles, qui continue à descendre les escaliers interminables de la tour Eiffel, épuisé par les questions de Zazie, s'enfuit en taxi, abandonnant l'enfant et son oncle.
12	48 min 52 s	La Sainte-Chapelle, un joyau de l'art gothique	Gabriel porte Zazie à travers les embouteillages parisiens. La veuve Mouaque s'intéresse à l'enfant et son oncle, et abandonne sa voiture pour les suivre sur les quais de la Seine. Le policier Trouscaillon, occupé d'abord à suivre une pin-up, croit reconnaître, depuis le pont où il se trouve, Albertine dans le petit groupe de Zazie, Gabriel et la veuve. Le car de touristes conduit par Fédor survient sur le quai et embarque Gabriel. La veuve Mouaque et Zazie crient au kidnapping, et sont rejointes par Trouscaillon. La veuve retrouve sa voiture abandonnée dans les embouteillages, et une nouvelle folle course-poursuite s'engage entre le car et la voiture, dont il ne reste bientôt plus que le châssis, à travers les rues embouteillées de Paris, jusqu'au «joyau de l'art gothique» — qui se

CHAP.	MINUTAGE	TITRE	RÉSUMÉ
			trouve être le même monument qu'au début du film.
13	58 min 45 s	La répétition	Gabriel a quitté le car pour se précipiter au cabaret «Le paradis», où des girls répètent un numéro de danse. Zazie est dissimulée derrière un rideau de sa loge. Gabriel essaye de téléphoner au bistro, afin de prévenir Albertine qu'il faut qu'elle lui apporte sa robe pour son numéro du soir, mais, au bistro, Mado et Charles concluent leur mariage. Gabriel invite donc tout le monde et s'enquiert de la petite. Zazie surgit, se met au piano, et entraîne Gabriel et les danseuses dans un numéro de danse frénétique. À l'extérieur, alors que la nuit tombe, la veuve Mouaque embrasse fougueusement Trouscaillon. Mado monte dans l'appartement de Gabriel annoncer à Albertine son mariage avec Charles. Au cabaret, la danse frénétique finit par mettre le feu au décor. Dehors, la veuve Mouaque poursuit Trouscaillon de ses assiduités.
14	1 h 4 min 20 s	L'amour… l'amour…	Trouscaillon se dégage des bras de la veuve Mouaque et s'enfuit dans la voiture-châssis. Zazie, dans un square, se moque de la veuve et de sa passion pour le «flicmane».

CHAP.	MINUTAGE	TITRE	RÉSUMÉ
			Dans l'appartement de Gabriel, Albertine et Mado évoquent la tenue de la future mariée.
			La veuve Mouaque suit Zazie dans les rues pour lui parler de l'amour.
			Mado et Albertine parlent elles aussi d'amour, lorsque Trouscaillon, entré par la fenêtre de l'appartement, escamote Mado et cherche à séduire Albertine. Elle quitte l'appartement, enfourche une motocyclette, et s'enfuit, poursuivie par Trouscaillon.
			La poursuite s'engage dans la nuit, alors que Gabriel attend dans sa loge, que Charles emmène Mado, Gridoux et Laverdure dans son taxi, et que Zazie erre dans les rues, jusqu'à s'assoupir sur le capot d'une voiture. Dans son rêve, elle voit les adultes danser la farandole devant une fontaine, se succéder sur le fauteuil de Gabriel, courir dans les rues, et se retrouver, avec sa mère et son amant, dans une salle de billard.
15	1 h 12 min 02 s	Gabriel, en scène!	Zazie, en haut des marches qui mènent à la boîte de nuit, voit surgir Albertine, suivie de Trouscaillon, suivi du taxi de Charles, suivi du car de touristes. Tout le monde s'entasse dans la loge de Gabriel, jusqu'à ce que le patron lui crie d'aller en scène. Albertine, restée seule

CHAP.	MINUTAGE	TITRE	RÉSUMÉ
			dans la loge, est rejointe par Trouscaillon, qui entreprend de la séduire. Mais Albertine, indifférente à ses avances, s'habille en motard et quitte la loge, remplacée par Zazie, ce dont Trouscaillon ne semble pas s'apercevoir.
16	1 h 16 min 25 s	La soupe à l'oignon	Devant la boîte de nuit, Trouscaillon et Fédor attendent la sortie des fêtards qui, lorsqu'elle se produit, provoque l'irruption de policiers qui embarquent Trouscaillon. Toute la troupe se retrouve dans un restaurant moderne, à manger de la soupe à l'oignon, puis de la choucroute, jusqu'à ce que la situation dégénère et tourne en bagarre générale entre les serveurs et les clients. Zazie est à moitié endormie sur sa chaise. La bagarre aboutit à la destruction des décors, et se conclut par la victoire de Gabriel et des siens. Une chaise jetée au vol tombe sur Zazie et la réveille.
17	1 h 23 min 54 s	Oui c'est moi Aroun Arachide	Devant le restaurant paraît soudain une troupe de miliciens, de blousons noirs et de soldats, menée par Aroun Arachide en dictateur fasciste. La veuve Mouaque, qui reconnaît Trouscaillon, s'avance vers lui et se fait mitrailler. Un piano tombé du ciel écrase Aroun Arachide et donne le signal

CHAP.	MINUTAGE	TITRE	RÉSUMÉ
			d'une nouvelle bataille générale, sur fond sonore de bombardements, d'alertes et de raids aériens.
18	1 h 25 min 57 s	J'ai vieilli	Lorsque sonne la trompette de la cavalerie, Gridoux, Gabriel, qui porte Zazie, Turandot, qui porte Laverdure, Mado et Charles s'enfoncent dans le sol grâce au monte-charge et retrouvent au sous-sol Albertine, toujours costumée en motard. Albertine prend Zazie, endormie, des bras de Gabriel, et part de son côté tandis que les autres gagnent les couloirs du métro. Alors qu'ils sont en train de descendre un escalier roulant, celui-ci se remet brutalement en marche, dans le sens de la montée: la grève est finie. Au petit jour, le métro sort de terre; à son bord se trouvent Albertine et Zazie endormie; le contrôleur qui s'approche d'elles est Pédro-Trouscaillon-Aroun Arachide, qui fait un geste de dépit. Dans une petite chambre d'hôtel, la mère de Zazie quitte son amant endormi, court à la gare; le train commence à partir, lorsqu'elle saute dedans et qu'Albertine/Albert lui remet Zazie. «J'ai vieilli», répond Zazie à sa mère qui lui demande si elle s'est bien amusée.

CHAP.	MINUTAGE	TITRE	RÉSUMÉ
		Générique de fin	Le générique de fin reprend des extraits du film pour présenter le casting, puis s'inscrit sur les images prises du train qui s'éloigne, en travelling arrière.

3.

Le principe de l'adaptation

1. *La question de la fidélité*

Résumer le scénario du film de Louis Malle est un exercice difficile et décevant. Les critiques qui s'y sont essayés en 1960, quand ils n'y ont pas tout simplement renoncé, l'avaient déjà souligné, mais pour relever ensuite la fidélité du film au roman.

La question de la fidélité d'un film à l'œuvre littéraire dont elle est adaptée est en fait un faux problème, ou plutôt un argument fallacieux qui sert à critiquer le film. Or, cet argument a été employé avec une grande mauvaise foi, mais aussi une grande efficacité polémique, par Truffaut, dans un article intitulé *Une certaine tendance du cinéma français*, publié en 1954 dans *Les Cahiers du cinéma*. C'est dans cet article, que Malle bien sûr ne pouvait ignorer, que Truffaut dénigre le plus violemment les réalisateurs dits de « la Qualité Française », en s'attaquant en fait à leurs scénaristes au nom de la « politique des auteurs ». Cela revient à faire du seul réalisateur l'auteur — pour ne pas dire l'artiste — du film. La question de l'adaptation est toujours, en

1960, au cœur de la stratégie polémique de la Nouvelle
Vague.

En adaptant Queneau, Malle devait donc répondre à
une triple exigence contradictoire : eu égard au succès
du livre et à la personnalité de Queneau, qui travailla
comme dialoguiste ou scénariste pour Luis Buñuel, René
Clément, Alain Resnais ou Jean-Pierre Mocky et dont
les romans, comme *Loin de Rueil* ou *Zazie*, font de multiples références au cinéma, Louis Malle et Jean-Paul
Rappeneau se devaient d'éviter toute trahison suscep-
tible de décevoir l'attente des nombreux lecteurs du
roman et de son auteur ; eu égard à l'idéologie de la
Nouvelle Vague, il fallait faire preuve de cette « audace
vis-à-vis des chefs-d'œuvre », dont parle Truffaut dans
son article, en évitant la servilité ou l'illustration ; enfin,
eu égard à l'œuvre elle-même, l'adaptation relevait bel
et bien de la gageure, ou comme le dit Louis Malle, du
« pari ».

Après lecture du roman, la première vision du film
confirme l'impression de fidélité au roman. Ce sentiment est dû au respect des références temporelles et
spatiales indiquées par le roman (trente-six heures passées à Paris), à la conformité des principales situations
dramatiques, des noms et des caractéristiques des personnages (à l'exception de Marceline, devenue Albertine dans le film) et, surtout, fait exceptionnel dans la
plupart des adaptations cinématographiques d'œuvres
littéraires, à la reprise des dialogues. Il suffit de revoir,
le livre à la main, la séquence de l'arrivée de Zazie à la
gare (2) pour retrouver les répliques entre Gabriel, la
« rombière » et Zazie. Parce que le succès du roman de
Queneau trouve en grande partie son origine dans les
dialogues, Louis Malle les reprend scrupuleusement à
son compte, en en respectant non seulement le lexique

et le niveau de langue (Zazie dit bien « mon cul »), mais aussi la prononciation — on pourra écouter pour s'en convaincre les échanges entre Zazie, Charles et Gabriel lors du premier voyage en taxi, et la tirade sur « cexer » la vérité. Des effets de mise en scène soulignent parfois la portée d'une réplique empruntée au roman, ainsi, par exemple, pour le « j'ai vieilli » final que Louis Malle détache du contexte diégétique par l'effet du gros plan et du regard-caméra — ou pour le « tu as oublié ton rouge à lèvres », qui clôt le deuxième chapitre du roman et que Malle souligne par un quadruple effet de cadrage, de lumière, de couleur et de musique (fin du chapitre 4 du film).

2. *Le nécessaire travail de transposition*

Mais si la notion de fidélité n'a pas de sens, c'est parce que tout travail d'adaptation d'un récit romanesque au récit cinématographique implique un travail de transposition qui engage, non seulement l'interprétation du roman, mais aussi le sens propre du film par rapport à celui du roman. Ce nécessaire travail de transposition peut s'analyser en quatre types de procédés.

Le premier est celui de la suppression d'épisodes romanesques — par exemple, la première séquence supprime l'altercation entre Gabriel et le « type » de la gare ; le « Sanctimontroinais » qui emmène Zazie, Trouscaillon et la veuve jusqu'à la Sainte-Chapelle a disparu du film. Ces suppressions se signalent parfois, dans les films, par un détail ou un écho qui les indique : ainsi, le « petit » type de la gare est bien présent, et doublement sous les traits de l'amant de Jeanne ou du pickpocket ; et l'homme en chapeau melon, qui se retrouve assis à l'arrière de la voiture sans châssis de la veuve (chapitre 12 du film), évoque le «Sanctimontronais» du roman.

Le deuxième, qui va toujours dans le sens du resserrement dramatique, est un procédé de concentration ; le menu final du restaurant du film, en associant la soupe à l'oignon et la choucroute, concentre les cartes et les événements du «Vélocipède du boulevard Sébastopol» (chapitre 12 du roman) et d'«Aux Nyctalopes» (chapitre 17).

Le troisième procédé consiste à déplacer des éléments romanesques, que ceux-ci concernent les épisodes narratifs ou les dialogues. Le chapitre 14 du film, fondé sur un montage alterné de séquences de plus en plus rapide, insère en le transformant l'épisode dans la salle de billard après la demande en mariage de Mado et de Charles, alors qu'elle a lieu auparavant dans le roman (chapitre 12 du roman). Mais c'est surtout sur la répartition des dialogues que Jean-Paul Rappeneau et Louis Malle y ont recours : ainsi la tirade de Trouscaillon à Fédor Balanovitch au chapitre 16 du roman («j'ai la confession qui m'étrangle la pipe…», p. 169) se trouve-t-elle déplacée au début du film dans la bouche de Charles (chapitre 3), répétée par Gabriel lors de la séquence de la tour Eiffel (chapitre 11 du film), complétée par les deux tirades que Gabriel prononce aux chapitres 8 et 11 du roman (p. 92 et p. 119). Le film reproduit, en la transposant, l'ambiguïté propre à l'énonciation romanesque.

Enfin, le quatrième procédé est l'invention. Or, les trouvailles scénaristiques de Jean-Paul Rappeneau et Louis Malle sont innombrables : elles concernent des éléments narratifs, tels que le coup de foudre entre Pedro et Albertine (chapitre 9 du film), la séquence de la poursuite entre Pedro et Zazie (chapitre 8) ou la scène de la répétition dans la boîte de nuit (chapitre 13). Elles visent aussi les personnages secondaires, tel ce pickpocket malheureux qui vient ponctuer la fin des séquences de la gare (chapitre 2) ou de la conversation, entre Zazie et la veuve, sur l'amour (chapitre 14). Elles font naître enfin une multitude d'actions secondaires laissées aux figurants dans la profondeur du champ, ou insérées dans quelques plans courts au milieu d'une séquence : parmi de très nombreux exemples, l'assassinat d'une passante à l'arrière-plan lors de la rencontre entre Zazie et Pedro ; le passage de la pin-up sur le pont et son escamotage au profit de Sacha Distel ; la présence récurrente de l'ours blanc, qui grelotte en haut de la tour Eiffel, et qu'on retrouve en jongleur de torches dans la boîte de nuit et au repas final.

Le nombre et la diversité de ces inventions servent tout d'abord l'ambition littéraire du roman lui-même, qui entend remettre en cause l'illusion référentielle. Les repères spatiaux sont, dès le premier chapitre, soumis à l'incertitude généralisée et les lieux ne sont pas décrits ; les indications chronologiques sont soit absurdes (« le train de six heures soixante », p. 10), soit absentes (l'ellipse entre la scène du café et la scène du dîner chez Gabriel, p. 21) ; les personnages ne sont pas décrits, ils changent de noms et leurs voix se mêlent à celle du narrateur (voir « Genre et registre » p. 233-240). Le roman s'offre ainsi à la libre imagination du réalisateur, des décorateurs, du chef opérateur, des acteurs et des scénaristes et on pourrait croire que les seules contraintes auxquelles il les soumet sont la construction du récit et le respect des dialogues. Mais le principe qui a guidé l'adaptation de Louis Malle renvoie plus profondément, et en ce sens, plus fidèlement, à l'enjeu littéraire du roman : de même que le roman entend subvertir les

codes de l'illusion romanesque, de même le film s'attache à détruire l'impression de réalité propre au
dispositif cinématographique. C'est en ce sens que les
inventions évoquées plus haut prennent leur véritable
justification.

3. *La subversion des codes cinématographiques*

« Je trouvais que le pari qui consistait à adapter *Zazie*
à l'écran me donnerait l'occasion d'explorer le langage
cinématographique. C'était une œuvre brillante, un
inventaire de toutes les techniques littéraires, avec
aussi, bien sûr, de nombreux pastiches. C'était comme
de jouer avec la littérature et je me suis dit que ce serait
intéressant d'essayer d'en faire autant avec le langage
cinématographique » : ces propos de Louis Malle révèlent le principe esthétique qui a présidé à l'adaptation
du roman et auquel les critiques du film ont tout de
suite été sensibles : dans *Arts,* Jean Domarchi parle de
Zazie comme d'un film « expérimental », et René Gilson
écrit dans *France-Observateur* : « Le langage du cinéma ici
prend ses distances d'avec lui-même, se regarde et se
sourit avec désinvolture. » Jouer avec les codes cinématographiques comme Queneau avait joué avec les codes
du roman réaliste revient à contrarier l'impression de
réalité, dont on sait combien elle est puissante au cinéma,
par le seul fait de son dispositif, mais aussi d'une esthétique classique (ou dominante) qui entend assurer au
spectateur la lisibilité du champ, la compréhension des
dialogues, l'illusion de continuité spatiale et temporelle
grâce aux raccords de montage, et la définition nette
des genres.

Louis Malle s'attaque d'abord à la lisibilité du champ,
qui exige de filmer un motif clair, bien défini, centré de

préférence, dans un cadre ordonné autour de lui. Louis Malle va privilégier au contraire les champs bouchés, remplis de personnages, comme dans les séquences de l'esclandre, de l'ascenseur de la tour Eiffel, de la loge ou de la bataille finale. Ou bien il concurrence l'action principale représentée dans le plan par une ou plusieurs actions secondaires qui s'étagent dans la profondeur du champ ; c'est le rôle des multiples inventions évoquées plus haut qui obligent, pour les goûter, à voir et revoir le film. Parfois ces actions secondaires peuvent enrichir ou nuancer le sens de l'action principale. Ainsi, l'assassinat de la dame dans le dos de Pedro et Zazie peut-il se lire comme une révélation des désirs pervers du personnage masculin. Ainsi, lorsque Gabriel tombe de la tour Eiffel et que la femme en noir qui ramasse son ballon s'enfuit à l'arrière-plan poursuivie par des enfants, l'idée d'une infantilisation des adultes est-elle redoublée. Et lorsque Gabriel, Gridoux et Turandot évoquent leurs souvenirs de la guerre, des soldats allemands défilent derrière eux.

Des éléments graphiques du décor peuvent aussi commenter l'action principale ; on en donnera deux exemples dans la séquence de la gare : la mère de Zazie confie sa fille à Gabriel sous le panneau «Livraison des bagages» ; en arrière-plan, une enseigne annonce «la foire de Paris». La construction de ces effets implique l'emploi de focales courtes qui permettent une grande profondeur de champ, mais contribuent aussi à déformer les avant-plans. Appliqué au visage de Trouscaillon lorsqu'il crie en gros plan «à poil ! à poil !» (chapitre 15), l'emploi d'une focale courte rend les traits de l'acteur grotesque. Enfin, le film est célèbre pour ses effets d'accéléré, ou plutôt de concurrence de deux temporalités différentes dans le même plan ; Louis

Malle en explique le processus : « De nombreuses scènes
sont tournées à huit et parfois douze images seconde,
mais on ne s'en aperçoit pas parce que les acteurs
jouent au ralenti. [...] Quand ça marche, et ça ne
marche pas toujours, on a l'impression que tout fonctionne à la vitesse normale, mais en arrière-plan il se
passe des choses qui vont trois fois plus vite qu'elles ne
le devraient. C'est grisant, la pesanteur en accéléré. »

La mise en scène du dialogue et le travail de mixage
obéissent à la même logique. Au spectateur habitué à
entendre des dialogues clairs, audibles, bien synchroni-
sés et détachés du fond sonore par le travail de mixage,
Louis Malle propose un film dont les dialogues sont
entièrement, et ouvertement, postsynchronisés ; il naît
de ce décalage très net (qu'on pense à la première
tirade de Gabriel) entre les mouvements de la bouche
et les paroles entendues des effets comiques ou grin-
çants — la colère de Turandot après sa première rencontre avec Zazie, ou le discours que la veuve tient à
Zazie sur l'amour —, mais aussi des trouvailles poé-
tiques. De même, les accents des personnages de Gridoux, Turandot et, surtout, Trouscaillon rendent certains
dialogues difficilement compréhensibles, comme l'est
le brouhaha des langues étrangères auquel sont confron-
tés les personnages dans l'ascenseur de la tour Eiffel.
Les paroles peuvent enfin être rendues inaudibles par
des effets d'accélération (le récit par Zazie du meurtre
de son père, ou la colère de Zazie lors de la rencontre
entre Pedro et Gabriel, aux chapitres 7 et 9).

Tandis que ce travail sur la profondeur du plan et la
mise en scène des dialogues évoquent nettement le
cinéma de Jacques Tati dont Malle était un grand admi-
rateur, les effets de faux raccords par lesquels il remet
en cause la prétendue invisibilité du montage classique

film classique

constituent un des motifs esthétiques de la Nouvelle Vague. Les règles de montage cherchent, dans le cinéma classique, à maintenir l'illusion réaliste d'une continuité spatiale et chronologique entre les plans constituant une séquence. Louis Malle utilise deux procédés essentiels pour rompre cette illusion réaliste. Il emploie tout d'abord des techniques (raccords dans le mouvement, raccords sonores) qui font coexister deux espaces inconciliables dans la réalité : la séquence de la tirade de Gabriel en haut de la tour Eiffel, jusqu'à sa chute grâce au ballon d'enfant, est à cet égard exemplaire. Autre exemple remarquable à la fin de l'esclandre entre Pedro et Zazie (chapitre 8) : les deux personnages se retrouvent dans le couloir de l'appartement de Gabriel quand ce dernier semble continuer à parler aux badauds. Une variante de ce procédé consiste à donner par le raccord l'illusion d'une continuité chronologique qu'un détail des plans vient contrarier : lors du champ/contre-champ entre Charles et Mado à la terrasse du bistro, et Gabriel à la fenêtre de son appartement (chapitre 9), la présence aléatoire d'un plan à l'autre des lunettes de soleil ou de Zazie auprès de son oncle donne l'impression d'une suite d'erreurs de script. De même, lorsque Zazie marche avec son oncle et la veuve sur les quais de la Seine, l'apparente continuité chronologique est mise à mal par la reprise d'un plan à l'autre de la même action et des mêmes figurants (Gabriel repousse un homme qui lave sa voiture, sur laquelle une femme jette un seau d'eau, chapitre 12).

Le deuxième procédé, inversement, consiste à donner l'illusion d'un plan tourné en continu alors qu'il est fait de plusieurs plans tournés selon le même angle : c'est le procédé de substitution, ou trucage par arrêt de la caméra, dont l'histoire du cinéma a fait de Georges

Méliès l'inventeur. Le deuxième plan du film en four-
nit un exemple remarquable : à la gare, un lent travelling latéral droit accompagne le mouvement de Gabriel
qui passe derrière la file des figurants, cherchant l'origine de l'odeur. Chacun de ces figurants est nettement
caractérisé par son costume, son attitude, son visage ;
or, le dernier homme de la file, occupé à lire un magazine intitulé *Diogène*, était aussi le premier de la file ; la
coupe est quasiment imperceptible, puisqu'elle s'effectue au moment où la caméra passe devant un pilier. Par
le même procédé, Zazie peut apparaître et disparaître
du plan, surgir tantôt à droite de son oncle, tantôt
à gauche, lorsqu'elle dîne avec lui (chapitre 4). Une
variante de ce procédé est appelée «jump-cut», lorsque
dans la continuité apparente d'un plan le personnage
se trouve comme téléporté à des endroits différents du
champ : on en trouvera un très bon exemple lors de
la colère de Turandot qui suit l'arrivée de Zazie (chapitre 4). La séquence de la course-poursuite entre
Pedro et Zazie (chapitre 8) présente comme une synthèse de tous ces procédés employés par Malle de façon
à surprendre le spectateur.

Cette séquence ouvre aussi sur l'univers du dessin
animé : les références à Tex Avery ou à Chuck Jones (à
qui on doit Bugs Bunny dont Fédor Balanovitch et
Trouscaillon partagent le goût des carottes au début du
chapitre 16) sont revendiquées par Louis Malle. Elles
contribuent à mettre à mal la distinction des genres
cinématographiques à laquelle le spectateur est habitué. Elles contrastent aussi avec la dimension documentaire des plans pris au vol dans les rues de Paris, et
les badauds qui s'arrêtent ou regardent la caméra portée (voir l'errance de Zazie à la fin du chapitre 14).
Entre le dessin animé et le documentaire, et autant

qu'eux, le genre du film de fiction apparaît comme une construction élaborée dont Louis Malle nous révèle les artifices, aux dépens de l'illusion réaliste. Les regards si nombreux adressés à la caméra en constituent la preuve la plus évidente.

4. *Le goût de la provocation*

Le film a retenu enfin du projet de Queneau son goût de la provocation. Le succès du livre de Queneau était lié notamment à la crudité du langage mis dans la bouche d'une petite fille et à la dimension scabreuse de certaines situations — qui contrastaient avec un travail du style et une réflexion sur le langage que révélaient les multiples références culturelles (voir « L'écrivain à sa table de travail » p. 253-257). On peut penser que de mauvaises raisons ont pu pousser également les 850 000 spectateurs de la première semaine : voir une petite fille dire des gros mots et s'attendre à ce que le troisième film du réalisateur soit aussi scandaleux que le précédent. Or la provocation, bien présente dans le film à travers les dialogues et les situations représentées, contraste, comme dans le roman, avec une stylisation extrême des décors, des cadrages, des lumières et du son, et la convocation, par le biais de pastiches et de références, d'une importante culture cinématographique.

On pourrait croire tout d'abord la dimension scabreuse du roman atténuée par la suppression de certains éléments du dialogue : les répliques entre Zazie et sa mère au premier chapitre du roman (« Tu comprends, je ne veux pas qu'elle se fasse violer par toute la famille. — Mais, manman, tu sais bien que tu étais arrivée juste au bon moment, la dernière fois », p. 9-10) sont supprimées dans le film, comme est inaudible le long récit que Zazie fait de la tentative d'inceste réglée par l'assassinat (p. 54-55). Le choix d'une actrice de dix ans pour interpréter le rôle de Zazie semble aller dans le même sens, comme l'explique Louis Malle dans une interview à *Cinéma 60* :

> Nous avons carrément rajeuni le personnage de quatre ans. Je voulais lui éviter tout côté «Lolita». Notre Zazie est donc une petite fille de dix ans qui dit n'importe quoi, sans équivoque, qui est absolument hors du monde des adultes et qui n'a jamais tort devant lui.

Mais le dispositif cinématographique — l'image sur grand écran et la puissance du son — confère une intensité particulière aux allusions sexuelles conservées du roman (que l'on pense au gros plan, déjà évoqué, de la veuve Mouaque susurrant «L'amour... l'amour... », aux visages effrayants des badauds qui cherchent à mesurer la perversité de la proposition de Turandot, au visage déformé de Trouscaillon criant «à poil! à poil!» aux spectateurs) et les passages supprimés du livre se trouvent transposés, ou réinventés, dans des séquences du film qui mettent ouvertement en scène la violence sexuelle : les quatre touristes norvégiennes dévorant un serveur lors de la bataille finale ou Trouscaillon escamotant Mado derrière le paravent (chapitre 14). Enfin, Louis Malle devait juger, en 1960, les gros mots de Zazie suffisamment provocants pour qu'il ait besoin de préciser avec ironie dans l'interview accordée à *Cinéma 60* :

> Que les bonnes âmes se rassurent, la petite fille n'aura pas été pervertie par son rôle et par son incursion dans le cinéma. Elle ne s'est jamais identifiée au personnage. Elle a vraiment «interprété» son rôle avec une parfaite distanciation, avec une idée de ses rapports avec son personnage qui était rigoureusement brechtienne.

Comme dans le roman de Queneau, la vraie provocation provient de la tension entre la dimension familière et scabreuse du récit et la sophistication de la forme. Ainsi, le film tend à l'abstraction, tendance qui a une double portée : elle suscite, par contraste avec la familiarité des situations dramatiques ou des dialogues, un effet d'étrangeté et, de façon plus profonde, elle tend à dissoudre la représentation de la figure humaine dans le monde inanimé qui l'entoure. L'emploi des éclairages colorés dans la scène du dîner de Zazie et son oncle, par exemple, par contraste avec la grossièreté des propos de Zazie, dissout décor et personnages dans un halo lumineux qui suggère la dilution des consciences (chapitre 4). De même, les effets d'éclairage lors du dialogue entre Mado et Albertine (chapitre 14) ne servent pas seulement à souligner la froideur d'Albertine (éclairage bleuté) ou le désir de Mado (éclairage rouge), en contrepoint de leurs paroles, mais font se confondre les deux femmes, le mannequin et le décor, comme si la conscience tendait à s'évanouir dans l'inanimé. Mêmes effets provenant du cadrage et du montage : que l'on pense à la séquence de Gabriel montant à la tour Eiffel alors qu'il récite sa tirade (chapitre 11), et à la sensation de vide créée sans le secours de l'illusion référentielle, mais par des effets de composition du cadre. C'est la figure humaine, son discours et ses actions qui semblent voués au vide ou au néant.

Le film de Malle, comme le roman de Queneau, convoque aussi de nombreuses références cinématographiques qu'il pastiche ou auxquelles il rend un hommage mélancolique, dans un mouvement typique de la modernité — comme si tout avait déjà été dit ou déjà tourné. Cet appel à la mémoire ou à la culture du spectateur a au moins trois effets : il souligne par contraste la familiarité du récit, au double sens de vulgarité et de banalité. Il s'exerce, sur le mode critique, contre l'idée même de culture, réduite, comme chez Queneau, à des clichés vides de sens. Enfin, il inscrit paradoxalement le film dans une tradition esthétique dont il se revendique. Soit le plan de Trouscaillon et de la veuve en train de s'embrasser dans la fontaine (chapitre 13), pastiche évident d'un plan de *La Dolce Vita* de Federico Fellini, sorti aussi en 1960 : le pastiche souligne la vulgarité de la passion amoureuse vécue par les deux personnages ; il transforme le plan de Fellini en cliché ; étonnamment, il signale la proximité qui existe entre l'univers de Fellini et celui de Malle. Soit encore la course-poursuite entre Zazie et Pedro (chapitre 8), construite comme une accumulation d'emprunts aux dessins animés de Tex Avery. La stylisation extrême de la mise en scène (composition géométrique du cadre, précision des gestes, découpage graphique des silhouettes sur l'arrière-plan, effets de ralenti et d'accéléré) accentue par contraste la vacuité du récit, ou la perversité de Pedro ; l'accumulation rapide des effets comiques fonctionne contre le principe de surprise des gags burlesques et supprime le délai (la respiration) nécessaire à l'éclat de rire ; tout fonctionne donc comme si Tex Avery ne faisait plus rire. Enfin et paradoxalement, cette séquence inscrit le film de Malle dans l'héritage de la grande tradition burlesque américaine.

La logique de la parodie, du pastiche, de l'allusion ou du clin d'œil, est poussée si loin dans le film qu'il est peut-être vain de se lancer dans une quête d'identification des références. C'est le principe même de la référence — au cinéma, et non plus au réel — dont il est important de comprendre qu'il est un des principes esthétiques de la mise en scène du film, jusque dans la direction des acteurs. Louis Malle l'explicite dans l'interview donnée à *Cinéma 60* :

> Annie Fratellini parodie la Masina et nous nous apercevons qu'au second degré, c'est une parodie de Chaplin. Philippe Noiret est Gabriel, personnage large, joué non pas en vieux cabot, mais avec un côté solennel, composé « à la Comédie-Française ». Le chauffeur de taxi est un de mes amis qui se comporte dans la vie en parodie naturelle du style *Actor's Studio*, mais il n'a pas retrouvé entièrement ce naturel devant la caméra.

Annie Fratellini parodie Giuletta Masina, actrice de *La Strada* de Fellini, qui elle-même parodie Chaplin… le naturel, la spontanéité ou l'inventivité sont des valeurs vidées de leur sens, dans un monde où tout le monde copie tout le monde.

Cependant, l'ensemble de ces allusions, de ces reprises ou de ces pastiches renvoie à deux univers identifiables : le premier est celui de réalisateurs proches du surréalisme (Cocteau, Buñuel, Fellini) ; le second est celui du cinéma burlesque américain (Keaton, Chaplin, les Marx Brothers, Laurel et Hardy…), reconstruit dans les dessins animés de Tex Avery ou de Chuck Jones, et dont les films de Jacques Tati entreprennent, à la même époque, de prolonger et renouveler l'héritage — on peut noter que le gag du cycliste portant un panneau et que la veuve Mouaque essaye tant bien que mal de dépasser (chapitre 12) est une citation de *Jour de fête* de Tati (1949). Mais si Malle invoque le double héritage du surréalisme et du burlesque, c'est, semble-t-il, pour en neutraliser la portée poétique ou comique au profit de leur seule dimension critique ou satirique, c'est-à-dire de leur violence à l'égard de la société. Louis Malle, dans l'interview au *Monde* d'octobre 1960, l'exprime en ces termes :

> Je crois que le film est d'un comique, disons, un peu
> terroriste. Volontairement, les gags ne sont pas exploi-
> tés et n'ont pas été conçus selon les règles habituelles.
> Pour de nombreux spectateurs, le rire risque de rester
> dans la gorge… J'ai voulu montrer une image terrible
> de la vie dans les villes modernes.

4.

Le comique terroriste

1. La satire de l'autorité

Zazie s'inscrit donc, par son inspiration et ses références, par son récit et son esthétique, dans la tradition
du cinéma burlesque. Or les réalisateurs burlesques
partagent avec les surréalistes le goût de la révolte contre
les figures de l'autorité.

L'autorité peut prendre d'abord la forme de la domi-
nation physique, de la force, de la virilité, qu'un des
principaux ressorts du comique burlesque est d'humilier. On peut penser à Charlot confronté dans *Le Kid*
(1924) à un colosse malveillant et à la façon dont il parvient à l'assommer à coups de brique, ou encore au personnage de Spike, le molosse de Tex Avery, qui, face au
tout petit Droopy, ne cesse pourtant d'en recevoir des
coups destructeurs. De même, le film de Louis Malle
met en scène la faiblesse des forts et ridiculise les mani-
festations de virilité : Gabriel est victime des coups de
pied de Zazie, Trouscaillon de ses pétards et de ses
bombes, les serveurs patibulaires du restaurant (chapitre 16) sont dévorés par des femmes, défigurés par
des jets de choucroute, jetés en tas sur le sol. La virilité
de Gabriel est — dans le film comme dans le roman —

remise en cause par son costume, sa robe de chambre rouge, ses manières à table, sa diction et ses attitudes (chapitre 4). Efféminé, il est aussi infantilisé par le décor de sa chambre à coucher (chapitre 6), ses lunettes rondes, le gag du ballon au chapitre 11. La séquence de la répétition, où Zazie se met au piano pour jeter son oncle et les girls dans la danse (chapitre 13), concentre les effets de transformation de Gabriel en figure d'enfant, de femme, de marionnette. De même, la séquence de séduction ratée d'Albertine par Trouscaillon dans la loge (chapitre 15) cumule les effets parodiques à l'égard du type du séducteur viril : paroles creuses, pièges du décor, chutes, voix et gestes excessifs, déshabillage à la rapidité quasi magique, et rhabillage en mode automatique.

L'autorité policière ou légale, les *cops* que Chaplin et Keaton ridiculisent à longueur de bobines, n'est pas plus épargnée. Dans le roman, les métamorphoses de Pedro-Trouscaillon-Aroun Arachide sont autant de déguisements du pouvoir policier, en civil, en uniforme, en détective, en dictateur. Le film reprend à son compte la satire de la police, de ses méthodes et de son inefficacité, mais en la prolongeant et en l'intensifiant. Il l'étire à travers l'invention de situations absentes du roman — le flic regardant la pin-up (chapitre 12), essayant d'échapper à la veuve Mouaque (chapitre 13), entrant par effraction chez Albertine pour tenter de la séduire (chapitre 14), mangeant une carotte avec Fédor (chapitre 16). Il l'intensifie surtout par la grâce du dispositif cinématographique lui-même qui donne un corps, une voix, des gestes, des attitudes au personnage de Trouscaillon : en ce sens, nul doute que le plan de Trouscaillon agitant son bâton blanc pour se frayer un chemin sur une voiture sans châssis, à travers les embouteillages parisiens, au son d'une parade militaire, constitue une image à la portée satirique extrêmement efficace.

La satire de la police se double alors, par l'effet de la bande sonore, de celle de l'autorité politique. Dans sa version politique, elle est plus marquée et plus franche dans le film que dans le roman. On la doit principalement à l'apparition finale d'Aroun Arachide, sur un arrière-plan (filmé en transparence) de rangées de miliciens et de soldats. Les critiques de 1960 ont bien relevé cet infléchissement du roman dans le sens de la charge politique, mais sans parvenir — ou sans oser — l'interpréter, ce que résume Henry Chapier :

> C'est ainsi qu'on a pu assister, à l'époque où *Zazie dans le métro* fut projeté sur les écrans parisiens, à de véritables duels entre critiques en désaccord sur les intentions polémiques de Malle : pour les uns, le film s'en prenait aux fascistes de tous bords ; pour les autres, le film était une charge contre les parachutistes du général Massu. Sans parler d'autres exégètes, qui reprochaient à Malle d'avoir dénigré Mao Tsé-toung. Le point de départ de la querelle était la séquence de violence de la fin, l'apocalypse, que chacun interprétait à sa manière, au gré de ses convictions éthiques, politiques ou morales. À ce sujet, et notamment sur l'apparition dans le film des chemises noires, Malle s'est déjà expliqué, en invoquant à nouveau la parabole : « À ce moment-là, le film n'est plus du tout comique, et devient même assez rigoureux. C'est l'engrenage de l'Histoire. Les gens cassent des verres, et puis ça tourne à la guerre mondiale. »

Avant de proposer à notre tour une interprétation, il faut insister sur la récurrence des indices qui construisent, dans le film, un discours critique à l'égard de l'État, à l'époque de la guerre d'Algérie et du retour du général de Gaulle au pouvoir. On peut penser, par exemple, que la parade de Trouscaillon en képi dans les rues parisiennes évoque d'autres parades triomphales, autour de De Gaulle, de Pétain (dont le portrait apparaît fugitivement, mais plein cadre, dans le bistro de Turandot au chapitre 4) ou de Napoléon, dont le visage est affiché dans la loge de Gabriel. De Napoléon à de Gaulle, c'est moins peut-être à une idéologie qu'à une pratique autoritaire du pouvoir, appuyée sur l'armée, et qui semble être une constante de l'histoire de France, que s'attaque Louis Malle.

Enfin, la quatrième figure de l'autorité, mais qui constitue une synthèse des trois premières, est l'autorité parentale. Le film s'ouvre sur l'image d'une mère abandonnant son enfant, ou plutôt d'une mère inconsciente de l'existence même de son enfant puisque le travelling qui suit la course de Jeanne sur le quai ne montre jamais Zazie. Quant au père de Zazie, il est représenté, au chapitre 7, dans un plan qui relève autant du souvenir que du fantasme : la caméra avance le long d'un couloir, dans une lumière tendant vers les bruns, vers une porte entrebâillée dans laquelle s'encadre la silhouette voûtée d'un homme en costume, assis sur une chaise haute, chassant une mouche dont on entend le bourdonnement amplifié. Le plan qui introduit celui-ci relève, quant à lui, d'une esthétique étrangère au reste du film ; Zazie est filmée en gros plan, en légère contreplongée, au moyen d'un objectif à longue focale qui fait naître du grain sur l'écran : l'évocation du père rattache Zazie à un univers séparé de l'ensemble de la fiction.

L'aventure de Zazie à Paris peut donc se lire comme une quête de figures maternelles et paternelles de substitution. Mais les figures paternelles sont, on l'a vu, ridiculisées et infantilisées. Les figures maternelles sont érotisées de façon grotesque et inquiétante — costumes, maquillage, attitudes, discours excessifs, parodiant l'expression de la passion amoureuse. La satire des figures parentales culmine au chapitre 14, dans les plans de la salle de billard appartenant au rêve de Zazie : l'enfant contemple de haut les adultes — dont sa mère et son amant — en train de jouer au billard, les femmes excitées, les hommes passionnés. Et Zazie se réveille lorsque la queue de billard de l'amant déchire le tapis vert accompagné d'un effet sonore remarquable. La métaphore est évidente et, dans sa violence, évoque l'univers de Buñuel.

Cette lecture du film permet de mieux comprendre le personnage d'Albertine, dont le nom, inventé par Malle, appelle sans doute l'imaginaire proustien. Albertine est la figure parentale parfaite, et donc purement fantasmatique. Androgyne, elle est porteuse d'un point de vue narratif et symbolique des valeurs de tendresse, de fidélité, d'attention et de discrétion attachées culturellement à la féminité (voir la manière dont elle console et habille Gabriel au chapitre 4), mais aussi des valeurs de courage, de loyauté et de volonté associées à la virilité — son intervention dans la guerre finale se produit au son d'une trompette de cavalerie. Mais la mise en scène du personnage en fait un fantasme ou un fantôme : son hiératisme, les cheveux noirs sur sa peau très blanche, ses grands yeux vides tournés le plus souvent vers la caméra, les effets de lumière et de couleur qui la nimbent, les trucages qui la font apparaître ou disparaître du champ (voir la scène entre Albertine et Mado, au chapitre 14), enfin les mouvements de caméra qui la précèdent et donnent au spectateur l'impression qu'elle flotte (la scène du dîner du chapitre 4 ou la poursuite en moto du chapitre 14), tandis que le

monde défile autour d'elle, la transformant en un personnage du cinéma fantastique.

Le film entend donc bien régler ses comptes avec les
pères et les mères, que le cauchemar de Zazie fait défiler, ou substitue les uns aux autres, de façon grotesque
et effrayante. C'est que l'autorité, même impuissante
ou fragile, est capable de violence : la chaise jetée d'une
main par un serveur à demi assommé, à la fin du chapitre 16, finit bien par atteindre Zazie endormie, dans
un plan qui clôt brutalement la scène de la bataille
(chapitre 16) et qui tourne *in fine* en défaite la victoire
des figures parentales de substitution.

2. *Le cauchemar de la société moderne*

Au-delà des figures de l'autorité, ce sont toutes les
valeurs constitutives de la société française des années
1960 dont Louis Malle propose une critique virulente.
Jean Domarchi la décrivait ainsi dans un article publié
dans le magazine *Arts* :

> C'est une critique du monde moderne, monde du
> chaos et de la destruction, monde brisé, déchiré, irres-
> pirable. Le lieu privilégié de cet univers, c'est la ville :
> un enfer multicolore avec des tas de voitures, des tas
> de panneaux-réclame au néon, des tas de gens de
> toutes les nationalités entassés un peu partout. C'est
> un monde où règne la brutalité et dont on pressent la
> destruction.

Paris semble bel et bien filmé comme une ville de
cauchemar, du moins cette impression est-elle très nette
au chapitre 14 lorsque Zazie erre dans les rues, la nuit.
Elle est créée par la situation dramatique elle-même
(l'abandon d'une petite fille au milieu d'adultes indifférents), mais aussi par une concentration d'effets esthé-

tiques qui relèvent du trucage (procédé de tournage à 8 images/seconde), de cadrage (emploi d'une focale courte qui déforme les lignes, soubresauts de la caméra portée), de son (effets sonores de foule déformés et mixés avec un morceau de jazz), de lumière et de couleur : les lumières diffuses des néons se réfléchissent dans les vitrines et les carrosseries des voitures, comme sur les visages et dans les yeux des êtres humains, qu'elles contribuent à confondre. On reconnaît ici l'influence du travail du photographe (et cinéaste) William Klein comme conseiller artistique pour *Zazie dans le métro* : les plans tournés par Malle dans cette séquence renvoient aux travaux photographiques de Klein sur la représentation de la « transe » urbaine.

Les décors eux-mêmes peuvent s'interpréter comme une critique de la modernité : le bistro de Turandot mis aux normes de la tendance moderne, comme les rues de Paris, ouvrent des chantiers nouveaux. Le goût moderne semble s'orienter vers les éclairages plats et vifs, les matières plastiques, lisses et réfléchissantes, les lignes géométriques, qui créent un univers glacé, malgré le recours aux couleurs criardes. Les lieux paraissent aussi toujours trop petits, trop resserrés, pour la foule qui cherche à s'y entasser.

Mais le film s'attaque sans doute moins à la modernité — au sens d'une « américanisation » du mode de vie — qu'aux apparences de la modernité. Comme le révèle la destruction des décors dans la scène de guerre (chapitre 17), derrière le mince vernis du contemporain apparaît l'architecture d'une solide maison bourgeoise, au style Arts-Déco ; de même, parmi les touristes du monde entier se trouve une Bretonne en habit traditionnel ; et le car futuriste ne roule pas mieux que le vieux « tacot » de Charles ou la voiture sans châssis de la

veuve : c'est même son absence de châssis qui la fait
paraître plus moderne que les autres voitures. La critique du film touche essentiellement la survivance, derrière cet apparent renouvellement des goûts, des styles
et des techniques, de valeurs sclérosées. Le modèle de
la famille traditionnelle continue à cantonner les femmes
au rôle de « ménagères » : la séquence du dîner de Zazie
et de son oncle le montre bien, avec le caractère mécanique du service effectué par Albertine, et la position
centrale, à l'avant-plan, de la figure paternelle, senten-
cieuse et grotesque. Les valeurs de l'épargne, du travail,
de la propriété privée, de la morale bien-pensante, sont
portées dans le film par le personnage de Turandot —
accent, moustache, béret, costume, métier, parler,
gestes et surdité composent le portrait satirique traditionnel du petit-bourgeois français.

Paris, enfin, symbolise moins la grande ville moderne
que la fierté nationale ou le patriotisme. C'est la ville
du Panthéon, c'est-à-dire des Grands Hommes qui ont
fait la patrie, la ville éternelle que les touristes comme
les provinciaux s'enorgueillissent de connaître. Le gag
de l'antenne de la tour Eiffel transformée en phare et
battue par les vagues renvoie ironiquement à la devise
de la ville de Paris : « *fluctuat nec mergitur* ». Le film s'aventure, de façon satirique, dans les hauts lieux parisiens :
la gare, les bistros, les petits appartements douillets, les
Puces, la tour Eiffel, les quais de la Seine, Pigalle, les
restaurants et les boîtes de nuit. Les bouteilles de vin
que Turandot dissimule comme un trésor et la querelle
finale sur la valeur de la cuisine tournent en dérision
les motifs d'orgueil d'être français, comme l'allusion à
l'immeuble de la Sécurité sociale. Si Paris est un enfer,
c'est parce qu'il est peuplé de Parisiens, à la pensée et
aux valeurs étriquées comme les couloirs étroits et les

lieux resserrés dans lesquels les personnages tentent de se mouvoir. « Les Français, dit Louis Malle au *Monde* en 1960, en sont restés aux pères coloniaux et aux bouilleurs de cru. Pour ma part, je désire quitter la France, aller ailleurs pour y trouver des raisons d'espérer… Zazie, c'est vraiment l'ange qui vient annoncer la destruction de Babylone. »

3. *La destruction de Babylone*

L'ambition de Zazie rejoint celle du surréalisme, rien de moins, selon le mot de Rimbaud repris par André Breton, que « changer la vie ». Pour détruire Babylone, c'est-à-dire une société sclérosée, il convient de lutter en artiste contre un système de pensée fondé sur des représentations flatteuses qui font écran à la réalité.

Cette bonne conscience illusoire est construite tout d'abord par un ensemble de discours relayés par l'école, la famille, les médias, l'Église et le pouvoir, et dont Queneau entreprend de dénoncer la vanité par les moyens romanesques qui sont les siens. C'est le rôle des pastiches de faire apparaître, par exemple, la culture comme une liste de formules vides de sens, le sens des déformations et créations orthographiques et lexicales, du mélange des tons, des voix narratives et des niveaux de langue, de révéler le caractère absurdement figé de la langue littéraire, donc officielle (voir « L'écrivain à sa table de travail » p. 242-248). C'est le dessein des gros mots de Zazie de faire taire les adultes. Louis Malle reprend à son compte cette entreprise de démystification du langage par l'usage qu'il fait, comme on l'a vu, des accents, de la désynchronisation, du brouillage des dialogues, des échanges de répliques et de voix.

Mais le film s'attaque surtout aux images qui fondent

la bonne conscience : affiches, photos de magazines ou de presse, télévision dont il faut rappeler qu'elle est, en 1960, sous le contrôle exclusif de l'État et un certain cinéma dit « de Qualité ». Louis Malle rejoint en ce sens l'ambition des réalisateurs de la Nouvelle Vague pour lesquels il s'agissait d'opposer à un réalisme de pacotille un nouveau réalisme, démythificateur, provocateur, plus vrai : « La Nouvelle Vague était un retour à ce qui a toujours été le point fort du cinéma français, le réalisme », dit Louis Malle en 1993. *Zazie dans le métro* oppose donc aux images de la télévision officielle, aux images de la publicité ou des magazines ses trucages et ses faux raccords, son emploi de la couleur, ses acteurs au jeu outrancier et, surtout, ses regards à la caméra. Il leur oppose aussi le principe éminemment burlesque de la destruction des décors, c'est-à-dire des apparences. Dans le découpage prévu de la séquence de guerre finale, la destruction des décors devait aller jusqu'à faire apparaître dans le champ le matériel de tournage (projecteurs, caméras, équipe de tournage) qui devait être détruit à son tour. Dans le film réalisé, il reste de cette idée de mise en abyme la présence d'un cameraman essayant de filmer au cœur de la bataille générale et, surtout, l'apparition de la milice et des soldats derrière la vitrine-écran du restaurant.

Louis Malle a créé là un curieux effet de transparence, constituant à faire apparaître derrière la vitrine non pas des miliciens, mais une *image* des miliciens. Cependant, cette image a bel et bien un pouvoir meurtrier, et les soldats qui surgissent dans le champ en quittant les limites de l'écran paraissent tout à fait réels. Cet effet a au moins deux fonctions : il montre que la dictature s'appuie sur des représentations de sa force militaire (parades, défilés, photos, films), mais aussi que derrière ces images se dissimule la vraie nature du pouvoir, pur appétit de destruction et de violence.

Le mensonge est un thème essentiel du film, et Louis Malle y insiste :

> Ce qui est capital dans *Zazie*, et que je continue non seulement à découvrir mais à mettre de plus en plus dans mes films, c'est que les gens — et surtout les adultes — font toujours le contraire de ce qu'ils disent. Les mensonges fondamentaux de l'existence. Bien sûr, dans *Zazie*, c'est purement comique, c'est le ressort de l'intrigue… son oncle, tout le monde lui ment en permanence. Elle n'arrive jamais à obtenir une réponse directe.

Si le principe du mensonge constitue bien une ressource d'effets comiques (parce que cela fait dire « mon cul » à Zazie et qu'elle pose des questions), il semble que l'enjeu politique du film soit plus sérieux. Car les menteurs visés par le film sont à la tête de l'État; ce sont ceux qui ont construit, par exemple, la fable de la France résistante pendant l'occupation allemande et qui continuent à mentir sur les activités de l'armée pendant la guerre d'Algérie. Le portrait du maréchal Pétain (chapitre 3), les bons souvenirs de l'Occupation (chapitre 6), les surplus militaires sur les étals du marché aux Puces (chapitre 7), l'interrogatoire de Gabriel par un policier en civil et l'enquête de voisinage qui s'ensuit (chapitre 9), la transformation fugitive de Gridoux en Noir (chapitre 10), le kidnapping en pleine rue (chapitre 12), l'escamotage de Mado, ébauchant la danse du voile, par Triscaillon (chapitre 14), la rencontre fugitive d'un amiral en uniforme (chapitre 14), le surgissement de la police au sortir de la boîte de nuit (chapitre 16), le supplice de la baignoire infligé à la veuve Mouaque (chapitre 16), la synthèse du policier et du dictateur en la personne d'Aroun Arachide, la descente dans le métro pour échapper aux bombardements (chapitre 17), enfin le motif de la grève comme unique et dérisoire moyen de lutte populaire, sont autant d'éléments chargés d'instiller, dans l'esprit du spectateur, les ferments de la mauvaise conscience et d'ouvrir le film sur une contestation politique radicale.

5.
La mise en scène de l'enfance

1. *Zazie, facteur de désordre*

La dimension inquiète et inquiétante du film a été immédiatement perçue par les critiques. Mais il est peut-être plus difficile d'analyser la représentation de l'enfance, qui est un des enjeux essentiels de la mise en scène. Car une frontière sépare nettement, dans l'esprit et dans la mise en scène de Malle, le monde de l'enfance du monde des adultes. Dans ses propos, Louis Malle a fait de Zazie «l'ange qui vient annoncer la destruction de Babylone» (*Le Monde*), allusion à un plan dans la boîte de nuit (chapitre 13), ou encore, référence à la musique du générique, «un justicier de western : elle arrive dans la ville et se désolidarise de ses habitants» (*Cinéma 60*, nº 51). Trente ans plus tard, il présente Zazie comme «une gamine turbulente, qui dit des gros mots, et qui conteste tout ce qu'on lui dit de faire. Elle terrorise les adultes, ce qui est très gai».

L'opposition entre le monde de l'enfance et le monde des adultes structure l'imaginaire des films burlesques. Les personnages y sont affectés d'une maladresse, d'une inventivité, d'une volonté, d'une absence totale de psychologie et de moralité qui les rattachent à l'enfance. Schématiquement, on peut dire que le récit commence lorsque ce personnage est amené (à ses dépens chez Chaplin, parce qu'il le souhaite chez Keaton, ou parce qu'on a besoin d'eux, dans les films des frères Marx) à se confronter au monde ordonné, hiérarchisé, fonctionnel, prétendument moral des adultes. Car l'enfant, dans le burlesque comme dans la vie, est un facteur essentiel de désordre, ce qui peut être très «gai» lorsque l'ordre en question est fondé sur le mensonge, la contrainte ou la violence.

Les principales modifications apportées au récit de Queneau renforcent précisément l'influence de Zazie sur les autres personnages. En effet, le roman n'obéit pas au schéma du récit burlesque : c'est moins l'arrivée de Zazie qui constitue l'élément perturbateur du récit que la grève de métro ou l'homosexualité de Gabriel. Mais le scénario du film donne à la présence de Zazie dans la ville une plus grande efficacité dramatique : sa fuite provoque la poursuite de Turandot, prétexte à une longue séquence comique absente du roman ; sa rencontre avec Trouscaillon ouvre sur la deuxième séquence de course-poursuite ; elle provoque aussi le coup de foudre entre Trouscaillon et Albertine, invention des scénaristes ; est inventée aussi la séquence de la répétition folle dont Zazie est l'ordonnatrice ; Zazie est encore là pour écouter la fin de la déclaration d'amour de Trouscaillon à Albertine dans la loge : sa présence et son emprise sur le récit sont donc bien renforcées dans le film par rapport au roman.

La première séquence de course-poursuite entre Zazie et Turandot (chapitre 5) révèle le principe par lequel la petite fille désorganise le monde des adultes : les gags qui ponctuent cette poursuite exploitent le décor de façon ludique et réduisent littéralement Turandot à une marionnette. Zazie transforme donc l'espace en un terrain de jeux et les adultes en des poupées ou des mannequins. C'est le même principe que l'on retrouve dans la séquence du restaurant de moules (Trouscaillon transformé en cible, chapitre 7), dans la seconde course-poursuite (Trouscaillon joue à chat et à cache-cache, chapitre 8), dans la descente des escaliers de la tour Eiffel avec Charles (une sorte d'interminable grand huit, chapitre 11), dans la poursuite en voiture (les autos tamponneuses, chapitre 12), enfin, bien sûr, dans la séquence de la répétition où décor et personnages se transforment en boîte à musique sous les yeux de Zazie. Puis, l'enfant, fatiguée, s'endort : seuls les adultes jouent à la guerre.

Les adultes opposent à Zazie la singulière puissance d'oubli que leur procure le langage. Remarquable à cet égard est le montage alterné du chapitre 6 : Turandot réveille Gabriel, ils sortent en courant, rejoints par Gridoux, et commencent à parler ; suit la séquence de la rencontre de Zazie avec Pedro ; puis on revient aux trois hommes, assis sur leur banc. Ce simple effet de montage permet de souligner l'amnésie des adultes et de faire de la tentation du langage la source du mal (« J'ai la confession qui m'étrangle la pipe… la confession… enfin la racontouse quoi… », p. 169, première réplique de Charles dans le film). Le mal de la « racontouse » saisit encore Gabriel au sommet de la tour Eiffel, comme il saisit la veuve Mouaque dans les rues de Paris, à la nuit tombante (chapitre 14). Les adultes ne savent que parler d'eux et en oublient les enfants : c'est le principe même de la double scène de l'esclandre.

Or, Zazie ne se laisse pas oublier car sa présence est

un enjeu de mise en scène tout autant qu'un enjeu narratif. Sa petite taille comme son pull orange servent à créer de la tension dans le champ. Elle-même constitue un motif coloré et mobile qui échappe à la rigueur géométrique du cadrage et creuse la profondeur du champ, notamment dans le plan qui prend Gabriel de profil à l'avant-plan, attablé devant son inhalateur, face à Trouscaillon, tous deux cadrés en légère contre-plongée (chapitre 9) ; elle se reconnaît de loin, à la couleur de son pull, dans les plans larges de rues ou des quais de la Seine, lors de la rencontre avec Trouscaillon et de la poursuite en voiture (chapitre 12). Dans les plans d'ensemble comme dans les plans larges, c'est toujours en fonction de la couleur du pull de Zazie que s'organise la perception du champ.

C'est pourquoi le désir des adultes dans le film est de reléguer Zazie hors champ, dans le néant ou l'oubli. La question du hors-champ et de son aptitude à envahir le champ, donc à accéder à la conscience ou à l'existence, est posée dès la séquence de la gare (chapitre 2) : Gabriel attend en récitant sa tirade ; un épais brouillard de vapeur envahit soudain le champ ; suivent en alternance des plans sur Jeanne qui se met à courir et sur Gabriel qui attend ; lorsque Jeanne entre dans le champ de Gabriel, c'est pour sauter dans les bras du petit homme caché derrière lui. La caméra cadre Gabriel en plan rapproché pour saisir, semble-t-il, son désappointement ; la voix de Zazie lui fait baisser les yeux et la prendre dans ses bras, ce qui revient à la faire apparaître dans le champ. Cette ouverture brillante annonce l'enjeu esthétique — et, en un sens, dramatique — du film : Zazie sera l'enfant qui ne se laissera pas reléguer hors champ. La première sortie en taxi (chapitre 3) est exemplaire à cet égard : les deux hommes cherchent à faire disparaître l'enfant, mais sa tête réapparaît toujours au milieu du cadre. Zazie a le pouvoir de surgir du hors-champ pour occuper le champ où on ne l'attend pas : on pourra relever ses surprenantes apparitions lors du dîner avec son oncle (chapitre 4), au cabaret (chapitre 12), auprès de la veuve (chapitre 14), dans la loge de son oncle (chapitre 15). La séquence de course-poursuite avec Trouscaillon repose en grande partie sur la maîtrise que Zazie possède du rapport entre champ et hors-champ, et sa victoire se signale toujours par ses gros plans, quand elle occupe le champ tout entier.

Occuper le champ, c'est occuper l'espace visuel et sonore, accéder à la représentation ; à travers cet enjeu esthétique se reconnaît un enjeu politique et social — car Trouscaillon, le représentant de l'autorité, partage avec Zazie ce pouvoir d'ubiquité.

2. *Le rêve de Zazie*

Louis Malle interprète ainsi l'expérience du monde que fait Zazie dans le film : «À chaque fois qu'elle croit comprendre ce qui est en train de se passer, quelque chose d'autre survient, et elle s'aperçoit que tout est changé.» Ces propos explicitent la dimension onirique du film, relevée par les critiques, et qui reste fidèle à la veine baroque du roman de Queneau. Elle rappelle aussi le double héritage du surréalisme et des films burlesques — dans lesquels abondent les scènes de rêve ou de cauchemar.

Dans *L'Image-temps*, Gilles Deleuze décrit ainsi les procédés créateurs de ce qu'il appelle «les images-rêve» :

> Les images-rêve semblent bien avoir deux pôles, qu'on peut distinguer d'après leur production technique. L'un procède par des moyens riches et surchargés,

> fondus, surimpressions, décadrages, mouvements com-
> plexes d'appareils, effets spéciaux, manipulations de
> laboratoire, allant jusqu'à l'abstrait, tendant à l'abs-
> traction. L'autre au contraire est très sobre, procédant
> par franches coupures ou montage-cut, procédant seu-
> lement à un perpétuel décrochage qui « fait » rêve,
> mais entre objets demeurant concrets.

Le second pôle renvoie plutôt à l'univers burlesque de
Keaton, mais aussi aux films de Buñuel et, sans doute, à
Bresson. *Zazie dans le métro* relève au contraire du premier pôle : la première séquence à la gare, décrite plus
haut, accumule les effets spéciaux, depuis la désynchronisation du dialogue qui donne aux voix l'apparence de
flotter, jusqu'au plan de Zazie et de son oncle se déta-
chant sur la toile abstraite de la verrière de la gare, en
passant par le recours aux trucages par arrêt de la
caméra, par l'accéléré et par des motifs thématiques
comme le réveil ou le nuage de fumée. Cette séquence
inaugure aussi le retour à l'écran des « permanents »
dont le générique final présente les noms, c'est-à-dire
des mêmes figurants tout au long du film, qu'on retrouvera dans les rues de Paris comme dans l'ascenseur de la
tour Eiffel ou dans la bataille finale du restaurant : la
pin-up, le pickpocket, le petit homme, l'homme à moustache… silhouettes qui créent chez le spectateur une
impression onirique de « déjà-vu ». C'est bien sûr aussi
l'effet produit, dès la séquence suivante, par le triple
passage devant l'église Saint-Vincent-de-Paul, identifiée
par Gabriel et Charles comme le « Panthéon », ou la
« caserne Reuilly », ou « les Invalides ». Ainsi, « Paris n'est
qu'un songe, Gabriel n'est qu'un rêve, Zazie le songe
d'un rêve et toute cette histoire le songe d'un songe, le
rêve d'un rêve », comme le proclame Gabriel au sommet
de la tour Eiffel, reprenant le monologue de la page 92.

Mais qui rêve ? La particularité du film, par rapport au roman, est d'assigner le rêve, sous sa forme cauchemardesque, au personnage de Zazie, même si cette assignation ne survient nettement que dans la dernière demi-heure du film, lorsque Zazie, fatiguée, s'assoupit puis s'endort. Le tournant du film, à cet égard, est le montage alterné de la fin du chapitre 14, très rapide, qui présente les actions simultanées des principaux personnages, alors que Zazie, épuisée, erre dans les rues. La bande sonore et son morceau de jazz donnent à la séquence son unité. Les effets de réverbération des couleurs dans la nuit, l'emploi intensif de l'accéléré, souligné par des mouvements de caméra de plus en plus rapides et troubles, mais qui finissent par unir dans le même champ Zazie, Albertine sur sa moto, Trouscaillon et la veuve Mouaque, le contraste entre le jeu excessif de la veuve et de Trouscaillon, la quasi-immobilité de Zazie et le hiératisme d'Albertine, la présence de la foule, enfin le mélange des effets sonores et de la musique se conjuguent pour constituer une expérience de perception sinon désagréable, du moins inquiétante. Elle se poursuit dans la séquence de la salle de billard, puis dans la succession des personnages dans le rocking-chair de Gabriel. Les motifs narratifs (la poursuite vaine de l'objet du désir), thématiques (le balancement, l'horloge qui tourne à toute vitesse, le billard) et esthétiques entrent dans la logique de représentation d'un cauchemar. Cette séquence de cauchemar, coïncidant avec la tombée de la nuit, annonce le rythme endiablé et l'esthétique inquiétante des vingt-cinq dernières minutes du film, sur lesquels reste le spectateur. Les critiques ont été sensibles à ce brusque passage dans l'univers du cauchemar ; Jean Domarchi écrit dans *Arts* (novembre 1960) :

> La furie destructive de la fin est une apocalypse salu-
> taire. Fini de rire : à partir de la septième bobine, on
> est sidéré par la folie qui s'empare des personnages.
> On est définitivement exclu du jeu. On devient de
> plus en plus spectateur à part entière, c'est-à-dire
> qu'on n'est plus dans le coup et que, tout comme dans
> le rêve, on se désintéresse d'une action qui ne nous
> concerne plus directement. On subit et on est sub-
> mergé par ce maelström de violence.

Trente ans plus tard, Louis Malle revient sur ce tournant du film pour le juger ainsi :

> Le dernier tiers du film n'est pas à la hauteur de tout
> le reste, parce qu'au bout d'un certain temps la
> machine s'emballe. Je trouve que le film fonctionne
> bien pendant une heure, et puis, juste avant la fin, il
> devient confus. À mon avis, c'est sa principale faiblesse.

Cette « faiblesse » tient peut-être à ce que le dernier
tiers du film concentre, non seulement les effets de trucage oniriques qu'il porte à la saturation, mais aussi le
sens de la critique politique et sociale du film.

Reste alors à se demander comment la première heure
du film parvient, tout en créant l'impression d'un état
onirique, à donner un sentiment de cohérence, qui
« fonctionne bien », selon les mots de son réalisateur, et
qui fait conclure à Jean Domarchi :

> C'est miracle que *Zazie* possède une telle homogé-
> néité, que la continuité puisse être assurée dans cette
> permanente discontinuité.

Cette cohérence est sans doute à chercher du côté du
personnage de Zazie. De même que le dernier tiers du
film peut être lu comme le cauchemar qu'elle fait à partir des expériences qu'elle a vécues dans la journée
(mensonges et violence des adultes, métamorphoses
des décors, rythme effréné de la vie parisienne, omni-

présence du désir sexuel dans les discours, les comportements, les attitudes), de même la première heure du film met en images le rêve qu'elle se fait de son séjour à la capitale.

Or, le rêve de Zazie — au sens du désir — est de voir le métro. Loin d'y mettre fin, la grève déplace la rêverie du métro sur l'ensemble des lieux que va traverser la petite fille et sur la ville de Paris tout entière. Elle entend le métro au matin, quand on la retrouve dans les toilettes de son oncle (début du chapitre 5). Au chapitre 6, elle se précipite vers la station de métro fermée et en secoue les grilles, filmée depuis l'intérieur du métro, comme si elle était, à partir de ce moment, enfermée dehors. Mais cette impuissance de l'enfant est relayée et compensée par la rêverie : «Le monde prend sur soi, écrit Gilles Deleuze, le mouvement que le sujet ne peut plus ou ne peut pas faire. C'est un mouvement virtuel, mais qui s'actualise au prix d'une expansion de l'espace tout entier et d'un étirement du temps.» La déception de Zazie ne supprime pas son rêve de voir le métro : c'est la ville tout entière qui va prendre sur elle les attributs oniriques du métro, à travers le trajet de Zazie. Paris devient un espace de promiscuité cosmopolite : ainsi, dans les courses-poursuites, les rues de Paris débouchent-elles sur des passages couverts, comme des souterrains que les verrières ouvrent sur le ciel, sur d'innombrables escaliers, et les trottoirs deviennent-ils des tapis roulants ; ainsi les quais de la Seine deviennent-ils des stations, où le car de touristes, à la fois train, autobus et avion, s'arrête pour prendre les voyageurs ; ainsi la visite en taxi fait-elle défiler des noms de lieux (le Panthéon, la Madeleine, la caserne Reuilly…), sans qu'il soit possible de les apercevoir ; ainsi l'ascenseur de la tour Eiffel, comme une rame bondée de monde, entraîne Zazie et son oncle vers le ciel plutôt que sous la terre — mais les plans successifs qui présentent la tour Eiffel en contre-plongée au début du chapitre 11 transforment la structure métallique de la tour en chemin de fer. Il suffit d'attendre au bord de la route pour que la voiture de la veuve Mouaque, emportée par le flux, revienne à son point de départ. Zazie rencontre hors du métro les êtres que sa rêverie lui promettait de rencontrer dans le métro, les satyres, les touristes, les flics en civil, les pickpockets, les pin-up, Sacha Distel peut-être. Les trajectoires dans Paris enfin sont filmées comme des successions labyrinthiques de correspondances qui font passer de la Concorde au pont de Bir-Hakeim, de la tour Eiffel aux Grands Boulevards, des Puces à Pigalle, mais qui reviennent toujours, comme les lignes du métro, à leur point de départ, en l'occurrence l'église Saint-Vincent-de-Paul.

Zazie est donc bien descendue dans le métro, ou plutôt elle s'est enfoncée dans son rêve du métro. C'est sans doute là qu'il faut chercher la cohérence imaginaire de la première heure du film. Zazie fait à Paris l'expérience paradoxale de la liberté et de l'enfermement, de la foule et de la solitude, de la vitesse et de l'immobilité, de l'archaïsme et de la modernité, de la joie et de la crainte, de la familiarité et de l'étrangeté : c'est l'expérience que font tous les jours les voyageurs du métro. «J'ai voulu montrer une image terrible de la vie dans les villes modernes, dit Louis Malle en 1960. Peut-être que, voyant le film, les Parisiens, épouvantés, s'enfuiront à la campagne» (*Le Monde*) : ce film contre Paris est pourtant un film de Parisien.

3. *La grâce de l'enfance*

Plus encore que dans le roman, Zazie est donc bien chez Louis Malle le personnage principal du récit : elle contrarie la bonne conscience des adultes et entraîne le spectateur dans sa vision onirique et cauchemardesque du monde parisien. Elle est aussi, dans la filmographie de Louis Malle, la première occurrence de la représentation de l'enfance :

> Je crois que j'ai trouvé, avec *Zazie*, ce qui a certainement été le thème central de films comme *Lacombe Lucien*, *Le Souffle au cœur*, *Au revoir les enfants* et sans aucun doute *La Petite*, des films centrés autour d'un enfant ou d'un adolescent qui découvre l'hypocrisie et la corruption du monde des adultes.

Mais ce que ces propos de Louis Malle présentent comme un motif narratif renvoie aussi à une ambition esthétique : *Zazie dans le métro* est le premier film dans lequel Louis Malle se confronte à la direction d'un enfant acteur, statut qui pose d'abord des problèmes éthiques : le milieu du cinéma n'est peut-être pas fait pour les enfants parce qu'il ne peut que les « pervertir ». Louis Malle, dans l'interview au *Monde* déjà citée, rassure sur ce point les « bonnes âmes » : « La petite fille n'aura pas été pervertie par son rôle et son incursion dans le cinéma. » Mais la question morale se double d'un enjeu esthétique : soit le réalisateur laisse l'enfant jouer, muni d'instructions minimales, afin de saisir de ce jeu quelque chose qui serait de l'ordre du « naturel » ; soit il exige de lui ce qu'il exige d'un acteur adulte, sur le plan psychologique (mesure de la distance entre réalité et fiction, conscience de la différenciation entre acteur et personnage) comme sur le plan technique (maîtrise du geste, de la diction, savoir-faire artistique dans le domaine du chant ou de la danse, par exemple). Comme l'écrit Jacqueline Nacache : « Le jeune comédien, dans ce contexte, est utilisé pour tout ce qui en lui échappe précisément à l'enfance : le pouvoir d'entrer et de sortir d'un personnage, de faire preuve de dons et d'une capacité de travail exceptionnels pour son âge, d'entretenir des rapports harmonieux et complices avec des adultes, en un mot de composer, sous la direction d'étranges rétrécisseurs de têtes, la parfaite réduction d'un adulte. »

On voit bien que le travail de Louis Malle avec la petite Catherine Demongeot, qui joue Zazie, relève du premier cas de figure : Zazie est moins un personnage qu'une petite fille, écart qui distingue le film de Malle d'autres films de la Nouvelle Vague mettant en scène des adolescents ou des jeunes gens. Nul doute que Louis Malle cherche à saisir à l'écran quelque chose qui relève exclusivement de l'enfance, quelque chose que les adultes, eux, ont perdu, et qu'on pourrait appeler la grâce de l'enfance. Déjà difficile à définir par des mots, la grâce paraît impossible à représenter en images : elle relève de l'émotion, de l'impression, peut-être de la foi. C'est pourtant, semble-t-il, ce que Louis Malle a cherché aussi à mettre en scène.

Pour évoquer la grâce de l'enfance, il emploie un certain nombre de procédés consistant à ne pas réduire l'actrice à son rôle de gamine espiègle et malpolie, mais à accentuer, au contraire, la conscience d'un décalage entre le personnage et la réalité de l'enfance, au profit de cette dernière. Le premier de ces procédés relève du casting : une enfant de dix ans ne convient pas exactement au personnage de Zazie dont le vocabulaire et les préoccupations évoquent ceux d'une adolescente. En choisissant une fillette plutôt qu'une jeune fille, Louis Malle a accentué l'impression d'absurdité des scènes où il est question de désir ou de perversité — qu'on pense par exemple au premier esclandre avec Turandot (chapitre 5) où le stratagème de Zazie apparaît comme un piège aussi innocent que ceux qu'elle a semés sur le chemin de son poursuivant. Le second procédé consiste en la désynchronisation de l'image et des dialogues : il fonctionne comme un moyen de distinguer l'image de la petite fille du dialogue qu'elle prononce, c'est-à-dire de creuser l'écart entre l'actrice et le personnage. Les gros mots de Zazie, en ce sens, lui échappent. Le troisième procédé concerne la direction d'acteurs et fonctionne par différenciation : alors que le jeu de l'ensemble des adultes tend à l'outrance, au cabotinage, au grotesque, le jeu de Catherine Demongeot se réduit à une très courte gamme d'expressions — un sourire, un air boudeur, un air curieux, des éclats de rire. La séquence où Zazie doit pleurer parce que le métro est fermé (chapitre 6) est un exemple synthétique du recours à ces trois procédés : le rôle exige d'elle qu'elle soit désespérée et en colère ; Louis Malle lui fait mettre les mains devant son visage et fait entendre sur la bande-son des pleurs d'enfants en bas âge. Catherine Demongeot n'a pas à jouer la souffrance : c'est la mise en scène qui, de façon outrancière et ironique, signale le sens dramatique de la séquence. Le spectateur ne voit donc pas un personnage d'enfant qui souffre, mais une enfant qui fait semblant de souffrir sans y croire.

Le quatrième procédé est le plus remarquable : les gros plans de Catherine Demongeot, face à la caméra, souriant ou riant pour le spectateur, ponctuent le film et ouvrent sur un au-delà de la fiction. Le spectateur ne se trouve plus devant l'image de Zazie se moquant de

Trouscaillon, par exemple dans la séquence de la poursuite, mais devant celle d'une enfant qui rit justement sans raison, c'est-à-dire avec toute la grâce de l'enfance. Ces gros plans sont si célèbres qu'ils ont composé l'affiche du film au moment de sa sortie et figurent aujourd'hui sur la couverture du DVD.

Le dernier gros plan de Zazie («j'ai vieilli») échappe à la fiction : il a été filmé après la fin du tournage, en intérieur, sur un arrière-plan sombre. Il fonctionne aussi comme citation et hommage au roman de Queneau. Enfin, Zazie ne sourit plus. On peut penser, bien sûr, que c'est parce qu'elle a fait l'expérience du monde des adultes. Mais on peut lire aussi ce dernier plan comme un emblème du paradoxe fascinant de l'image cinématographique qui enregistre à la fois l'éclat de l'enfance et le travail du temps qui la fait disparaître.

Pour aller plus loin :

Antoine DE BAECQUE, *La Nouvelle Vague, portrait d'une jeunesse*, Flammarion, 2009.

Gilles DELEUZE, *L'Image-temps*, Les Éditions de Minuit, 1985.

Philip FRENCH, *Conversations avec Louis Malle*, Denoël, 1993.

François-Guillaume LORRAIN, *Les Enfants du cinéma*, Grasset, 2011.

Jacqueline NACACHE, *L'Acteur de cinéma*, Armand Colin Cinéma, 2005.

René PRÉDAL, *Le Cinéma français depuis 1945*, Nathan Université, 1991.

François TRUFFAUT, *Le Plaisir des yeux*, Flammarion, 1990.

Collège

Combats du 20ᵉ siècle en poésie (anthologie) (161)
Fabliaux (textes choisis) (37)
Gilgamesh et Hercule (217)
La Bible (textes choisis) (49)
La Farce de Maître Pathelin (146)
La poésie sous toutes ses formes (anthologie) (253)
Le Livre d'Esther (249)
Les Quatre Fils Aymon (208)
Les récits de voyage (anthologie) (144)
Mère et fille (Correspondances de Mme de Sévigné, George Sand, Sido et Colette) (anthologie) (112)
Poèmes à apprendre par cœur (anthologie) (191)
Poèmes pour émouvoir (anthologie) (225)
Schéhérazade et Aladin (192)
ALAIN-FOURNIER, *Le grand Meaulnes* (174)
Jean ANOUILH, *Le Bal des voleurs* (113)
Jean ANOUILH, *Le Voyageur sans bagage* (269)
Marcel AYMÉ, *Les contes du chat perché* (6 contes choisis) (268)
Marcel AYMÉ, Ray BRADBURY, Dino BUZZATI, *3 nouvelles sur le temps* (240)
Honoré de BALZAC, *L'Élixir de longue vie* (153)
Henri BARBUSSE, *Le Feu* (91)
Joseph BÉDIER, *Le Roman de Tristan et Iseut* (178)
Henri BOSCO, *L'Enfant et la Rivière* (272)
John BOYNE, *Le Garçon au pyjama rayé* (279)
Lewis CARROLL, *Les Aventures d'Alice au pays des merveilles* (162)
Blaise CENDRARS, *Faire un prisonnier* (235)

Charles JULIET, *L'Année de l'éveil* (243)

Joseph KESSEL, *Le Lion* (30)

Jean de LA FONTAINE, *Fables* (34)

Maurice LEBLANC, *Arsène Lupin, gentleman-cambrioleur* (252)

J. M. G. LE CLÉZIO, *Mondo et autres histoires* (67)

Gaston LEROUX, *Le Mystère de la chambre jaune* (4)

Jack LONDON, *Loup brun* (210)

Guy de MAUPASSANT, *9 nouvelles légères* (251)

Guy de MAUPASSANT, *12 contes réalistes* (42)

Guy de MAUPASSANT, *Boule de suif* (103)

MOLIÈRE, *Les Fourberies de Scapin* (3)

MOLIÈRE, *Le Médecin malgré lui* (20)

MOLIÈRE, *Trois courtes pièces* (26)

MOLIÈRE, *L'Avare* (41)

MOLIÈRE, *Les Précieuses ridicules* (163)

MOLIÈRE, *Le Sicilien ou l'Amour peintre* (203)

MOLIÈRE, *George Dandin ou Le Mari confondu* (218)

MOLIÈRE, *Le Malade imaginaire* (227)

Alfred de MUSSET, *Fantasio* (182)

Alfred de MUSSET, *Les Caprices de Marianne* (245)

George ORWELL, *La Ferme des animaux* (94)

OVIDE, *Les Métamorphoses* (231)

Amos OZ, *Soudain dans la forêt profonde* (196)

Louis PERGAUD, *La Guerre des boutons* (65)

Charles PERRAULT, *Contes de ma Mère l'Oye* (9)

Edgar Allan POE, *6 nouvelles fantastiques* (164)

Alexandre POUCHKINE, *La Dame de pique* (267)

Jacques PRÉVERT, *Paroles* (29)

Jules RENARD, *Poil de Carotte* (66)

Jules RENARD, *Poil de Carotte (Comédie en un acte)* (261)

Composition Interligne
Impression Novoprint
à Barcelone, le 21 mai 2015
Dépôt légal : mai 2015
1ᵉʳ dépôt légal : juin 2012
ISBN 978-2-07-044877-7/Imprimé en Espagne.